AF238358

ACCESO GRATIS ***a la Lectura en la Nube***

Para visualizar el libro electrónico en la nube de lectura envíe junto a su nombre y apellidos una fotografía del código de barras situado en la contraportada del libro y otra del ticket de compra a la dirección:

ebooktirant@tirant.com

En un máximo de 72 horas laborables le enviaremos el código de acceso con sus instrucciones.

DERECHO PENITENCIARIO

Procedimiento de selección de originales, ver página web:

www.tirant.net/index.php/editorial/procedimiento-de-seleccion-de-originales

DERECHO PENITENCIARIO

5ª Edición

VICENTA CERVELLÓ DONDERIS
Catedrática de Derecho Penal
Universitat de València

tirant lo blanch
Valencia, 2022

* El epígrafe 5 del capítulo 6° y los epígrafes 7.1 y 7.2.2 del capítulo 8° han sido elaborados por César Chaves Pedrón. Profesor de Derecho Penal de la Universidad de Valencia y Abogado.

EDITA: TIRANT LO BLANCH
C/ Artes Gráficas, 14 - 46010 - Valencia
TELFS.: 96/361 00 48 - 50
FAX: 96/369 41 51
Email: tlb@tirant.com
www.tirant.com
Librería virtual: www.tirant.es
DEPÓSITO LEGAL: V-2588-2022
ISBN: 978-84-1147-295-1

Si tiene alguna queja o sugerencia, envíenos un mail a: *atencioncliente@tirant.com*. En caso de no ser atendida su sugerencia, por favor, lea en *www.tirant.net/index.php/empresa/politicas-de-empresa* nuestro procedimiento de quejas.

Responsabilidad Social Corporativa: http://www.tirant.net/Docs/RSCTirant.pdf

Índice

Capítulo 3º
LA PENA DE PRISIÓN

Capítulo 4º
LA PRISIÓN PERMANENTE REVISABLE

Capítulo 5º
ALTERNATIVAS PENALES Y SANCIONES COMUNITARIAS

Capítulo 6º
LA RELACIÓN JURÍDICA PENITENCIARIA

Capítulo 7º
JURISDICCIÓN PENITENCIARIA

Capítulo 8º RÉGIMEN Y ORGANIZACIÓN INTERNA

Capítulo 9º LA CLASIFICACIÓN PENITENCIARIA

Capítulo 10º
LOS ESTABLECIMIENTOS PENITENCIARIOS

Capítulo 11º
EL TRATAMIENTO PENITENCIARIO

Capítulo 12º
EL TRABAJO PENITENCIARIO

Capítulo 13º
RELACIONES CON EL EXTERIOR

Capítulo 14° LIBERTAD CONDICIONAL

Capítulo 15° BENEFICIOS PENITENCIARIOS

Capítulo 16° RÉGIMEN DISCIPLINARIO

Capítulo 17º
LA EJECUCIÓN DE LAS MEDIDAS DE SEGURIDAD PRIVATIVAS DE LIBERTAD

Capítulo 18º
LIQUIDACIÓN DE CONDENA

Capítulo 19º
ASPECTOS CRIMINOLÓGICOS DE LA PRISIÓN

ABREVIATURAS

ADPCP:	Anuario de Derecho Penal y Ciencias Penales
AP:	Audiencia Provincial
CE:	Constitución Española
CP:	Código Penal
CDJ:	Cuadernos de Derecho Judicial
CPC:	Cuadernos de Política Criminal
DGIP:	Dirección General de Instituciones Penitenciarias
EPyC:	Estudios Penales y Criminológicos
FGE:	Fiscalía General del Estado
LECR:	Ley de Enjuiciamiento Criminal
LGS:	Ley General de Sanidad
LOGP:	Ley Orgánica General Penitenciaria
LOPJ:	Ley Orgánica del Poder Judicial
LRJAPyPAC:	Ley de Régimen Jurídico de las Administraciones Públicas y del Procedimiento Administrativo Común
PJ:	Revista Poder Judicial
R:	Repertorio de Jurisprudencia Aranzadi
RAP:	Revista de Administración Pública
REP:	Revista de Estudios Penitenciarios
RFDUC:	Revista de la Facultad de Derecho de la Universidad Complutense
RGDP:	Revista General Derecho Penal
RGDC:	Revista General de Derecho Constitucional
RP:	Reglamento Penitenciario de 1996
RSP:	Reglamento de los Servicios de Prisiones De 1956
SGIP:	Secretaría General de Instituciones Penitenciarias
STS:	Sentencia del Tribunal Supremo
STC:	Sentencia del Tribunal Constitucional
TEDH:	Tribunal Europeo de Derechos Humanos
VVAA:	Varios Autores

INTRODUCCIÓN A LA QUINTA EDICIÓN

La quinta edición que se presenta de la obra Derecho Penitenciario incorpora mejoras sistemáticas, novedades legislativas y una actualización de referencias bibliográficas y jurisprudenciales. Con el fin de no perder la identidad del texto, no se han modificado las citas bibliográficas a pie de texto, pero se ha incluido en la bibliografía final las nuevas obras o nuevas ediciones de la producción científica más relevante de los últimos años y se han actualizado las referencias jurisprudenciales y las Instrucciones de la Secretaría General de Instituciones Penitenciarias.

En los seis años que han pasado desde la anterior edición ha cambiado mucho la sociedad, pero también lo han hecho las prisiones. Es ineludible, en este sentido, hacer referencia al impacto que supuso la pandemia originada por el covid-19 que en marzo de 2020 dio lugar a un confinamiento de la población mundial que provocó una paralización global, sin precedentes, de la libre circulación, de las relaciones sociales, de la actividad laboral y de la economía mundial. El impacto de las restricciones a la libre circulación de movimientos fue tal que, en ocasiones, ensombrecía lo más importante como era el contagio de un virus incontrolado que afectó a miles de personas, produciendo la muerte de las más vulnerables.

Si en la sociedad libre la crisis sanitaria afectó a todas las facetas de la vida diaria, en el caso de las prisiones supuso la paralización de todo tipo de actividades, la interrupción de las comunicaciones, visitas y salidas al exterior, el aislamiento social y la máxima preocupación por preservar la salud de los internos y los funcionarios ante las devastadoras consecuencias que podía haber tenido un contagio masivo carcelario. Las autoridades penitenciarias, con la finalidad de contener la entrada del virus en los recintos penitenciarios, tomaron una serie de decisiones que restringían seriamente los derechos de los internos, pero que sirvieron para despegar el uso de las tecnologías como instrumento utilizado para facilitar el acceso a prestaciones, servicios y derechos que habían quedado seriamente dañadas por las medidas de confinamiento y distancia social impuestas.

De esa necesidad ha surgido una de las más destacadas novedades de este periodo con la reforma del Reglamento Penitenciario por RD 268/2022 de 12 de abril, en ella se apuesta por la utilización de la tecnología en comunicaciones telefónicas a través de las videollamadas y la reducción de la brecha tecnológica de los internos, permitiendo la conexión a internet para actividades de estudio y formación, lo que deja la puerta abierta al futuro teletrabajo de los internos.

Una segunda novedad, en este caso frustrante, ha sido la STC 169/2021 de 6 de octubre que declaró la constitucionalidad de la prisión permanente revisable con un fallo escasamente argumentado que viene a sostener que dicha pena no se puede considerar perpetua por ser revisable, no es más aflictiva que otras de larga duración y no abandona al penado en la incertidumbre de sus expectativas de futuro porque de su propia conducta depende su revisión. Al margen de los argumentos con los que se puede rebatir estas afirmaciones, lo que queda claro en este momento es que la planificación de la ejecución penitenciaria de esta pena puede ser crucial en su modalidad de cumplimiento y su duración, por ello, las directrices que van a marcar el programa de intervención de estos internos deben aprobarse lo antes posible, porque de lo contrario se corre el riesgo que la perpetuidad pueda ser de facto.

En el ámbito jurisprudencial, la jurisprudencia del Tribunal Supremo en casación por unificación de doctrina está aportando interesantes fallos con una interpretación legal de corte menos punitivo y más criminológico de las figuras penitenciarias, como se puede observar en la STS 59/2018 de 2 de febrero que declara el salario mínimo interprofesional como límite del pago de la responsabilidad civil propio de la libertad condicional o la STS 124/2019 de 8 de marzo que desvincula del concepto de buena conducta propio de la concesión de permisos de salida a las sanciones no canceladas para apostar por una valoración global que pondere la evolución personal del interno. Ambos pronunciamientos ponen en valor la importancia de analizar las circunstancias personales del penado en sede penitenciaria.

No se puede terminar esta breve introducción a la nueva edición que se presenta sin hacer mención a dos rasgos de la actual política penitenciara que están influyendo directamente en la tendencia ya consolidada de reducción de población penitenciaria, en primer lugar, una apuesta clara por aumentar el tercer grado con una generalización de los medios de control telemático que ha alcanzado casi a un 20% de la población penitenciaria cuando apenas hace unos años no se lograba subir del 12% y, en segundo lugar, el incremento de las alternativas penológicas a la pena corta de prisión que ha conseguido consolidar la imposición de la pena de trabajos en beneficio de la comunidad y de la suspensión de la ejecución, con nuevos contenidos restaurativos que están recibiendo un gran impulso por Instituciones Penitenciarias. Debe destacarse también el protagonismo que están cobrando los Servicios de gestión de penas y medidas alternativas en la dinamización y desarrollo de los programas en medio abierto, lo que invita a reflexionar sobre la necesidad de una regulación propia e integral de las medidas alternativas y la reformulación de su relación orgánica con Instituciones Penitenciarias.

Terminábamos la anterior edición confiando en la pronta derogación de la reforma de la libertad condicional operada en 2015, no ha sido así, y los peores augurios se han cumplido con una sustancial reducción del número del número de solicitudes, sin alcanzar a entender la pasividad institucional ante el fracaso de una reforma innecesaria y perturbadora de la coherencia del sistema penitenciario.

Finalmente, solo queda insistir en la importancia de la ejecución penitenciaria en la tutela de los derechos fundamentales, el extraordinario nivel de los trabajos doctrinales en esta materia y el enriquecimiento que supone la jurisprudencia casacional para unificar la interpretación normativa, todo lo cual pone a disposición de investigadores y profesionales un valioso material de estudio y formación.

Valencia, julio 2022

Capítulo 1º

EL DERECHO PENITENCIARIO

1. EL DERECHO PENITENCIARIO

1.1. Concepto y contenido

Señala Cuello Calón que el calificativo de penitenciario nació para designar exclusivamente ciertas penas privativas de libertad inspiradas en un sentido de expiación reformadora[1], contenido inicial que progresivamente se ha ido extendiendo para abrir su campo de actuación a las medidas de seguridad, las figuras postcarcelarias e, incluso, otro tipo de sanciones.

Tan negativo como una excesiva restricción puede ser también una desmedida ampliación, pues en todo caso la materia regulada ha de tener una relación coherente que permita una legislación y sistematización común, por ello es preferible limitar el contenido de esta materia al conjunto de normas jurídicas que regulan la ejecución de todas las sanciones penales privativas de libertad sean penas o medidas de seguridad[2] por varias razones:

– en primer lugar, si bien la ejecución penal es una materia homogénea de la cual se dice que da lugar a un auténtico sector autónomo

---

1 Cuello Calón, E. *Derecho Penal. Parte general.* Tomo I revisado y puesto al día por C. Camargo Hernández. 18ª Ed, Barcelona 1989, pág. 829.

2 Müller-Dietz, H. *Strafvollzugsrecht* Berlín 1978 pág. 20 en un concepto estricto de ejecución penal contempla la ejecución de penas y medidas privativas de libertad por ser las sanciones que más propiamente se ejecutan, por tener una significación tanto cualitativa como cuantitativa en la ejecución general y por el específico control social que representa el encarcelamiento forzoso.

del Ordenamiento Jurídico como es el Derecho de ejecución de penas, no se puede negar que las penas privativas de libertad, por sus condiciones de cumplimiento, presentan unas especiales características de ejecución que precisan de una regulación propia e independiente del resto de las penas.

– respecto a las medidas de seguridad, aunque podría hablarse de un derecho de medidas autónomo, razones organizativas y de seguridad jurídica abogan por su regulación junto a las penas privativas de libertad, dando con ello mayor sentido a su denominación por la correspondencia entre penitenciario y privación de libertad.

De tal definición se derivan sus características:

– es una parte del Ordenamiento Jurídico por ser su contenido normativo, es decir, ni sociológico ni criminológico, lo cual no impide que estas materias sean de suma importancia para conocer la realidad penitenciaria.

– se ocupa exclusivamente de la ejecución de penas y medidas de seguridad impuestas en sentencia, aunque sus normas se extienden también al cumplimiento de medidas cautelares como la prisión provisional.

– se refiere sólo a penas y medidas de seguridad privativas de libertad, lo que exige realizar una serie de consideraciones. En relación a las penas privativas de libertad junto a la pena de prisión hay que añadir la localización permanente (creada por LO 15/2003 de 25 de noviembre), que excepcionalmente permite el cumplimiento penitenciario, y la prisión permanente revisable, creada por la LO 1/2015 de 30 de marzo. En cuanto a las medidas de seguridad, su inclusión es debida a su naturaleza de consecuencia jurídica del delito similar a la pena de prisión, aunque con fines distintos. En los últimos años el contenido del Derecho Penitenciario también se ha ampliado a otro tipo de penas y figuras penales, como consecuencia de la atribución al Juez de Vigilancia del control de la ejecución del trabajo en beneficio de la comunidad y de la localización permanente en centro penitenciario, a lo que hay que añadir que la elaboración de los planes de ejecución y el seguimiento del cumplimiento de estas dos penas y de la suspensión de la pena recae en los Servicios de gestión de penas y medidas alternativas de la Administración penitenciaria.

De movimiento penitenciario como interés en la situación del recluso, sólo se puede hablar a partir de la segunda mitad del siglo XVIII con la abolición del Antiguo Régimen, momento en el que las tendencias humanitarias hicieron de la pena privativa de libertad el medio más adecuado para conseguir sus pretensiones; con ello empiezan a surgir los primeros estudios sobre las materias relacionadas con las prisiones y el cumplimiento de las penas, teniendo un destacado papel los Congresos Penitenciarios internacionales celebrados a partir del siglo XIX, auténticos artífices de importantes objetivos hoy plenamente asentados, como la sistematización de sus normas en un cuerpo único o la creación del juez de ejecución de penas. Más adelante, las Reglas Mínimas para el tratamiento de los reclusos aprobadas por la ONU en 1955 pasaron a constituir un verdadero Código tipo de las distintas legislaciones penitenciarias internas, surgiendo de todos estos antecedentes lo que posteriormente se ha denominado Derecho Penitenciario[3], que a partir de 1970 se materializó en las más modernas leyes de ejecución europeas, ya acordes con los citados principios internacionales.

De esta manera la función resocializadora de la prisión cobró especial protagonismo en la inspiración de las reformas penitenciarias habidas en diversos países europeos como Suecia (Ley de 19 de abril de 1974), Italia (Ley de 26 de julio de 1975), Alemania (Ley de 16 de marzo de 1976) y España (Ley de 26 de septiembre de 1979) con un compromiso común de humanizar la ejecución penitenciaria y ofrecer un tratamiento resocializador a los penados. Sin embargo, dichas disposiciones y sus ambiciosas pretensiones pronto encontraron un fuerte choque con la realidad social e institucional al mostrarse no sólo absolutamente inadecuada sino incluso contraria al movimiento

---

3 Sliwowski, G. distingue entre Técnica penitenciaria todavía previa a la existencia del Derecho penitenciario sin el carácter de ciencia y tendente a ordenar la materia sin más pretensiones que el orden o la disciplina, Ciencia penitenciaria cuyo contenido abarca distintos campos del ambiente carcelario, Política penitenciaria cuyo objetivo es el cumplimiento más perfecto de la ejecución penal realizando sus fines con los medios más económicos y menos costosos, lo que vendría a ser una hermana menor de la Política criminal, y por ello teleológica, normativa y experimental y, por último, Derecho penitenciario como disciplina jurídica y normativa. "Técnica penitenziaria, política penitenziaria, diritto penitenziario" en *L'Indice Penale* 1974 pág. 286 y ss.

resocializador, lo que unido a la crisis del Estado asistencial, aceleró, en opinión de Baratta, una nueva reinterpretación de los fines de la pena[4] que retaba a combinar sanciones y formas de cumplimiento novedosas con la necesaria salvaguarda de los derechos de los reclusos.

1.2. *Autonomía y relación con otras disciplinas*

Tras el extraordinario desarrollo que alcanzó en el siglo XIX la entonces denominada Ciencia penitenciaria por la celebración de diversos Congresos internacionales, Novelli[5] fue uno de los primeros en defender la autonomía de esta disciplina en un artículo publicado en 1933 en la Rivista de Diritto Penitenziario[6], fundada por él mismo, bajo la idea de su necesaria sistematización y regulación normativa independiente. En su posterior desarrollo, el Derecho penitenciario ha tenido que ir abriéndose camino para señalar sus diferencias con el Derecho Administrativo, el Derecho Procesal y el Derecho Penal.

Quienes ligaban el Derecho Penitenciario al Derecho Administrativo, lo hacían con diversos argumentos: por entender que si bien el cumplimiento de la pena durante el tiempo fijado por el Tribunal corresponde al ámbito penal, el tratamiento en sentido amplio llevado a cabo durante dicho periodo corresponde a los órganos administrativos[7], o bien, incluso pensando que la Jurisdicción de vigilancia también es de naturaleza administrativa; sin embargo, la creación de

---

4 Baratta, A. "Integración-prevención: una nueva fundamentación de la pena dentro de la teoría sistémica". *CPC* nº 24, 1984 pág. 543.

5 El impulso de Novelli explica que a partir de 1933 en Italia ya se generalizara la autonomía legislativa y científica del Derecho Penitenciario y con ello el desarrollo posterior de esta disciplina, Téllez Aguilera, A. "Novelli y su tiempo. Una aproximación a los orígenes del Derecho Penitenciario". *REP* nº 255, 2011 pág. 22.

6 "L'autonomía del diritto penitenziario"*Rivista di Diritto Penitenziario* 1933 cit. por E. Somma en *Novísimo Digesto* Apéndice vol. VI 1986 voz "*sciencia penitenziaria*" pág. 1030 y ss.

7 Bueno Arús, F. *Estudios penales y penitenciarios*. Madrid 1981 pág. 123, opinión corregida tras la creación de los Juzgados de Vigilancia Penitenciaria. En contra de entender el Derecho Penitenciario como Derecho Administrativo Mapelli, B. "La autonomía del Derecho penitenciario". *RFDUC* nº 11 monográfico Julio 1986, pág. 455.

los Juzgados de Vigilancia penitenciaria ha judicializado la ejecución, garantizando la salvaguarda de los principios constitucionales, por ello el Juez de Vigilancia actúa como puente en el Derecho Penitenciario en su función de tutela de los derechos de los reclusos y de fiscalización de los actos de la Administración.

Esta pretendida adscripción al Derecho Administrativo se originaba fundamentalmente por la normativa anterior a la vigente LOGP que, además de estar formada por normas de carácter reglamentario, concedía decisivas competencias a la Administración. Desde entonces, la aparición de la nueva legislación en 1979 unida al enunciado del art. 117.3 CE que asigna exclusivamente a los Jueces y Tribunales la función de juzgar y hacer ejecutar lo juzgado, no deja lugar a dudas para afirmar que la ejecución penitenciaria es una tarea estrictamente jurisdiccional.

Por lo que respecta a su dependencia del Derecho Procesal, en general, la doctrina procesalista negaba que el Derecho Penitenciario perteneciera a su ámbito como consecuencia de la distinción realizada entre ejecución y cumplimiento[8], o entre ejecución de la sentencia y ejecución de la pena, entendiendo que si bien la primera lo forman los actos jurisdiccionales tendentes a promover la condena, la ejecución material es una actividad de naturaleza administrativa (y por ello no procesal) que realizan los órganos administrativos competentes[9]. Esta afirmación varía sustancialmente con la inclusión tanto en la LOGP como en la LOPJ de la figura del Juez de Vigilancia penitenciaria cuya existencia confirma que la actividad judicial no cesa con la entrada en prisión, si bien exige distinguir la parte material del Derecho Penitenciario, cuyo núcleo es la regulación de derechos y deberes de los internos, de la parte formal integrada por los mecanismos procedimentales dispuestos para su protección. Por todo ello, la ejecución

---

8 Defiende esta distinción Del Toro, A. en *Comentarios al Código Penal* Tomo II dirigidos por J. Córdoba Barcelona 1976 pág. 396 y ss. Admitiendo la anterior distinción pero en sentido inverso Mapelli, B. "La autonomía..." cit. pág. 454.

9 Gómez Orbaneja-Herce Quemada *Derecho Procesal Penal.* 10ªEd. Madrid 1986 pág. 379. Ha de tenerse en cuenta en tales afirmaciones la discutida naturaleza jurisdiccional o administrativa del propio Juez de Vigilancia penitenciaria que lleva a que algunos autores defiendan su carácter híbrido, olvidando que el Juez de Vigilancia nunca actúa como órgano administrativo sino como garante de derechos.

penitenciaria exige un control judicial desde el inicio al término de la condena en lo relativo a su duración y forma de cumplimiento puesto que "la ejecución no es sólo pronunciar un derecho, sino ejecutarlo"[10] y, que los Juzgados de Vigilancia compartan competencias con la Administración Penitenciaria, no les dota de naturaleza administrativa por prevalecer su función jurisdiccional[11].

Finalmente, pese a la especial vinculación que le une al Derecho Penal a través de la teoría de la pena, se puede mantener una autonomía relativa[12]basada en la independencia formal de un cuerpo legislativo único (LOGP y RP), una propia jurisdicción (Juzgados de Vigilancia) y la independencia material que le da disponer de un objeto propio, como es la ejecución de las penas y medidas privativas de libertad. Todo ello deja fuera de dudas la particularidad de su contenido jurídico, limitando con ello su discusión al respectivo alcance de su dependencia y autonomía dentro del Ordenamiento Jurídico.

El Derecho Penitenciario necesita para su desarrollo de una autonomía legal, jurídica y científica[13], ya que si bien sus fuentes son variadas al concurrir normas de naturaleza penal, administrativa, laboral o procesal, su regulación es autónoma e independiente "formando un cuerpo normativo orgánico y distinto con propia sistemática y fundamentos y principios específicos"[14]. Pero como en esta parte del Ordenamiento Jurídico los principios y garantías cobran especial relevancia, su estrecha relación con el Derecho Penal asegura las garantías propias del sistema penal, que podrían quedar mermadas en un Derecho Penitenciario totalmente autónomo. La realidad, sin embargo, ha caminado en sentido opuesto dejando reformas penitenciarias, realizadas en el seno del Código Penal, mucho más punitivas y alejadas de la orientación constitucional resocializadora.

---

10 Prieto-Castro, L. y Gutiérrez, E. *Derecho Procesal Penal* 4ª Ed. Madrid 1989 pág. 444-445.

11 De la Oliva, A./Aragoneses/S./Hinojosa, R. *Derecho Procesal Penal,* 8ª Ed 2010 pág. 854.

12 Mapelli Caffarena, B. "La autonomía ..." cit. pág. 453 y 460.

13 Mapelli Caffarena, B. "La autonomía..." cit. pág. 457. Los trabajos de García Valdés, Bueno Arús, Garrido Guzmán, Mapelli Caffarena, o de la Cuesta Arzamendi fueron determinantes para su desarrollo científico en España.

14 Mapelli Caffarena, B. "La autonomía..." cit. pág. 458

En conclusión, la privación de libertad presenta en su ejecución singulares características que acentúan especialmente la diferencia entre cumplimiento y ejecución, permitiendo con ello toda una variada estrategia de actuación[15]. De ahí resulta su naturaleza multidisciplinar que desde un principal enclave normativo (la legislación penitenciaria) se extiende a numerosas proyecciones (laborales, sanitarias, disciplinarias...), sin que ello suponga un obstáculo a su especial vinculación con el Derecho Penal y sus correspondientes garantías y principios limitadores, siempre que se respete la prioritaria orientación constitucional y los específicos principios penitenciarios.

1.2.1. Relación con el Derecho Penal

La relación del Derecho Penitenciario con el Derecho Penal es sumamente estrecha ya que es el Código penal el que regula las clases de penas privativas de libertad (art. 35), su duración respectiva (art. 36 y 37) y las reglas de su aplicación judicial (art. 61 y ss.), entre las que tiene una especial relevancia la duración de la pena en los supuestos concursales por la trascendencia penitenciaria de las penas de larga duración; si a ello se le une la evidencia de que la pena de prisión es la base del sistema penal, la conclusión es que el Derecho Penitenciario regula la parte fundamental de la ejecución penal[16].

Es digno de destacar, asimismo, que las garantías penales se hayan extendido a la ejecución penitenciaria, de este modo el principio de legalidad en la ejecución se recoge en el art. 3.2 CP al disponer la obligación de ejecutar penas y medidas de seguridad conforme a lo previsto en la Ley y los reglamentos que la desarrollan y, en el mismo

---

15 Mapelli Caffarena, B. "La autonomía..." cit. pág. 454. Silvela decía que ejecutar la pena es hacer que se cumpla, por eso la ejecución es una actividad previa que desencadena el cumplimiento, *El DP estudiado en sus principios y en su legislación vigente en España* Madrid 1874 pág. 445, de ahí surgió durante años la consideración de que la ejecución era una actividad jurisdiccional y sin embargo el cumplimiento quedaba en manos de la Administración, afirmación que actualmente no puede mantenerse por el control judicial introducido por la Ley General Penitenciaria.

16 Cobo del Rosal, M./Vives Antón, T. *Derecho Penal. Parte General* 5ª Ed. Valencia 1999, pág. 49.

artículo, el control judicial de la ejecución exige que se realice bajo la supervisión de los jueces y tribunales competentes

Aunque anteriormente el Código Penal recogía la referencia al sistema progresivo de cumplimiento de la pena de prisión, esta mención desapareció en 1995 remitiendo en la actualidad el art. 35 a lo dispuesto en las leyes, con la finalidad de respetar su autonomía sin interferir en su regulación específica; en esta regulación destaca como excepción la figura de la libertad condicional que históricamente siempre se ha regulado en el Código Penal.

Esta pretensión de remisión y respeto a la legislación específica se ha quebrado en los últimos años con diversos ejemplos de intromisión penal en figuras penitencias como es el caso de la regulación en el art. 36.2 CP del periodo de seguridad en el tercer grado de clasificación penitenciaria, de la consideración del pago de la responsabilidad civil como signo de buena conducta en la libertad condicional en la reforma de 2003, de las restricciones del art. 78 CP para acceder a diversas figuras de excarcelación, de los plazos tasados de permisos de salida, tercer grado y suspensión de la ejecución en la regulación de la prisión permanente revisable y de la transformación de la libertad condicional en una clase de suspensión de la ejecución. Todo ello no sólo dispersa los requisitos legales de la clasificación, sino que ha supuesto una desviación del espíritu resocializador del sistema penitenciario de la LOGP, produciendo con ello además una intromisión del órgano judicial sentenciador en la ejecución penitenciaria.

Con ello este proceder se producen dos problemas: en primer lugar, se adelantan al momento de la sentencia decisiones sobre figuras penitenciarias que deben ser analizadas desde la perspectiva de la ejecución, caracterizada por el análisis individualizado de las circunstancias del interno y no por la objetividad del delito o de la pena impuesta y, en segundo lugar, se incluyen reformas penitenciarias en el Código Penal sin modificar la legislación penitenciaria, lo que produce evidentes disfunciones.

Otra muestra de divergencia entre la regulación penal y la penitenciaria se da en la enumeración de los centros de cumplimiento de las medidas de seguridad privativas de libertad ya que, mientras el art. 96 CP se refiere a centros psiquiátricos, de deshabituación y de educación especial, en la LOGP la referencia es a centros hospitalarios, psiquiátricos y de rehabilitación.

1.2.2. Relación con el Derecho Administrativo

La Administración penitenciaria forma parte de la Administración del Estado, por ello la mayor relación con el Derecho Administrativo se refleja en la naturaleza administrativa de sus atribuciones correspondientes al funcionamiento y organización interna de los Centros penitenciarios. Ello da lugar a su correspondiente desarrollo reglamentario que, en forma de Circulares e Instrucciones, va fijando las normas de actuación de los órganos penitenciarios y formando la política general penitenciaria que traza las líneas a seguir en el desarrollo de la aplicación de la legislación penitenciaria, como atributo del poder ejecutivo que se ejerce con criterios políticos, pero sometido al control judicial.

Esta vertiente de órgano administrativo tiene una manifestación específica con los internos a través de la relación de sujeción especial que conlleva una serie de derechos y obligaciones recíprocos entre las personas privadas de libertad y la Administración que tiene el deber de custodiarle. De especial relevancia es la regulación del régimen disciplinario como instrumento de convivencia al que están sometidos todos los reclusos, lo que conlleva la obligación de cumplir todas las garantías del derecho administrativo sancionador, en particular, el derecho de defensa y el principio *ne bis in ídem*.

Finalmente, el personal de Instituciones Penitenciarias forma parte de la función pública lo que implica estar sometido al Derecho Administrativo tanto en lo relativo a las normas de acceso como a la responsabilidad en el ejercicio profesional, dando una garantía de servicio público, pese a la tendencia a la externalización de servicios y el riesgo de privatización encubierta que conlleva.

1.2.3. Relación con el Derecho Procesal

La relación con el Derecho Procesal se deriva de la necesidad de partir de un auto de prisión en el caso de los presos preventivos (respecto a los que rige el principio de presunción de inocencia) o de una sentencia en el caso de los condenados, a partir de lo cual se inicia un periodo de cumplimiento de condena que va a ser supervisado por un órgano judicial representado por el Juez de Vigilancia.

De ello resulta que las incidencias más importantes de la ejecución de la pena privativa de libertad, si bien no todas, requieran control judicial por parte del órgano judicial sentenciador o del Juzgado de Vigilancia, vgr. la libertad condicional o los beneficios penitenciarios, aunque queden fuera del mismo otras figuras relevantes como el tercer grado o algún tipo de permisos de salida, salvo que se interponga recurso.

El contenido procesal del Derecho Penitenciario es muy importante como se manifiesta en la regulación del sistema de recursos que permite la reclamación de los internos ante los órganos administrativos y jurisdiccionales de todas aquellas vulneraciones que se hayan producido en sus derechos; sin embargo, la confusa regulación sobre órganos competentes, plazos y procedimiento evidencian la necesidad de una normativa específica que unifique el procedimiento ante los Juzgados de Vigilancia.

1.2.4. Relación con la Criminología

A diferencia de las anteriores disciplinas la Criminología no es una materia jurídica, sino empírica, por ello su relación con el Derecho penitenciario es necesaria para conocer la realidad penitenciaria y la influencia que tiene el medio carcelario sobre el recluso y sobre la sociedad, y para diseñar estrategias penitenciarias de intervención dentro del marco jurídico de derechos y libertades individuales.

De esta manera la Criminología ha aportado interesantes estudios sobre el medio penitenciario y su trascendencia en el comportamiento de la población penitenciaria (subcultura carcelaria, prisionización o adaptación al medio penitenciario), sobre aspectos de victimización terciaria como la estigmatización social como rechazo social postpenitenciario y sobre estrategias y modelos de tratamiento (control de la reincidencia, tratamiento de grupos delictivos específicos...). Especialmente importante es la visión de la Criminología crítica sobre el estudio de la prisión y las estructuras sociales, así como el análisis del fracaso de la prisión y su sustitución por alternativas al encierro, ya que todo ello ha contribuido a mejorar las condiciones del medio penitenciario y facilitar la reinserción social de los reclusos.

Una de las aportaciones de mayor trascendencia de la Criminología al Derecho Penitenciario es la investigación sobre sus fines y su contenido, ya que la finalidad prioritaria de las Instituciones Penitenciarias es la reeducación y reinserción social como propuesta de reincorporación a la sociedad a través del tratamiento penitenciario, lo que ha supuesto una aportación criminológica a la ejecución penitenciaria que persigue mediante actuaciones individualizadas, ir más allá del castigo, a la búsqueda de una oportunidad de alejarse del delito sin dejar de formar parte de la sociedad.

Es conveniente recordar que las distintas ocasiones en que la regulación penal y penitenciaria exigen la comprobación de indicios de peligrosidad como probabilidad de futura comisión de delitos, factores de riesgo delictivo o pronóstico de reinserción, debe entenderse que son referencias a la necesidad de un análisis criminológico para la aplicación de figuras penitenciarias que justifican por sí mismas la intervención de criminólogos en la ejecución penitenciaria.

2. PRINCIPIOS INFORMADORES

El Código Penal incluye en el Título Preliminar las garantías penales que afectan a la pena y a la medida de seguridad, formando un marco de principios y límites en los que se debe mover la potestad punitiva estatal. Entre dichas garantías se van a destacar aquellas que afectan al Derecho Penitenciario por su especial relación con la ejecución de las penas de prisión, como son el principio de legalidad, el principio de proporcionalidad, el principio *ne bis in idem* y el principio de resocialización.

2.1. Principio de legalidad

El enunciado del principio de legalidad penal exige que la pena y la medida de seguridad, tanto en su clase como en su gravedad, sean impuestas por la ley como manifestación de la voluntad general. Su contenido lo delimitó Feurbach en los siguientes términos: no hay pena sin ley, no hay pena sin infracción previa y la pena viene determinada por la infracción previa. Este planteamiento ha evolucionado en cuatro garantías: criminal, penal, procesal y de ejecución, que velan como exigencia de legalidad en relación a las penas, para que no se puedan imponer más penas que las legalmente previstas, que no se puedan crear nuevas penas ni sustituir por otras, si no lo permite la ley y, finalmente, que la ley determine la clase, gravedad y forma de cumplimiento de la pena.

Del art. 81 de la Constitución se desprende que las penas privativas de libertad han de ser reguladas mediante ley orgánica por afectar al desarrollo de un derecho fundamental como es la libertad, así lo entendió la STC 140/1986 de 11 de noviembre para las leyes que fijen los supuestos en que legítimamente se puede privar de la libertad a una persona, ya que si se tratara de una ley no orgánica se vulnerarían las garantías del derecho a la libertad. Con la multa, sin embargo, como afecta a la propiedad, que no viene regulada en el capítulo II del Título I relativo a los derechos fundamentales, se entendió que no era necesario, pese a que su impago la puede convertir en privación de libertad. La razón fue que el Tribunal Constitucional consideró que la referencia a un derecho fundamental no era directa sino subsidiaria[17], bastando por ello que la norma que contemplaba esta sustitución fuera orgánica, como en efecto lo es el Código Penal; sin embargo, la opinión mayoritaria siempre ha entendido al respecto, que cualquier pena que afecte a los derechos fundamentales, como son las que implican directa o subsidiariamente privación de libertad, solo pueda ser establecida mediante ley orgánica[18] ya que la gravedad de la sanción penal exige el mayor consenso posible.

En cuanto a la legalidad en la ejecución se ha pasado de limitar la actuación judicial arbitraria y discriminatoria propia del Antiguo Régimen, a funcionar en la actualidad como límite al poder de la Administración para que sus actuaciones respeten las directrices legales

---

[17] Madrid Conesa, F. *La legalidad del delito*. Valencia 1983 pág. 56 en el mismo sentido.

[18] Casabó Ruiz, J. R. "La capacidad normativa de las CCAA en materia de medio protección penal de ambiente". *Estudios penales y criminológicos* V Santiago de Compostela 1980-1981 pág. 252, Boix Reig, J. "El principio de legalidad en la Constitución" en *Repercusiones de la constitución en el Derecho Penal*. Bilbao, 1983 pág. 63.

y se evite, a través de remisiones reglamentarias, su intervención más allá de lo razonable. Antes de la Constitución de 1978, la normativa penitenciaria era de rango administrativo con una dependencia total del poder ejecutivo, hasta que con la aprobación del texto constitucional estas normas pasaron a ser reguladas mediante Ley orgánica y desarrolladas por un Reglamento que ha de respetar el principio de jerarquía normativa.

El principio de legalidad en la ejecución se regula en el art. 3.2 CP en los siguientes términos:

> *"Tampoco podrá ejecutarse pena ni medida de seguridad en otra forma que la prescrita por la Ley y reglamentos que la desarrollan, ni con otras circunstancias o accidentes que los expresados en su texto".*

Por su parte respecto a la pena de prisión el art. 35.1 CP establece:

> *"Son penas privativas de libertad... su cumplimiento, así como los beneficios penitenciarios que supongan acortamiento de la condena, se ajustarán a lo dispuesto en las leyes y en este Código"*

En ambos casos el principio de legalidad ha ampliado su ámbito ya que la referencia a la Ley y reglamentos (llamado por algunos bloque de legalidad penitenciaria) e, incluso, a las leyes en general, se entiende como una remisión a su desarrollo por vía reglamentaria, lo que en ejecución penitenciaria es necesario por cuanto los aspectos de estructura orgánica (competencias, funciones...) y organización interna de la vida de los internos (horarios, procedimientos de aplicación...) no deben regularse en la Ley, sino en el Reglamento. Tal remisión no debe presentar problemas siempre que se cumplan los siguientes presupuestos:

a) que se trate de un reglamento ejecutivo o de desarrollo de la ley.

b) que se mantenga la reserva de ley para los aspectos que afecten al desarrollo de derechos fundamentales.

c) que se respete el principio de jerarquía normativa.

Estas remisiones, sin embargo, en ocasiones son excesivas y vulneran la reserva de ley, especialmente en una serie de materias en las que, pese a afectar a derechos fundamentales, son reguladas en el Reglamento o incluso en Circulares e Instrucciones como la sanción de aislamiento en celda, las infracciones disciplinarias o el régimen cerrado. El desarrollo reglamentario de la sanción de aislamiento resulta justificado por la STC 2/1987 de 21 de enero en su naturaleza de cambio en las condiciones de la prisión y su correspondiente rechazo como pena[19], sin embargo, la regulación del régimen cerrado por Circulares e Instrucciones ha sido considerada inadecuada por carecer de las garantías de las normas jurídicas o disposiciones de carácter general en la trascendental STS 17.3.2009 (R. 3085) que reforzó la reserva de ley en el ámbito penitenciario[20]consiguiendo, al menos, el traslado al Reglamento Penitenciario[21] de la regulación de los FIES (Ficheros de internos de especial seguimiento), lo que aun siendo insuficiente, ya es un gran paso hacia la mejora en la exigencia del principio de legalidad. La gran aportación de esta última sentencia es precisamente la diferenciación entre los reglamentos de organización o administrativos, dedicados a cuestiones internas de los establecimientos penitenciarios, del espacio reservado a la Ley y su Reglamento ejecutivo para el desarrollo de los derechos y deberes de los internos.

Otras materias que todavía quedan en el Reglamento y deberían pasar a la Ley son las limitaciones regimentales del art. 95, el uso de medios coercitivos, el principio de flexibilidad o las salidas programadas, entre otras.

En cuanto al alcance de la irretroactividad de la ley penal en la ejecución penitenciaria, hay autores que entienden que cualquier modificación relativa a la ejecución debe aplicarse a las penas que se estén ejecutando en ese momento con independencia del momento de comisión de los hechos por entender que la irretroactividad sólo alcanza a las normas sustantivas penales, sin embargo, además de que las normas que regulan la ejecución penitenciaria afectan a los derechos y libertades públicas, las situaciones jurídicas consolidadas no pueden modificarse[22].

---

19 Bueno Arús, F. sostiene que la reserva de ley no afecta a la materia disciplinaria ya que las sanciones no son privaciones de libertad sino restricciones de derechos. "Garantías y límites de la actividad penitenciaria" en *Comentarios a la legislación penal* Edersa, Tomo VI vol. I Madrid 1986 pág. 55.

20 Cervelló Donderis, V. "Revisión de legalidad penitenciaria en la regulación del régimen cerrado y los FIES". *La Ley Penal* nº 72, junio 2010.

21 RD 419/2011 de 25 de marzo de reforma del Reglamento Penitenciario.

22 Mapelli Caffarena, B. *Las consecuencias jurídicas del delito*. 4ª Ed Navarra 2005 pág. 36.

Consecuencia inmediata del principio de legalidad es el principio de intervención judicial que limita la actuación de la Administración penitenciaria con el control jurisdiccional de Jueces y Tribunales. Su regulación legal parte del art. 117.3 de la Constitución que encomienda a los Jueces y Tribunales la función exclusiva de juzgar y hacer ejecutar lo juzgado, lo que ha ratificado el art. 3.1 y 3.2 *in fine* CP al establecer el control judicial de la ejecución de la pena y la medida de seguridad que en el caso de las penas privativas de libertad corresponde a los Jueces de Vigilancia en virtud del art. 94 LOPJ y art. 76 y ss. LOGP.

A pesar de ello, la intervención judicial en la ejecución sigue siendo irregular, ya que mientras en algunos aspectos es preceptiva, como la suspensión de la ejecución de la pena, la acumulación de condenas, el licenciamiento definitivo, la libertad condicional o la aprobación de los beneficios penitenciarios, en otros, como la imposición de la sanción de aislamiento hasta catorce días, la concesión de permisos de salida hasta dos días de los internos de segundo grado o la clasificación penitenciaria[23], no lo es, cuando lo deseable sería que cualquier modificación que afecte al contenido de la sentencia, y por tanto, al cumplimiento de la pena en virtud del principio de legalidad en la ejecución, debería disponer de un estricto control judicial.

2.2. Principio de proporcionalidad

La finalidad que cumple la pena de tutela sobre los bienes jurídicos requiere que sea proporcionada, necesaria y adecuada, con una correlación entre importancia del bien dañado y gravedad del castigo. Por otro lado, el carácter fragmentario y subsidiario del Derecho Penal exige castigar sólo lo más importante, cuando no sea suficiente con otro tipo de reacción jurídica, para evitar que se utilice la sanción penal como solución para todos los conflictos jurídicos.

Por todo ello, la pena ha de ser proporcionada a la gravedad del delito, el reproche culpabilístico y la finalidad de tutela, evitando pe-

---

[23] Por la alteración que supone de lo dispuesto en la sentencia reclama que la clasificación y los permisos de salida sean competencia judicial, González Cano, Mª I. *La ejecución de la pena privativa de libertad*. Valencia 1994 pág. 101.

nas innecesarias. Al no coincidir exactamente con la retribución, la proporcionalidad opera como límite máximo, pero no como límite mínimo, lo que permite incluso que el propio órgano judicial sentenciador solicite el indulto al Gobierno cuando la pena resultante sea notablemente excesiva o contraproducente, según dispone el art. 4.3 CP.

Las medidas de seguridad, por su parte, ya tienen una referencia legal a la proporcionalidad que impide que tengan una duración indeterminada, en este sentido el art. 6.2 CP prohíbe que puedan resultar más gravosas o de mayor duración que la pena abstractamente aplicable al hecho cometido, y que excedan del límite necesario para prevenir la peligrosidad del sujeto. El límite máximo de la medida de internamiento se fija para los inimputables en los arts. 101 a 103 CP en la pena concreta que se hubiera impuesto al sujeto de ser imputable, y en los semiimputables en el art. 104 CP en la pena abstracta prevista para el delito, lo que produce cierta confusión.

La referencia constitucional al principio de proporcionalidad la encontramos en el art. 15 CE que prohíbe las penas inhumanas y degradantes, como puedan ser las que producen daños físicos, las ejemplificadoras, las estrictamente inocuizadoras[24]o las desproporcionadas tanto en su clase, duración o forma de ejecución, pero también en el art. 25.2 CE del que se puede deducir que la pena de prisión solo puede afectar a los derechos expresamente vinculados a la privación de libertad.

Por su parte, en la ejecución penitenciaria, la proporcionalidad se manifiesta en la humanidad de la pena de prisión, para cuyo análisis hay que recordar la influencia que tuvo la obra de John Howard "*The State in England and Wales*" (1776) como denuncia sobre el lamentable estado de las prisiones europeas en el siglo XVIII. En la actualidad la humanidad en las prisiones se dirige a mejorar las condiciones de vida en los establecimientos penitenciarios y respetar la dignidad y derechos humanos del recluso, ya que en el ámbito de la ejecución el padecimiento en que consiste la pena ha de ser el estrictamente imprescindible armonizando la dignidad humana con la tutela jurídica.

---

24 Zugaldía Espinar, J. M. *Fundamentos de Derecho Penal.* 2ª Ed Granada 1991 pág. 172.

En este sentido el art. 6 LOGP prohíbe someter a los internos a malos tratos de palabra u obra, añadiendo el art. 4.2 a) RP la prohibición expresa de la tortura, malos tratos o rigor innecesario en la aplicación de las normas, conductas consideradas delictivas por los arts. 174.2 y 533 CP; con ello se prohíben los daños físicos o psíquicos, atentados al honor y a la dignidad, la privación injustificada de beneficios o la generalización de medidas excepcionales como pueda ser el régimen cerrado. Por su parte, menciones concretas a la dignidad se dan en los arts. 18 y 23 LOGP para efectuar los traslados, cacheos o recuentos, pese a que sus condiciones de funcionamiento son remitidas por la LOGP al RP, y a su vez, por éste a las normas de régimen interior de cada Centro.

Como paradigma del principio de humanidad en su vertiente de prohibición de tratos inhumanos o degradantes se pueden citar los siguientes supuestos:

– la sobrepoblación penitenciaria que provoca que las prisiones acojan un número de presos superior a su capacidad real, sin permitir, por falta de recursos, el compromiso legal de celda individual o el tratamiento individualizado.

– la controversia sobre la alimentación forzosa a presos en huelga de hambre en casos de grave peligro, autorizada por el Tribunal Constitucional en las STC 120/1990 de 27 de junio y STC 137/1990 de 19 de julio, si fuera necesaria, adecuada y con el mínimo sacrificio.

– las condiciones de cumplimiento de la sanción de aislamiento que permite el encierro en solitario durante veintidós horas diarias hasta un máximo de cuarenta y dos días seguidos, consideradas trato inhumano solo si llega a un "nivel inaceptable de severidad", STC 2/1987 de 21 de enero.

– la excesiva duración de la pena de prisión que en la actualidad puede alcanzar cuarenta años, sin apenas posibilidades de salidas al exterior en los supuestos más graves. En este caso, aunque el Tribunal Supremo se había mostrado contrario a las penas excesivamente largas por considerarlas trato inhumano en el sentido del art. 15 CE en la STS 23.1.2000 (R. 12), desde la STS 28.2.2006 (R. 467) se acepta la duración máxima de treinta años del CP anterior como una exigencia de proporcionalidad.

– la regulación de la prisión permanente revisable, cuyo complejo proceso de revisión puede convertirla en una pena perpetua o indeterminada, con una remota posibilidad de disfrute de figuras penitenciarias carente de cualquier criterio razonable de proporcionalidad.

Como consecuencia de todo ello para conseguir que la pena privativa de libertad se cumpla de manera respetuosa con el principio de humanidad debe limitarse su duración, reducir al máximo su nocividad a través de mecanismos que impidan los efectos perniciosos del aislamiento excesivo, fomentar las relaciones con el exterior y hacer un uso racional del régimen disciplinario en virtud del principio de intervención mínima.

2.3. Principio ne bis in idem

Deriva del principio de legalidad y significa que nadie puede ser castigado dos veces por unos mismos hechos siempre que haya identidad de sujeto, hecho y fundamento.

Cuando de unos mismos hechos se derive sanción penal y sanción administrativa, lo que puede ocurrir tanto en la potestad sancionadora general como en la potestad disciplinaria, sólo cabe imponer dos sanciones si hay distinto fundamento. El Tribunal Constitucional inicialmente venía considerando que en los supuestos de sujeción especial (funcionarios públicos, reclusos…) siempre cabe la doble sanción por haber en todo caso doble fundamento, sin embargo, posteriormente también ha exigido la necesidad de justificar el doble fundamento en los mismos, evitando con ello su aplicación automática, STC 234/91 de 10 diciembre. En la ejecución de la pena de prisión se puede plantear esta situación ya que algunas infracciones disciplinarias penitenciarias coinciden con figuras delictivas, por ello, para evitar la doble sanción se exige en el art. 232.4 RP 1996 que la sanción penitenciaria sólo se imponga si es necesaria para restablecer el orden de la prisión, lo que implica un fundamento diferente al de la sanción penal correspondiente que deberá respetar la preferencia de los Tribunales penales y el respeto a los hechos probados por los mismos, STC 77/1983 de 3 de octubre.

2.4. Principio de resocialización

Aunque este principio constitucional se solía reservar para las penas privativas de libertad y especialmente en el ámbito de su ejecución, se puede extender también a otras penas y a sus distintos momentos, lo que parece más correcto y ajustado al texto constitucional.

El art. 25.2 CE establece que las penas privativas de libertad y medidas de seguridad estarán orientadas hacia la reeducación y reinserción social, lo que reproduce el art. 1 LOGP. De ambas expresiones la primera recibe mayor rechazo por implicar interiorización de valores, lo que hace que tenga más aceptación la segunda como reincorporación social alejada del delito, entendiéndola no tanto como actuaciones directas sobre el sujeto, sino como creación de las condiciones sociales necesarias para producir un menor índice de delincuencia[25].

La resocialización debe partir de dos presupuestos indispensables: la consideración de un Derecho Penal de acto que deje al margen el fuero interno del sujeto y de un Derecho Penal basado en la culpabilidad en virtud de la cual el ser humano es responsable de sus actos y tiene capacidad para transformarlos[26].

A pesar de ello tal concepto ha recibido las siguientes críticas:

– *Dificultad para tomar un modelo de referencia:* Es difícil hablar con propiedad de resocializar al delincuente en una sociedad que produce por sí misma la delincuencia ante las desigualdades sociales, siendo más bien esa sociedad la que debería ser objeto de resocialización[27], teniendo en cuenta que si la sociedad es injusta y criminógena no está legitimada para reclamar al individuo que se adapte a ella.

– *Puede suponer una injerencia sobre la esfera individual del sujeto:* Si la mejora del sujeto se entiende como respeto externo a las leyes a través de un programa resocializador *mínimo* es poco viable pero

---

25 Boix Reig, J. "Significación jurídico penal del artículo 25.2 de la Constitución" en *Escritos Penales*. Valencia 1976 pág. 114.

26 Vives Antón, T. S. "Régimen penitenciario y Derecho Penal. Reflexiones críticas" *CPC* Nº3 1977 pág. 262.

27 García Pablos, A. "La supuesta función resocializadora del Derecho Penal: utopía, mito y eufemismo" *ADPCP* 1979, pág. 686. Muñoz Conde, F. "La resocialización del delincuente: análisis y crítica de un mito" *CPC* nº 31, *1979* pág. 93.

legítima, sin embargo, si se aspira a la mejora moral, incidiendo en la escala de valores a través de un programa resocializador *máximo*, es inaceptable en una sociedad democrática y pluralista. Tal situación ha llevado a la búsqueda de vías intermedias que respeten como límite de su actuación el libre desarrollo de la personalidad del sujeto (art. 10.1 CE) y el pluralismo político (propugnado en el art. 1.1 CE), impidiendo que el poder estatal pretenda el adoctrinamiento de conciencias desviadas y limitando su actuación resocializadora a ofrecer vías de alejamiento del delito y de los problemas sociales que lo favorecen.

– *Su operatividad es difícil en un medio no libre:* Presenta muchas dificultades e, incluso, resulta paradójico, educar para la libertad en un medio en el que no se goza de ella, por la precariedad de las condiciones que dificultan la puesta en marcha de actividades tratamentales El ambiente de la cárcel por su dominante orientación disciplinaria y represiva no es el más apropiado para facilitar la resocialización, hasta el punto de ser generalmente reconocido que la prisión estigmatiza y desocializa[28], por el dominio de una serie de valores muy distintos a los de la vida en libertad que dificultan el aprendizaje de vivir en sociedad y, al mismo tiempo, favorecen la perfección de la carrera criminal por el contacto con otros delincuentes abriendo el paso hacia la prisionización[29]. De esto se deduce que toda política resocializadora ha de ir dirigida a fomentar como medida preparatoria para la libertad el máximo contacto con el exterior, por ser el medio más eficaz para facilitar la excarcelación.

– *En muchos casos no es posible ni necesaria*[30]: Hay muchos supuestos en los que la resocialización no va a resultar necesaria por tratarse de sujetos plenamente insertados en sociedad que no precisan tratamiento específico. En otros casos la especial complejidad que presentan va a dificultar que se logren óptimos resultados, por no ser susceptible de llevarla a cabo o porque se nieguen a ella, dada la

---

28 Mapelli Caffarena, B *Principios fundamentales del sistema penitenciario español*, Barcelona 1983 pág. 95.

29 Muñoz Conde, F. *op. cit.* pág. 101. Mir Puig, S. “Función fundamentadora y función limitadora de la prevención general positiva” en *El Derecho Penal en el Estado social y democrático de Derecho* Barcelona 1994 pág. 130.

30 Mir Puig, S. “¿Qué queda en pie de la resocialización” en *El Derecho Penal en el Estado social y democrático de Derecho* Barcelona 1994 pág. 147.

necesaria voluntariedad del sujeto. Para ello hay que tener en cuenta que el enunciado constitucional en ningún momento implica que sea el único y exclusivo fin de la pena, sin que se descarten las demás finalidades para los referidos supuestos.

Como consecuencia de ello la resocialización ha ido dando un giro bajo la consideración de que ha de ser voluntaria, lícita y verosímil con nuevas pretensiones:

– aun siendo el preferente no es el único fin de la pena, ya que la retención y custodia en la prisión, así como el resto de fines punitivos, también pueden operar, STC 150/1991 de 4 de julio, STC 55/1996 de 28 de marzo, STS 28.2.2006 (R. 467). Consecuencia de esto es que la sanción penitenciaria tenga que cumplirse, aunque el reo esté reinsertado laboral y familiarmente por el tiempo transcurrido entre la comisión del delito y su enjuiciamiento, o que no sean inconstitucionales las estancias breves en prisión como indican la STC 19/1988 de 16 de febrero y la STC 120/2000 de 10 de mayo.

– no es un derecho fundamental del que derive un derecho subjetivo susceptible de ser protegido por recurso de amparo, sino un principio programático que ha de orientar toda la política penal y penitenciaria y que vincula a todos los poderes públicos, no sólo al legislativo. STC 2/1987 de 21 de enero, STC 28/1988 de 23 de febrero, STC 2/1997 de 13 de enero y STC 120/2000 de 7 de junio.

– no se ciñe sólo a las penas privativas de libertad sino también al resto de penas que también han de tenerla en cuenta, por ejemplo, la inhabilitación absoluta puede ser claramente contraria a la inserción social.

– la proyección actual sobre la ejecución penitenciaria se dirige a su humanización y atenuación de los posibles daños que origina la prisión para reducir los efectos de prisionización[31], la apertura de las vías de participación y la proyección social de la cárcel. Se trata de atenuar la nocividad de la prisión, con una actuación dirigida a que la prisión no perjudique a los internos, no los separe de la sociedad y reproduzca lo más posible la sociedad libre.

---

31 Sobre dichos efectos extensamente Clemmer, *The prison Community* 1985; Mathiesen, *The Defence of the Weak* 1965 y Sykes, *The Society of Captives* 1958.

– su alcance no ha de limitarse exclusivamente al momento de la ejecución, sino también a los de previsión legal y determinación judicial[32], prueba de lo primero es que sería inconstitucional la regulación de la cadena perpetua y prueba de lo segundo la referencia a las expectativas de reinserción en la regulación de la suspensión de la ejecución de la pena. Con ello se le quiere encomendar una proyección más amplia en el sentido de proscribir las penas inútiles y favorecer las medidas alternativas a las penas privativas de libertad[33]. Las STS 18.5.1995 (R. 4490), STS 18.7.1996 (R. 5920), STS 6.7.2002 (R. 7236) extienden el alcance del art. 25.2 CE a las fase legislativa, judicial y penitenciaria de la pena.

Las reformas de 2003 y 2015 que endurecieron el sistema penitenciario dificultando el acceso al tercer grado, desnaturalizando la libertad condicional y regulando la prisión permanente revisable reflejan una renuncia a la prioridad de este principio orientador, abogando por una prisión más punitiva donde el cumplimiento se ve influido por la gravedad del delito y de la pena impuesta, en detrimento de la reinserción social.

Bibliografía: Boix Reig, J. "Significación jurídico penal del artículo 25.2 de la Constitución" en *Escritos Penales*. Valencia 1976. **Cuello Contreras, J.** "La autonomía del Derecho Penitenciario frente al derecho penal y procesal". *La ley* 14.1.1999. **García Pablos, A.** "La supuesta función resocializadora del Derecho Penal: utopía, mito y eufemismo" *ADPCP* 1979. **García Valdés, C.** "Sobre el concepto y el contenido del Derecho Penitenciario" *CPC* nº 30, 1986. **González Collantes, T.** *El concepto de resocialización desde un punto de vista histórico, sociológico, jurídico y normativo* Tirant lo Blanch, Valencia, 2021. **Mapelli Caffarena, B.** "La autonomía del Derecho penitenciario". *RFDUC* nº 11 monográfico julio 1986. **Mata Marín R. M.** "El principio de legalidad en el ámbito penitenciario"

---

32 Siguen esta tendencia García Arán, M. *Fundamentos y aplicación de penas y medidas de seguridad en el Código Penal de 1995*. Navarra 1997 pág. 34. Álvarez García, J. *Consideraciones sobre los fines de la pena en el ordenamiento constitucional español*. Granada 2001 pág 33.

33 Córdoba Roda, J. "La pena y sus fines en la Constitución española de 1978". *Papers* 1980 pág. 139, le siguen entre otros Mapelli Caffarena, B. *Principios fundamentales*...cit., pág. 135 Silva Sánchez, J. M. *Aproximación al Derecho Penal contemporáneo* Barcelona 1992 pág. 264 y Lamarca Pérez, C. "Régimen penitenciario y derechos fundamentales". *EPyC* XVI Santiago de Compostela 1993 pág. 220.

Revista General de Derecho Penal nº 14, 2010. **Mata Marín, R. M.** *Fundamentos del sistema penitenciario*. Madrid 2016. **Muñoz Conde, F.** "La resocialización del delincuente: análisis y crítica de un mito" *CPC 1979*. "A propósito de la reinserción social del delincuente". *CPC* 1985 nº 25, 1933. **Mir Puig, S.** "¿Qué queda en pie de la resocialización" en *El Derecho Penal en el estado social y democrático de Derecho*. Barcelona 1994. **Novelli, G.** "L'autonomía del diritto penitenziario" *Rivista di Diritto Penitenziario*. **Ruiz Miguel, A.** "Principio de igualdad y Derecho Penitenciario". *PJ* nº 45 1997. **Solar Calvo. P.** "Hacia un nuevo concepto de reinserción" (1) ADPCP vol. LXXIII, 2020. **Téllez Aguilera, A.** "Novelli y su tiempo. Una aproximación a los orígenes del Derecho Penitenciario". *REP* nº 255. **Vives Antón, T. S.** "Régimen penitenciario y Derecho Penal. Reflexiones críticas" *CPC* Nº 3 1977.

Capítulo 2°

LEGISLACIÓN PENITENCIARIA

1. Antecedentes legislativos en España. 2. Legislación internacional. 3. La reforma penitenciaria de 1979. 3.1. La Ley Orgánica General Penitenciaria de 1979 y el Reglamento Penitenciario de 1981. 3.2. El Reglamento Penitenciario de 1996. 3.3. El Reglamento que establece las circunstancias de ejecución de las penas de trabajos en beneficio de la comunidad y de localización permanente, de determinadas medidas de seguridad, así como de la suspensión de la ejecución de las penas privativas de libertad (RD 840/2011 de 17 de junio). **4. Las reformas penales de 2003, 2010 y 2015. 5. Circulares e Instrucciones. 6. Competencia de las CCAA.**

1. ANTECEDENTES LEGISLATIVOS EN ESPAÑA

Antes de la promulgación de la LOGP la normativa que regulaba la materia penitenciaria estaba dispersa en distintos cuerpos legales, abundando en su contenido normas con rango inferior a la ley, tales como reglamentos, decretos u ordenanzas.

La Codificación había comenzado a finales del siglo XVIII y principios del XIX con la idea de aglutinar en un cuerpo único la legislación hasta entonces vigente, unificación que en la materia penitenciaria era necesaria por las numerosas disposiciones que la regulaban, entre otras razones por la diversidad de establecimientos existentes hasta ese momento como las galeras, los presidios civiles, presidios militares o presidios navales. Entre las numerosas disposiciones de la época cabe destacar las siguientes:

– *Real Ordenanza de Presidios y Arsenales de 20 de marzo de 1804,* regulaba la organización de los presidios de los arsenales de la Marina con un sistema de selección y clasificación de los penados. Constituye un claro precedente del posterior sistema progresivo y un inicio de las ideas reformadoras.

– *Ordenanza General de Presidios del Reino de 14 de abril de 1834,* es el primer reglamento penitenciario que organiza las prisiones civiles. Las hizo depender del Ministerio de Fomento, pero conservando la disciplina y dirección militar que se mantuvo vigente hasta

1903. El personal siguió siendo militar hasta 1881, en que se creó el Cuerpo Especial de Establecimientos penales.

Estas dos normas se aplicaron defectuosamente por falta de medios sin que fueran capaces de suprimir los severos castigos, el estricto régimen de vida, y el notable abandono en que se encontraban los establecimientos[34], sin embargo, su mayor contribución, especialmente en el caso de la Ordenanza General, fue la de crear una reglamentación completa, sistematizando todo el complejo y diverso entramado normativo anterior, y regular la rebaja de penas como figura premial que se ha mantenido con diferencias a lo largo de la historia penitenciaria[35].

A partir del 1900 se producen sucesivas reformas a través de Decretos que regulan los aspectos de personal, organización de establecimientos y sistemas de clasificación. En tal diversidad de normas destaca el *Real Decreto de 9 de junio de 1901* que instaura definitivamente el sistema progresivo, dividiendo la pena en cuatro fases: aislamiento celular, periodo industrial y educativo, periodo intermedio y gracia o recompensas; además, clasifica las prisiones en tres categorías: cadena se cumple en los presidios de Africa, reclusión en San Miguel de los Reyes (Valencia) o Cartagena y presidio en Chinchilla u Ocaña. Por su parte, el *Real Decreto de 5 de mayo de 1913* es considerado como verdadero Código penitenciario al ser el primero que recoge de forma global todas las materias.

Tras ello van surgiendo diversos reglamentos hasta que se promulga el *Reglamento de los Servicios de Prisiones de 1930,* siendo Directora General de Prisiones la diputada socialista Victoria Kent, quien trató de humanizar su ejecución con distintas reformas: se reconoce la libertad de conciencia de los reclusos, se mejora la alimentación y desaparecen los grilletes, hierros y cadenas.

Tras la guerra civil la ejecución se endurece, si bien manteniéndose el sistema progresivo de tipo rígido que obligaba a pasar de grado y de establecimiento a medida que se iba extinguiendo la condena.

---

[34] Cadalso y Manzano, F, *Instituciones penitenciarias y similares en España.* Madrid 1922 pág. 437.

[35] Sanz Delgado, E. *El humanitarismo penitenciario español del siglo XIX*, Madrid 2003, pág. 207 y 212.

Se promulgan *el Reglamento de 1948 y el Reglamento de 1956*, en ambos la disciplina es casi militar, con sanciones severas, sin mecanismos de defensa, escasas comunicaciones con familiares y establecimientos totalmente deficientes. Tras sendas reformas en 1968 y 1977, respectivamente, se flexibiliza el sistema progresivo, se introducen los equipos de observación y se suaviza la ejecución, hasta que en 1978 la aprobación de la Constitución española convierte en insuficientes estas reformas parciales y obliga a emprender la tarea de reformar completamente toda la legislación penitenciaria.

Las fuentes que regulan actualmente el Derecho Penitenciario son las siguientes: la Constitución de 1978 que regula los principios básicos de la ejecución penal en su art. 117.3 y 4 y la finalidad de las penas y medidas privativas de libertad en el art. 25.2; la Ley Orgánica General Penitenciaria 1/1979 de 26 de septiembre; el Reglamento Penitenciario que la desarrolla RD 190/1996 de 9 de febrero que mantiene la vigencia de algunos artículos del anterior RD 1201/1981 de 8 de mayo; el Código Penal de 1995 con sus sucesivas reformas, especialmente las LO 7/2003, 5/2010 y 1/2015; y, finalmente, el RD 840/2011 de 17 de junio que regula las circunstancias de ejecución de trabajos en beneficio de la comunidad y de la localización permanente, de determinadas medidas de seguridad, así como de la suspensión de la ejecución de las penas privativas de libertad, que ha sucedido a los anteriores (RD 515/2005 de 6 de mayo y RD 1849/2009 de 4 de diciembre).

2. LEGISLACIÓN INTERNACIONAL

La normativa penitenciaria, por afectar a los derechos fundamentales y libertades públicas reconocidas por la Constitución, se ha de interpretar de conformidad con la *Declaración Universal de Derechos Humanos* de 10 de diciembre de 1948, según señala el art. 10.2 del texto constitucional y "además" hay que tener en cuenta otras normas de rango internacional de distinto alcance entre las que cabe destacar las siguientes:

– *Pacto internacional de derechos civiles y políticos* de 16 de diciembre de 1966 suscrito como Tratado y "por tanto" con fuerza obligatoria desde su ratificación por España (27 de abril de 1977).

– *Reglas mínimas para el tratamiento de los reclusos* aprobadas por la Naciones Unidas (30 de agosto de 1955). Revisadas en 2015 como *Reglas Nelson Mandela.*

– *Reglas penitenciarias europeas.* Tercera versión aprobada por el Consejo de Europa el 11 de enero de 2006 y actualizada en 2020[36].

– *Reglas de Naciones Unidas para el tratamiento de las reclusas y medidas no privativas de la libertad para las mujeres delincuentes* (Reglas de Bangkok) de 21 de diciembre de 2010.

Todas ellas contienen normas relativas a las condiciones mínimas penitenciarias, tales como la separación entre los reclusos, el derecho de defensa, asistencia sanitaria, alimentación, comunicaciones y métodos de tratamiento, que deben ser consideradas como marco legislativo general a desarrollar por las legislaciones nacionales, a lo que hay que unir otras normas específicas que regulan aspectos más concretos de la ejecución penitenciaria, entre las que se puede citar a título de ejemplo:

– *Convenio europeo sobre traslado de personas condenadas de 21 de marzo de 1983,* ratificado como Instrumento (18 de febrero de 1985).

– *Convenio europeo para la prevención de la tortura y penas inhumanas o degradantes* de 26 de noviembre de 1987, ratificado como Instrumento (28 de abril de 1989).

– *Convención de Naciones Unidas contra la tortura y otros tratos o penas crueles, inhumanas o degradantes de 10 de diciembre de 1984,* ratificado como Instrumento (21 de octubre de 1987).

Todas ellas deben servir de punto de partida para cualquier iniciativa legislativa relacionada con sus respectivos contenidos y ser tomadas como referencia ineludible en la interpretación y aplicación de la legislación penitenciaria vigente.

---

[36] Mapelli Caffarena, B. "Una nueva versión de las normas penitenciarias europeas" *Revista electrónica de Ciencia Penal y Criminología* 2006.

3. LA REFORMA PENITENCIARIA DE 1979

3.1. La Ley Orgánica General Penitenciaria de 1979 y el Reglamento Penitenciario de 1981

La aprobación de la LOGP tuvo un especial significado en la transición política que dio paso a la democracia española a partir de 1977[37], ya que se aprobó por unanimidad apenas un año después de la aprobación de la Constitución de 1978 y, además, lo hizo en un contexto político y social adverso por el nivel de conflictividad que presentaban las prisiones. El texto legal es consecuencia del encargo cursado al profesor Carlos García Valdés, Catedrático de Derecho Penal de la Universidad de Alcalá de Henares, nombrado Director General de Instituciones Penitenciarias tras la muerte en atentado terrorista en marzo de 1978 del anterior Director, Jesús Haddad, con la pretensión de que siguiera con la reforma iniciada para la humanización y ordenación de la deficiente legislación penitenciaria española.

De esta forma, la LOGP adquiere el rango normativo de Ley orgánica, como consecuencia del enunciado del art. 81.1 CE que reserva tal carácter a las disposiciones relativas al desarrollo de los derechos fundamentales y libertades públicas y se basa en las Normas mínimas para el tratamiento de los reclusos dictadas por la ONU en 1955 y por el Consejo de Europa en 1973, en los pactos internacionales sobre los derechos humanos y en las leyes penitenciarias de Suecia, Italia y Alemania.

Su aparición perseguía los siguientes objetivos:

– consolidar la reinserción social como finalidad de la prisión a través de un tratamiento voluntario.

– racionalizar las sanciones con mecanismos jurídicos de defensa al alcance de los internos.

– establecer un control judicial en la ejecución.

– equiparar la educación y el trabajo de los internos al de los ciudadanos libres.

– fomentar y ampliar las relaciones con el exterior.

---

37 VVAA *Las prisiones españolas durante la transición* (Dtor. R. Mata), Comares, Granada, 2022.

– mejorar la red de establecimientos penitenciarios y la formación y preparación del personal funcionario.

Para lograr todo ello la Ley propugna en la Exposición de Motivos la incorporación de un sistema penitenciario flexible que coordine la prevención general y la especial con un riguroso respeto a los derechos humanos, facilitando la democratización interna al permitir la participación de los internos en su organización, así como también, la de los ciudadanos e instituciones en la consecución de la reincorporación social.

Su estructura está formada por un Título Preliminar y seis títulos, destacando en el primero el reconocimiento de la finalidad resocializadora de la pena, el principio de legalidad en la ejecución y los derechos y deberes de los reclusos.

En la Disposición final segunda se instaba al Gobierno a aprobar el Reglamento de desarrollo de la Ley, cometido que desembocó en el Reglamento Penitenciario de 8 de mayo de 1981. Este Reglamento dividido en nueve títulos dejaba vigente parte del articulado del Reglamento de los Servicios de Prisiones de 1956 referidos a la redención de penas por el trabajo, ya que la LOGP ya no contemplaba tal figura por su supresión del Proyecto de Código Penal de 1980, a diferencia del entonces vigente Código Penal que la regulaba en su art. 100.

El Reglamento de 1981 sufrió una profunda reforma por el RD 787/1984 de 26 de marzo que, acompañada por otras de menor envergadura, anunciaban la necesaria remodelación del texto para potenciar en mayor medida las posibilidades de la Ley y superar las contradicciones que en algunos temas presentaba, tanto con la Ley penitenciaria como con el Código Penal[38], especialmente tras su reforma en noviembre de 1995. De esta manera, el 9 de febrero de 1996 se aprobó el nuevo Reglamento Penitenciario, RD 190/1996 de 9 de febrero.

3.2. El Reglamento Penitenciario de 1996

El Reglamento Penitenciario de 1996, con un total de doce Títulos, contempla entre sus objetivos la mejora del cumplimiento de la pena

---

[38] Vgr. redención de penas extraordinaria o libertad condicional anticipada.

en los Centros penitenciarios. En su Exposición de Motivos señala como razones para la aparición de un nuevo Reglamento las siguientes:

– incremento de la población penitenciaria.

– variación de los internos, con mayor número de mujeres y extranjeros.

– aumento de las necesidades sanitarias por la especial incidencia de enfermedades como el SIDA.

– necesidad de incorporar la doctrina del Tribunal Constitucional sobre la legislación penitenciaria, fundamentalmente sobre la interpretación de la limitación de derechos fundamentales que desde los años ochenta se venía desarrollando.

– actualización del concepto de tratamiento, fomentando el aspecto resocializador sobre el clínico.

Ante estas necesidades, las novedades que incorpora se sintetizan en las siguientes:

a) mejoras sobre el tratamiento: ampliación a preventivos, formas especiales de ejecución, mayor individualización.

b) mejoras en comunicaciones: permisos de salida, régimen abierto, tratamiento extrapenitenciario.

c) racionalización del régimen cerrado.

d) incorporación de garantías en el procedimiento sancionador.

e) mayor intervención del Juez de Vigilancia y del Ministerio Fiscal.

f) reestructuración de la organización interna.

g) adecuación al nuevo Código Penal.

A este nuevo Reglamento se le reprocha que siga teniendo un peso excesivo en detrimento de la ley por las múltiples referencias de ésta a aquél, incluso en aspectos relativos a derechos y libertades, interferencias toleradas hasta la fecha por el Tribunal Constitucional. Pese a ello, ha sufrido reformas puntuales como la operada por el RD 419/2011 de 25 de marzo en la que se dotó de cobertura reglamentaria a los ficheros de internos de especial seguimiento (FIES), se amplió el catálogo de medidas de seguridad interior y se determinó la necesidad de programas de tratamiento específicos en los módulos o departamentos cerrados. De especial importancia también es la reforma recogida en el RD 268/2022 de 12 de abril que incorpora las nuevas tecnologías de la información y la comunicación a diversas actividades de la prisión como respuesta a la especial incidencia que tuvo el confinamiento durante la pandemia del covid-19, incorporando las videollamadas (art. 41.8), el acceso a red en las Bibliotecas (art. 127.4) y la autorización para el uso de dispositivos externos del almacenamiento de información y la conexión a redes de comunicación (art. 129.2).

Por último, no puede olvidarse que siguen vigentes los arts. 65 a 73 del Reglamento de 1956 en lo concerniente a la redención de penas por el trabajo, hasta su total extinción, y los arts. 108 a 111 y 124.1 del Reglamento de 1981 relativos a las infracciones penitenciarias, en virtud de la Disposición Transitoria Primera y Disposición Derogatoria única nº 2 y 3 del RP de 1996.

3.3. *El Reglamento que establece las circunstancias de ejecución de las penas de trabajos en beneficio de la comunidad y de localización permanente, de determinadas medidas de seguridad, así como de la suspensión de la ejecución de las penas privativas de libertad (RD 840/2011 de 17 de junio)*

El Reglamento que regula estas materias ha sufrido ya dos modificaciones desde su aprobación por RD 515/2005 de 6 de mayo, la primera por RD 1849/2009 de 4 de diciembre y la segunda por RD 840/2011 de 17 de junio, en cada una de ellas se ha ido ampliando la competencia penitenciaria de las distintas figuras penales que regula ya que, si bien en principio tanto la pena de trabajos en beneficio de la comunidad como la localización permanente tenían una relación tangencial con Instituciones Penitenciarias, en las sucesivas reformas esta relación se ha ido estrechando, al igual que sucede con el resto de figuras penales que regula.

El objetivo de este Reglamento es regular las actuaciones que debe realizar la Administración penitenciaria en la ejecución de la pena de localización permanente, de trabajos en beneficio de la comunidad, suspensión de la ejecución de la pena, libertad vigilada e internamiento psiquiátrico de la siguiente manera:

En el caso de la pena de localización permanente en centro penitenciario se fijan las circunstancias de cumplimiento para adaptar su funcionamiento de forma diferenciada de la pena de prisión, pero salvaguardando las mismas garantías.

En relación a la pena de trabajos en beneficio de la comunidad se atribuye a los Servicios de gestión de penas y medidas alternativas la efectividad de su cumplimiento mediante la oferta, seguimiento y supervisión de actividades y programas, bajo control judicial del Juez de Vigilancia, al igual que con las reglas de conducta asociadas a la suspensión de la ejecución de la pena, pero en este caso bajo control del Tribunal sentenciador.

En relación a las medidas de seguridad, la Administración penitenciaria es competente para el cumplimiento de internamientos en establecimientos o unidades psiquiátricas y para emitir informes sobre libertad vigilada postpenitenciaria antes de que termine el cumplimiento de la pena de prisión.

4. LAS REFORMAS PENALES DE 2003, 2010 Y 2015

Pese a que desde la aprobación del Código Penal de 1995 se han sucedido numerosas reformas, son las de 2003, 2010 y 2015 las más directamente relacionadas con el cumplimiento de la pena de prisión.

Durante el año 2003 se aprobaron diversas reformas de contenido penal y penitenciario de gran trascendencia, por comportar todas ellas un endurecimiento penológico, especialmente estricto, en los delitos de terrorismo y los cometidos por organizaciones criminales.

La LO 5/2003 de 27 de mayo modificó la LOPJ, la LOGP y la Ley de Demarcación y Planta Judicial para crear los Juzgados centrales de Vigilancia Penitenciaria de la Audiencia Nacional y concentrar en ésta la resolución de todos los recursos de apelación contra resoluciones dictadas por aquellos, con la finalidad de evitar las diferencias de criterio que originaba su atribución a las distintas Audiencias Provinciales.

La LO 6/2003 de 30 de junio de 2003 modificó el art. 56 de la LOGP para regular los convenios de la DGIP[39] con las Universidades

---

39 La Dirección General de Instituciones Penitenciarias pasó a ser Secretaría General de Instituciones Penitenciarias tras la reestructuración orgánica realizada por el

Públicas, preferentemente la UNED, para los estudios universitarios de los internos. En este caso se trataba de una reforma dirigida a evitar un diferente trato en la realización de estudios universitarios realizados por presos terroristas.

En dicho año, sin embargo, la reforma más amplia la provocó la LO 7/2003 de 30 de junio de medidas de reforma para el cumplimiento íntegro y efectivo de las penas que afectó al Código Penal y a la LOGP en figuras tan importantes como el tercer grado y la libertad condicional. En la Exposición de Motivos se justificaba la reforma en la necesidad de dotar de mayor concreción al cumplimiento de las penas para que fuera íntegro y efectivo y evitar que los beneficios penitenciarios se "convirtieran en instrumentos al servicio de los terroristas y los más graves delincuentes" para lo cual, prácticamente, les impedía su alcance.

Las novedades más importantes de esta reforma fueron las siguientes:

– modificación del art. 36 CP que incorporó como requisito para el tercer grado en penas de más de cinco años el periodo de seguridad. El art. 72 LOGP añadió el pago de la responsabilidad civil y el abandono de la violencia y colaboración con las autoridades a los terroristas.

– aumento a cuarenta años del límite máximo de cumplimiento de la pena de prisión por aplicación del concurso de delitos regulado en el art. 76 del Código Penal.

– extensión de las limitaciones del art. 78 CP a los permisos de salida y al tercer grado.

– modificación de la libertad condicional añadiendo como requisito el pago de la responsabilidad civil y el abandono de la violencia y colaboración con las autoridades a los terroristas, art. 90 CP.

– creación de un nuevo beneficio penitenciario de adelantamiento de libertad condicional, del que se excluye a terroristas y otras organizaciones criminales.

Los inconvenientes más importantes de esta reforma se centraron en el desplazamiento que se produjo hacia una ejecución más punitiva que resocializadora, en las restricciones generalizadas en función del

RD 438/2008 de 14 de abril.

delito, y no de las características personales, y en la incorporación de elementos moralizantes para la reinserción social.

Por su parte, la LO 5/2010 de 22 de junio de modificación del Código Penal, aunque se trataba de una reforma penal, recogió también algunas modificaciones relativas a la ejecución penitenciaria que, si bien en parte, sirvieron para suavizar los efectos punitivos de las reformas de 2003, al mismo tiempo crearon nuevos mecanismos punitivos inexistentes hasta ese momento como el cumplimiento penitenciario de la localización permanente o la libertad vigilada.

En este sentido, en primer lugar se flexibilizó la rigidez inicial y el automatismo del periodo de seguridad estableciendo dos supuestos, uno opcional para cualquier pena superior a cinco años, en el que el Juez o Tribunal podía acordar la necesidad de cumplir la mitad de la condena antes de la clasificación en tercer grado en el que, además, cabía su levantamiento posterior por el Juez de Vigilancia, y otro preceptivo, para una serie de supuestos específicos como los delitos referentes a organizaciones y grupos terroristas, los delitos cometidos en el seno de organizaciones o grupos criminales, los delitos del artículo 183 (abusos y agresiones sexuales a menores de trece años) y los delitos de prostitución y corrupción de menores de trece años, en los que además de ser de obligatoria imposición, no se permitía su levantamiento posterior.

En segundo lugar, se añadió la posibilidad del cumplimiento penitenciario de la localización permanente, que aunque restrictiva y residual, por ser opcional para el Juez en los casos expresamente señalados por el Código Penal (en ese momento, falta de hurto), estaba prevista para los casos en los que, además de ser la localización permanente pena principal, se valorara la reiteración delictiva, lo que suponía un retroceso respecto a la finalidad resocializadora de esta pena y su vocación de actuar como alternativa a las penas corta de prisión.

La tercera reforma con relevancia penitenciaria fue la regulación de la libertad vigilada en su modalidad de medida de cumplimiento postpenitenciario consecutivo a la pena de prisión en los delitos contra la libertad sexual y delitos de terrorismo, lo que implicaba una presunción automática de peligrosidad por el tipo de delito cometido, incompatible con la individualización propia del sistema penitenciario, por más que en los delitos menos graves si se trataba de un solo delito cometido por delincuente primario la menor peligrosidad del autor permitía no imponerla (art. 192 y 579.3 CP). Para los casos en los que se hubiera impuesto, el Juez de Vigilancia debería elevar una propuesta (con informe de la Junta de Tratamiento) dos meses antes del término del cumplimiento de la pena de prisión para que el Tribunal sentenciador concretara su contenido y evolución con una intervención directa de los servicios penitenciarios en su ejecución.

Finalmente, la LO 1/2015 de 30 de marzo de reforma del Código Penal entre sus numerosos cambios, contempla algunos de especial importancia para la ejecución penitenciaria como la regulación de la prisión permanente revisable y la reforma de la libertad condicional.

La prisión permanente revisable, aparece como nueva pena privativa de libertad y se caracteriza por tener tasados los plazos de permisos de salida, tercer grado y libertad condicional (o suspensión de le ejecución del resto de la pena en su nueva nomenclatura) y recoger un sistema de revisión basado en ambiguos criterios de peligrosidad que pueden derivar en un encarcelamiento a perpetuidad.

Por su parte, la libertad condicional, rompiendo con una larga tradición jurídica, pasa a ser un supuesto de suspensión de la ejecución de la pena, lo que tiene diversas consecuencias: supone una interrupción del cumplimiento de la pena con efectos perjudiciales para los supuestos de incumplimiento, tiene los plazos de cumplimiento tasados y abandona su función de última fase del sistema de individualización científica.

5. CIRCULARES E INSTRUCCIONES

En el ámbito administrativo hay que tener en cuenta las Circulares e Instrucciones dictadas por la Secretaría General de Instituciones Penitenciarias, cuya función es ordenar el régimen interno de los establecimientos, aunque a veces entran en aspectos legales y reglamentarios. Este tipo de normas están previstas para que los órganos administrativos dirijan las actividades de sus órganos jerárquicamente dependientes. Dado su carácter interno de organización, no deben ocuparse de aspectos sustanciales ni regular lo no previsto en la Ley y en su Reglamento, exigencia que no siempre se ha cumplido como lo demuestra el contenido de alguna de ellas, ya derogadas, como pueda ser la Instrucción 21/96 de 16 de diciembre sobre régimen y seguridad de los internos FIES o la Instrucción 22/96 de 16 de diciembre sobre tablas de riesgo para concesión de permisos de salida.

La Disposición Transitoria cuarta del RP 1996 establece que se han de refundir y armonizar con el nuevo Reglamento, debiéndose publicar regularmente en el Boletín de Información del Ministerio de Justicia o autonómico equivalente. En este mismo ámbito administrativo se sitúan las normas de régimen interior que aprueba cada Establecimiento penitenciario que deben ser aprobadas por el Centro Directivo.

6. COMPETENCIA DE LAS CCAA

La Constitución en su art. 149.1.6ª establece la exclusiva competencia estatal respecto a la legislación penal y penitenciaria "entendida como reserva global de la normativa penitenciaria"[40], sin incluir en el art. 148 la materia penitenciaria entre las competencias transferibles de las Comunidades Autónomas, lo que no afecta a que algunas Comunidades Autónomas puedan tener competencias de ejecución en esta materia[41].

Pese a que son varios los Estatutos de Autonomía que contemplan esta posibilidad (Cataluña, País Vasco, Andalucía, Navarra, Canarias, Aragón, Extremadura), hasta la fecha solo se han producido las transferencias a las dos primeras, Cataluña en 1984 y País Vasco en 2021. El RD 1436/1984 de 20 junio recogió en su momento una serie de medidas de coordinación de las funciones transferidas dirigidas a resolver los iniciales problemas de adaptación.

Como consecuencia de la previsión constitucional, la legislación penitenciaria en sentido amplio (LOGP y RP)[42] es unitaria en todo el

---

40 STC 104/88 de 8 de junio.

41 Mestre Delgado, E. "Límites constitucionales de las remisiones normativas en materia penal" *ADPCP* 1988, pág. 519. Palma Herrera, J. M. "La transferencia de la materia penitenciaria a las Comunidades Autónomas "en *La necesaria reforma penitenciaria* (Dir. R. Mata) Granada 2021, pág. 12.

42 La STC 18/1982 de 4 de mayo incluyó en el término "legislación" a los reglamentos que aparecen como desarrollo de la ley por ser complementarios

Estado, quedando encomendada la *dirección, organización e inspección* de las Instituciones por el art. 79 LOGP a la Dirección General de Instituciones Penitenciarias del Ministerio de Justicia (actualmente Secretaría General), a salvo de las Autonomías que hayan asumido a través de sus respectivos Estatutos "*la ejecución de la legislación penitenciaria y consiguiente gestión de la actividad penitenciaria*". Con ello la LOGP y el RP mantienen su vigencia en todo el territorio nacional, transfiriéndose la puesta en práctica, aplicación y gestión de la actividad penitenciaria, incluyendo la potestad de dictar Reglamentos de organización y funcionamiento[43] y Circulares de interpretación de la normativa penitenciaria, que ha dado lugar a ciertas diferencias con las Circulares emitidas por la Dirección General de Instituciones Penitenciarias como se puso de manifiesto tras la reforma del art. 36 CP y del art. 72 LOGP en 2003 a la vista de las distintas formas de interpretar los nuevos requisitos de acceso al tercer grado y su posible carácter retroactivo.

Bibliografía: Armenta González-Palenzuela, J./ Rodríguez Ramírez, V. *Reglamento penitenciario: comentarios, jurisprudencia, concordancias, índice analítico y de jurisprudencia*. Madrid 2011. **Bueno Arús, F.** "Cien años de legislación penitenciaria *(1881-1981)*". *REP* 232-235, 1981. **Cano Mata, V.** "Ley Orgánica General Penitenciaria. Estudio de su Título Preliminar". *PJ* 2, marzo 1982. **García Arán, M./De Sola Dueñas, A.** *Legislació penitenciaria europea comparada*. Barcelona 1991. **García Valdés, C.** *Comentarios a la legislación penitenciaria*. 2ª Ed Madrid 1982, reimpr. 1995. "La reforma penitenciaria española". *Estudios penales II la reforma penitenciaria* 1977-1978. **Mapelli Caffarena, B.** "Una nueva versión de las normas penitenciarias europeas" *Revista electrónica de Ciencia Penal y Criminología* 2006. **Palma Herrera, J. M.** "La transferencia de la materia penitenciaria a las Comunidades Autónomas "en *La necesaria reforma penitenciaria* (Dir. R. Mata) Granada 2021. **Téllez Aguilera, A.** *Las nuevas reglas penitenciarias del Consejo de Europa: una lectura desde la experiencia española*. Madrid 2006. **VVAA** *Jornadas en Homenaje al XXV Aniversario de la LOGP*. Madrid 2005.

---

a la misma y la STC 104/1988 de 8 de junio sobre conflicto de competencias penitenciarias también interpretó el término legislación en sentido material al margen del rango formal de las normas, lo que incluía a los reglamentos ejecutivos que son desarrollo de la ley, dejando al Estado la regulación *in toto* de la materia penitenciaria.

43 Balmaceda, J. "Estudio de los aspectos competenciales de la administración autónoma vasca en la ejecución de las penas privativas de libertad" en *Régimen abierto en las prisiones* (Coord. A. Asúa Batarrita) Vitoria-Gasteiz 1992, pág. 87.

VVAA "Ley Orgánica General Penitenciaria". *Comentarios a la Legislación Penal*. (Dtor. M. Cobo del Rosal) Tomo VI, Vol 1 y 2. **VVAA** *Las prisiones españolas durante la transición* (Dtor. R. Mata), Comares, Granada, 2022.

Capítulo 3º

LA PENA DE PRISIÓN

1. INTRODUCCIÓN

1.1. Concepto y fines de la pena

Las dos consecuencias jurídicas más importantes del delito son la pena y la medida de seguridad, la diferencia entre ambas es que la primera tiene una finalidad retributiva de castigo en función de la culpabilidad por el hecho cometido, mientras que la segunda tiene una finalidad preventiva para evitar futuros delitos en virtud de la peligrosidad.

Toda pena consiste en "la privación de un bien jurídico impuesta por la ley al responsable de un hecho delictivo por los órganos jurisdiccionales", definición de donde se deducen las siguientes características:

a) *privación de un bien jurídico*: la pena es un mal para el sujeto que la sufre por la privación de derechos que comporta. Con ello se rechazan las teorías correccionalistas, en las que la pena se entiende como un bien por la pretendida ayuda ofrecida al delincuente, y se reconoce su carácter aflictivo objetivo, al margen de percepciones individuales[44]. La privación de bienes (libertad, honor, propiedad, ejercicio profesional...) ha de ser la necesaria para garantizar la protección

---

44 Mapelli Caffarena, B. "Teoría de la pena" en *Curso de Derecho Penal. Parte General*. Cuello Contreras, J./Mapelli Caffarena, B. Madrid 2015 pág. 245.

del bien jurídico vulnerado. Otros efectos negativos de la pena que se pueden presentar son la desocialización y el costo social que supone a la comunidad.

b) *ha de estar prevista por la ley*: se refiere a la vigencia del principio de legalidad en la regulación de las penas, ya que toda pena ha de ser necesariamente prevista por una ley, sin la posibilidad de crear nuevas o imponerlas de manera diferente a lo prescrito por la ley. La ley garantiza la soberanía popular lo que le dota de mayores garantías y de seguridad jurídica. El Código Penal recoge en el art. 32 el catálogo de penas y en el art. 34, una serie de figuras que no tienen tal carácter por faltarles alguno de sus elementos.

c) *se ha de imponer al responsable de un hecho criminal*: el principio de personalidad de las penas no permite extender la sanción a personas distintas al responsable del hecho criminal, limitando su imposición a quienes participen a través de cualquiera de las formas de autoría permitidas por el Código Penal.

d) *impuesta por los órganos jurisdiccionales*: sólo los Tribunales tienen la potestad de juzgar y hacer ejecutar lo juzgado en virtud del art. 117 CE y art. 3.1 CP. La intervención estatal desplaza los orígenes de la pena como venganza privada. Han de actuar los órganos competentes (Juez legal) con observancia de las leyes procesales y a través de un juicio con todas las garantías legales. Para la aplicación de una pena se necesita sentencia firme, art. 3.1 CP.

La referencia a la función y fines de la pena intenta distinguir entre finalidad última centrada en la tutela de bienes jurídicos y fines inmediatos o reales que busca la pena para cumplir dicha función, sin embargo, es mucho más frecuente reunir bajo el doble enunciado a las soluciones doctrinales que se plantean la justificación del castigo y los fines que se persiguen con las penas[45].

A) *teorías absolutas:* Entienden que la pena es un fin en sí misma para compensar el daño causado, un castigo para retribuir el hecho cometido, lo que determina que el único fin de la pena sea castigar por exigencias de Justicia, como una especie de compensación por el deli-

---

45 Extensamente Mapelli Caffarena, B. *Las consecuencias jurídicas del delito*. 5ªEd. Navarra 2011, pág. 45 y ss.

to cometido. Se llaman absolutas por considerar que la pena tiende a alcanzar fines o valores absolutos como la realización de la Justicia[46].

Los autores más relevantes son Kant y Hegel, el primero sostiene que la pena es un imperativo categórico, en el que hay que aplicar la ley del talión, en cuanto al segundo, la pena trata de negar la voluntad contraria a Derecho del delincuente, tratándose de una retribución jurídica que aspira a una pena valorativamente igual al delito cometido.

El fracaso de la retribución está en el rechazo actual a las penas innecesarias e inútiles por su enfrentamiento con la dignidad humana, mientras que su parte positiva reside en la garantía de exigir límites a la intervención estatal y el firme respeto a la proporcionalidad. Por su parte, las ideas retribucionistas actuales buscan la reafirmación del Derecho y la expiación de las penas, lo que choca con la inclusión en los Códigos Penales de figuras que acortan, evitan y permiten sustituir las penas de prisión por razones de prevención especial, y se refuerza con las últimas reformas penales que reflejan una vuelta a la retribución por su carácter estrictamente punitivo.

B) *teorías relativas:* en ellas la pena no persigue fines absolutos de Justicia, sino relativos y circunstanciales de prevención de delitos futuros, lo que se puede alcanzar a través de dos mecanismos:

La *prevención general negativa* actúa sobre la colectividad, en un principio buscaba la ejemplaridad en la ejecución del castigo para atemorizar a la sociedad; con Feuerbach se entendió que la conminación legal actúa como coacción psicológica ya que el conocimiento de las leyes contribuye a la intimidación; y, por su parte, siguiendo a Bentham las penas deben ser útiles, lo que implica que para producir temor deban ser duraderas y eficaces.

El mayor inconveniente de esta finalidad es el desprecio a la dignidad humana y a la proporcionalidad por la posibilidad de conducir al terror estatal, muestra de lo cual ha sido la ejecución de la pena de muerte y de las penas corporales en la época medieval. El carácter ejemplarizante y la finalidad de provocar temor colectivo ha dado lugar a una larga historia de atrocidades y crueldades innecesarias en la ejecución penal.

---

46 Zugaldía Espinar, J. M. *Fundamentos*... cit. pág. 54.

Como superación a ello, la *prevención general positiva* persigue la reafirmación del Derecho a los ojos de la colectividad para crear una conciencia colectiva de satisfacción jurídica. El endurecimiento de las penas privativas de libertad y algunos intentos de recortar los beneficios penitenciarios van en esta dirección de dar complacencia a una sociedad que en algunas ocasiones ha exigido mayor rigor e inflexibilidad a la Justicia, recriminándole una supuesta benevolencia en su aplicación.

Su inconveniente es que el Derecho se cubre de elementos éticos y moralizantes con una cierta vocación de educación social, que le hacen perder los criterios de intervención mínima y que sostienen una reafirmación del Derecho propia del retribucionismo hegeliano[47].

Por su parte, la *prevención especial* actúa sobre el propio delincuente estableciendo como fin de la pena evitar que cometa más delitos en el futuro, lo que ha sido defendido por las siguientes corrientes científicas:

– correccionalismo: el delincuente es un enfermo al que hay que corregir hasta cambiar su voluntad inmoral, persiguiendo su enmienda interior.

– positivismo criminológico: la falta de libertad del ser humano provoca que la pena sea sustituida por medidas, cuya finalidad será actuar sobre sujetos peligrosos para que no delincan en el futuro.

– Von Liszt: la finalidad de la pena varía según los delincuentes, de esta forma al necesitado de recuperación le mejora, al ocasional que no necesita ser corregido le intimida y al incorregible o irrecuperable le aísla para neutralizarle y asegurar que no cometa más delitos.

La prevención especial actual se centra en la resocialización, que tiene su función más importante en una ejecución más humana y residual de la pena de prisión, extendiendo su alcance a las demás sanciones y las fases de previsión legal y determinación judicial. Las últimas reformas penales, sin embargo, se dirigen hacia un avance del aislamiento y el incremento de obstáculos a la reinserción social.

---

[47] Silva Sánchez, JM *Aproximación al Derecho Penal contemporáneo* Barcelona 1992 pág. 205.

C) *teorías mixtas:* Son las dominantes en la actualidad al combinar las anteriores finalidades por entender que ninguna de ellas puede por sí misma justificar el castigo, proponiendo la unión entre retribución y prevención. Abogan por unir garantías y utilidad, tomando lo más válido de cada una de las anteriores teorías, lo que se hace sosteniendo que en cada una de las fases de la pena se dé con mayor relevancia una de las finalidades (prevención general en la regulación legal, retribución en la aplicación judicial y prevención especial en la ejecución) o bien entendiendo que en todas las fases de la pena convergen con mayor o menor intensidad cada una de las finalidades. Las ideas más influyentes en esta posición son las de Roxin o Schmidhäuser.

1.2. Clases de penas por su función, gravedad y naturaleza

En función de la respectiva gravedad, la función que desempeñan en la sanción o la naturaleza del bien jurídico al que afectan se pueden encontrar diversas clases de penas.

Clases de penas por su función: En relación a su función se puede distinguir entre penas principales y penas accesorias, las primeras vienen señaladas directamente en cada delito y las segundas son las que acompañan a otras penas por disposición legal, art. 54 CP. La pena de prisión igual o mayor a diez años lleva como accesoria la inhabilitación absoluta, art. 55 CP y, desde la LO 5/2010 de 22 de junio, la posibilidad de inhabilitación especial para el ejercicio de la patria potestad, tutela, guarda o acogimiento o privación de patria potestad, pero sólo si han tenido relación directa con el delito cometido; por su parte, la pena de prisión hasta diez años ha de ir acompañada de alguna de las accesorias del listado del art. 56; en ambos casos las accesorias han de tener la misma duración que la principal, salvo lo que expresamente disponga el CP (ej: violencia doméstica, terrorismo). Además, en el art. 57 CP se recoge como pena accesoria que acompaña a determinados delitos a la privación o limitación del derecho de residencia, cuya duración máxima actual es de diez años.

La relevancia de estas penas accesorias cuando acompañan a la pena de prisión es que su duración y cumplimiento está ligado al de la pena principal.

Clases de penas por su gravedad: El art. 33 CP distingue las penas por su gravedad en graves, menos graves y leves, novedad, incorporada por el CP de 1995 ya que anteriormente se recogía una división bipartita. La razón del cambio era adecuarlo a la división también tripartita de delitos del art. 13 CP y a las normas procesales que regulan la competencia jurisdiccional y los distintos procedimientos; otras consecuencias de la gravedad de la pena son los distintos plazos de prescripción, de cancelación de antecedentes penales y del periodo de suspensión de la ejecución. Si la pena por su extensión permite que el delito pueda ser grave o menos grave, se considerará del primer tipo, art. 13.4 CP, teniendo en cuenta que la gravedad viene marcada por la penalidad abstracta, sin que haya inconveniente para reducir, en los casos legalmente previstos, una pena por debajo de su cuantía mínima, art. 71.1 CP.

La LO 15/2003 de 25 de noviembre modificó el art. 33 pasando a ser pena grave la prisión superior a cinco años, en lugar de tres como era hasta entonces, con ello se coordinaba el CP con el art. 14 LECR que señala dicho periodo de cinco años como límite de competencia entre los Juzgados de lo Penal y la Audiencia Provincial. Por su parte, la LO 1/2015 de 30 de marzo añadió como pena grave la prisión permanente revisable y, al suprimir las faltas, estableció que las penas leves son las que castigan los delitos leves, según establece el art. 13.3 CP.

Clases de penas por su naturaleza: Es una de las clasificaciones más importantes al distinguir el art. 32 CP las penas en función del bien jurídico al que afectan, lo que da lugar a tres tipos de penas: privativas de libertad, privativas de otros derechos y multa.

Tal división es debida a que el CP de 1995 se propuso el reto de simplificar el sistema general de penas con la pretensión de unificar la variedad existente hasta ese momento para lo cual, respecto a las privativas de libertad, suprimió sus denominaciones anteriores dejando únicamente la de pena de prisión con su respectiva duración temporal, junto al arresto fin de semana y la responsabilidad personal subsidiaria por impago de multa. En cuanto a las privativas de derechos, se crearon nuevas penas como el trabajo al servicio de la comunidad y la privación del derecho de residencia y, finalmente, se quedó como única pena pecuniaria la multa.

De esa forma, en la actualidad contamos como penas privativas de libertad con la prisión permanente revisable, la prisión, la localización permanente y la responsabilidad personal subsidiaria por impago de multa, que se desarrollan en el epígrafe siguiente.

Entre las penas privativas de derechos reguladas en el art. 39 CP, se señalan a continuación las que tienen una especial relación con la prisión:

– *inhabilitación absoluta y especial y suspensión*: Cuando son penas accesorias acompañan a la prisión en los términos indicados en los arts. 54 y ss. CP. La inhabilitación absoluta es una pena accesoria automática en toda pena de prisión impuesta igual o superior a diez años, salvo que ya viniera señalada como pena principal (art. 55). La inhabilitación especial, sin embargo, es una opción que puede tomar el Juez atendiendo a la gravedad del delito, ya que ha de imponer junto a la pena de prisión hasta diez años alguna o algunas de las señaladas en el art. 56 CP; entre ellas, la inhabilitación especial para empleo o cargo público, profesión, oficio, industria o comercio o cualquier otro derecho sólo se pueden imponer si hubieran tenido relación directa con el delito cometido (lo que se declara expresamente), mientras que la suspensión de empleo o cargo público y la inhabilitación para el derecho de sufragio pasivo no exige tal relación, en este sentido ya se manifestaba la STS 9.4.2003 (4522). En ambos casos han de tener la misma duración que la pena principal.

– *privación del derecho de residencia* (art. 39 f) es una pena sólo accesoria con la particularidad de que no acompaña a otra pena, como es lo habitual en esta clase de sanciones, sino que acompaña a ciertos delitos cuya extensa relación enumera el art. 57 CP de una manera un tanto desigual ya que afecta a delitos tan dispares como el homicidio o cualquiera de patrimonio y orden socioeconómico. Si cualquiera de estos delitos se comete contra alguna de las personas citadas en el art. 57.2 CP coincidentes con los sujetos pasivos del delito de violencia doméstica, su imposición es *obligatoria*[48], lo que en casos

---

48 Al respecto se han presentado diversas cuestiones de inconstitucionalidad que el TC ha desestimado, vgr. STC 60/2010 de 7 de octubre.

de reconciliación o voluntad de reanudar la convivencia sólo se puede evitar con una petición de indulto[49].

Desde la reforma de 1999 se desglosó en tres, aumentando su contenido con la prohibición de aproximarse o comunicarse con la víctima, familiares u otras personas designadas por el Juez. Todo este contenido se puede imponer total o parcialmente ya que se permite la imposición de una o varias de las prohibiciones señaladas, incluyendo también la posibilidad de que el Juez o Tribunal acuerde su control por los medios electrónicos que lo permitan. Aunque como pena accesoria debería durar lo mismo que la pena principal, el art. 57 CP deja libertad para que el Juez decida su extensión según las circunstancias del caso, siempre que no exceda del límite máximo de diez años en delitos graves y cinco en menos graves.

En su especial relación con la pena de prisión podemos destacar dos aspectos de especial importancia, en primer lugar, cuando coincida su cumplimiento con el de una pena de prisión se producirá un cumplimiento simultáneo, pero siempre garantizando que tenga una duración superior entre uno y diez años a la prisión en delitos graves y entre uno y cinco en delitos menos graves; en segundo lugar, para evitar las contradicciones entre resoluciones penales que ordenaban el alejamiento familiar y resoluciones civiles que decretaban días de visitas en procesos de separación o divorcio, durante el cumplimiento de la prohibición de aproximarse a la víctima, se suspende el derecho de visitas reconocido en sentencia civil, art. 48.2 CP.

– *trabajos en beneficio de la comunidad* (art. 39 g): cumple las funciones de pena principal, forma de cumplimiento de la responsabilidad personal subsidiaria por impago de multa y medida adicional a la suspensión sustitutiva de la ejecución prevista en el art. 84 CP. Su especial relación con la Administración penitenciaria a través de la gestión de sus contenidos por el Servicio de Gestión de penas y medidas alternativas se desarrolla en el capítulo 5.

Y, finalmente, como única pena pecuniaria que afecta al patrimonio el art. 50 CP regula la pena de multa que puede cumplirse según el sistema de días multa como regla general o, excepcionalmente, como multa proporcional. Su mayor relación con la pena de prisión es la

---

49 Mapelli Caffarena, B. *Las consecuencias*...cit. 4ª Ed pág. 221.

posibilidad de que su impago se transforme en privación de libertad a través de la responsabilidad personal subsidiaria por impago de multa que se analiza a continuación.

1.2.1. Clases de penas privativas de libertad. Especial referencia a la localización permanente

El art. 35 CP contempla como penas privativas de libertad las siguientes: prisión permanente revisable, prisión, localización permanente y responsabilidad personal subsidiaria por impago de multa.

La *prisión permanente revisable* es una de las novedades de las reformas de 2015, que tras superar todo tipo de críticas consiguió ser incluida en el texto final, pese a que las cifras de delincuencia violenta y el fin de las actividades terroristas no justificaban su regulación. Se trata de una pena grave cuya regulación garantiza un mínimo de veinticinco años de cumplimiento, sin pronunciarse sobre su límite máximo que no descarta su posible perpetuidad. Carecer de duración determinada y tener un nombre propio es lo que le hace ser una pena diferente de la pena de prisión, lo que desprende dudas sobre el alcance de figuras previstas sólo para la prisión como las penas accesorias o la prescripción.

Su ejecución despierta numerosas incógnitas por el papel que puede desempeñar la individualización científica ante la previsión legal de primar los plazos temporales en la concesión de las figuras penitenciarias más relevantes o su complejo sistema de revisión. La técnica legislativa empleada resulta caótica ya que su regulación está dispersa a lo largo de diversos artículos: art. 36: plazos de obtención de permisos de salida y tercer grado; arts. 76 y 78 concursos; art. 92 criterios revisión en suspensión y, además, contempla numerosas referencias a otros artículos que regulan la suspensión como los arts. 80, 83, 86, 87 y 91. El resto de sus circunstancias legales y de cumplimiento se desarrollan en el capítulo 4.

La pena de prisión es una pena grave y menos grave que puede tener una duración general entre tres meses y veinte años, aunque excepcionalmente puede llegar hasta cuarenta años. Históricamente los Códigos Penales recogieron diversas penas privativas de libertad como trabajos perpetuos, reclusión en casa de trabajo, prisión en fortaleza, arresto correccional, cadena perpetua o cadena temporal. También el propio CP de 1944 recogía un amplio catálogo, que ya en 1983 se redujo con la desaparición del histórico presidio, pese a lo cual todavía subsistían varias denominaciones dadas a la pena de prisión, sin más diferencia que su respectiva duración.

El CP de 1995 trajo los más importantes cambios en la pena de prisión, entre ellos su denominación, ya que abandonó la terminología histórica (reclusión, prisión y arresto, mayor y menor respectivamente) para unificarla en un único nombre de prisión y, en segundo lugar, modificó su duración consiguiendo elevar el límite mínimo hasta seis meses, para evitar las penas cortas, y rebajar el límite máximo, para evitar las penas muy largas al imponer un límite general de veinte años. Lamentablemente este segundo logro se frustró con la reforma de 2003 que recuperó las penas cortas al establecer un nuevo límite mínimo de tres meses y elevó sustancialmente la duración máxima al permitir un nuevo límite máximo de cuarenta años.

Su ejecución, regulada en la LOGP y el RP, ha desarrollado notablemente el Derecho Penitenciario, adquiriendo en los últimos años mucho protagonismo el alcance de las reformas penales en el cumplimiento de la pena de prisión.

– *La responsabilidad personal subsidiaria por impago de multa:* El condenado a pena de multa ha de pagar voluntariamente o por vía de apremio su importe, art. 53 CP y, de lo contrario, por cada dos cuotas no pagadas se le impondrá un día de privación de libertad que podrá cumplirse mediante trabajos en beneficio de la comunidad y tratándose de delitos leves, mediante localización permanente. Como la duración máxima de la multa es de dos años, si por cada dos días de impago se transforma en un día de privación de libertad, eso significa que la duración máxima de la responsabilidad personal subsidiaria por impago de multa es de un año; por su parte, en la multa proporcional el CP establece expresamente que la duración máxima de esta responsabilidad subsidiaria será de un año que ha de ser impuesta según el prudente arbitrio de los Tribunales. En cuanto a su duración mínima no hay límites pudiendo producirse estancias en prisión inferiores a tres meses, lo que supone una contradicción con el espíritu general del CP de evitar las penas cortas de prisión.

Su naturaleza de pena permite que le alcancen figuras propias de las penas privativas de libertad como la suspensión de la ejecución de la pena y la libertad condicional. Dicho carácter de pena privativa de libertad, del que antes carecía, lo recibió del CP de 1995 ante la evidencia de un cumplimiento idéntico a la pena de prisión, en cuanto a lugar y forma de cumplimiento, que hasta ese momento no le permitía participar de ciertas figuras que podían suponer ventajas punitivas. Con esta nueva naturaleza, el ingreso en prisión por impago de multa puede ser objeto de suspensión de la ejecución, puesto que se refiere a cualquier pena privativa de libertad (art. 80 CP), puede serle concedida la libertad condicional (art. 90 CP) y debe ser también objeto de clasificación penitenciaria como cualquier pena privativa de libertad.

Esta responsabilidad subsidiaria no se impone a los condenados a pena privativa de libertad superior a cinco años, lo que no significa impunidad sino falta de exigencia tras la vía de apremio[50] fundamentada en razones de proporcionalidad, lo que el Tribunal Supremo extendía a las penas de prisión menores de cinco años en las que la responsabilidad personal subsidiaria acumulada lograra superar los cinco años, STS 31.10.2003 (R. 1419), entre otras. El acuerdo del Pleno no jurisdiccional de 1 de marzo de 2005 acordó que dicho límite (entonces cuatro años, ahora cinco años) solo se aplicaría para la pena privativa de libertad y pecuniaria prevista conjuntamente en un delito, pero no para penas privativas de libertad impuestas por distintos delitos, como ya se recoge en la STS 358/2005 de 22 de marzo.

Su cumplimiento alternativo a la prisión se limita prácticamente a la pena de trabajo en beneficio de la comunidad, ya que la posibilidad de acudir a la localización permanente está prevista sólo para las multas impagadas por la comisión de delitos leves; en estos casos, la multa de diez días a tres meses se podrá convertir en una localización permanente de cinco días a un mes y medio. Si se convierte en trabajo en beneficio de la comunidad, cada dos cuotas no pagadas se convierten en un día de trabajo, siempre con el consentimiento del condenado.

Tras su cumplimiento ya no se puede pagar la multa, aunque haya mejorado la situación económica del penado.

---

50 Mapelli Caffarena, B. *Las consecuencias*...cit. 4ª Ed pág. 210.

– *La localización permanente*: se trata de una pena leve que puede durar hasta seis meses cumpliendo las funciones de pena principal, pena sustitutiva de la pena de prisión inferior a tres meses y forma de cumplimiento de la responsabilidad personal subsidiaria por impago de multa. Su pena antecesora fue el arresto fin de semana que nació con la pretensión de evitar los ingresos carcelarios de corta duración con una modalidad de semidetención, pero encontró muchas dificultades para su cumplimiento en dependencias policiales por la escasez de medios adecuados.

En la actualidad cumple tres funciones:

a) pena principal leve de un día a tres meses, pese a que en el art. 37 CP señala que puede durar hasta seis meses.

b) forma de cumplimiento de la responsabilidad personal subsidiaria en caso de impago en delitos leves castigados con pena de multa, en este último caso sin que rija la limitación máxima de seis meses.

c) pena sustitutiva de la prisión inferior a tres meses, cuando resulte de las operaciones de las reglas de determinación de la pena.

Cuando se incorporó la pena de localización permanente en la LO 15/2003 de 25 de noviembre de reforma del Código Penal tenía una duración máxima de doce días y un lugar de cumplimiento limitado al domicilio o lugar designado por el Juez, que suponía un rechazo a los centros penitenciarios, sin embargo, en la reforma operada por la LO 5/2010 de 22 de junio, además de ampliarse su duración hasta seis meses, se establecía un doble lugar y forma de cumplimiento: en domicilio o lugar designado por el Juez, de forma continuada y, excepcionalmente, sábados y domingos o de forma no continuada y en centro penitenciario solo en sábados y domingos.

Esta modalidad de cumplimiento en centro penitenciario solo puede ser en fines de semana o festivos y, para decidirlo, el Juez deberá tener en cuenta la reiteración en la comisión de la infracción y que lo permita expresamente la infracción cometida, lo que antes ocurría con la falta reiterada de hurto, pero que desde la reforma de 2015 no viene contemplado en ninguna figura delictiva. Señalaba la Exposición de Motivos de 2010 la oportunidad de esta modalidad para combatir la inseguridad ciudadana que generaban dichas faltas como respuesta proporcionada y disuasoria, sin embargo, los inconvenientes de un cumplimiento tan breve han terminado por suprimir de momento dicha posibilidad, aunque la previsión legal se mantenga.

Esto da lugar a dos modalidades diferentes de la pena, en primer lugar, la localización permanente en establecimiento penitenciario, que queda bajo la competencia de la Administración penitenciaria y la localización permanente en domicilio o lugar designado por el Juez que queda bajo la competencia del Juzgado encargado de la ejecución.

Cuando se trata de localización permanente en centro penitenciario[51], sus condiciones de cumplimiento las desarrolla el Reglamento que regula las circunstancias de ejecución de las penas de trabajo en beneficio de la comunidad y de localización permanente en centro penitenciario, de determinadas medidas de seguridad, suspensión de ejecución de las penas privativas de libertad y sustitución de penas, RD 840/2011 de 17 de junio. En virtud del mismo, una vez se reciba el testimonio de sentencia y previa audiencia del penado, el establecimiento penitenciario más próximo a su domicilio, será el encargado de realizar el plan de ejecución que recogerá las fechas y centro de cumplimiento, repitiendo el mismo procedimiento que en los trabajos en beneficio de la comunidad, es decir, con la única obligación de notificarlo al órgano jurisdiccional competente para la ejecución, sin perjuicio de su inmediata ejecutividad, así como de poner en su conocimiento la negativa del condenado a cumplirla. El cumplimiento se realizará de manera ininterrumpida, entre las 9 y las 10 horas de la mañana de sábado o día festivo inmediatamente anterior y las 21 horas del domingo o festivo inmediatamente posterior, en la celda que se le asigne (preferentemente en el departamento de ingresos y en ningún caso en centros de inserción social) y con un mínimo de 4 horas de estancia fuera de la misma, sin posibilidad de recibir comunicaciones, visitas o paquetes, pero permitiéndole tener un reproductor de radio o CD, libros y la ropa o enseres que estipule el reglamento interior. Asimismo, estará obligado a cumplir las normas de régimen interior lo que implica sumisión al régimen disciplinario. El resto de circunstancias de ejecución se regula en la

---

51 Cervelló Donderis, V. "La pena de localización permanente en centro penitenciario" *REP* Extra 2013.

Instrucción SGIP 11/2011 de 7 de julio en lo relativo a llamadas telefónicas, economato...siendo especialmente importante el archivo del procedimiento pasados tres meses sin recibir la sentencia y/o el domicilio del penado.

Con una clara influencia de la prevención general positiva y la intimidación individual como muestra de prevención especial, nunca se entendió este regreso al cumplimiento penitenciario teniendo en cuenta los problemas de aplicación que en su día tuvo el arresto fin de semana y la falta de condiciones para cumplir este tipo de pena en los centros penitenciarios. Una opción podría haber sido permitir su cumplimiento en los centros de inserción social, pero la Instrucción SGIP 11/2011 de 7 de julio lo excluye expresamente.

La segunda gran reforma de esta pena ha sido permitir el uso de medios mecánicos o electrónicos para el control y localización del reo en la modalidad de cumplimiento en el domicilio o lugar designado por el Juez, siendo especialmente importante que ahora lo permita el propio Código Penal, porque su regulación reglamentaria anterior era tachada de insuficiente por afectar a los derechos fundamentales del penado y presentar dificultades en la aplicación y eficacia de los controles policiales.

Las variedades de monitorización electrónica se han actualizado y diversificado mucho desde sus inicios, por ello, conforme a la Instrucción SGIP 8/2019 de 23 de abril que regula la aplicación del art. 86.4 RP a los internos de régimen abierto ya no es necesario disponer de línea telefónica en el domicilio, ni que consientan el resto de miembros de la unidad familiar que residan en el mismo, porque en su defecto son varias las posibilidades de control.

En cuanto a su lugar de cumplimiento, como afirmó el Informe del Consejo de Poder Judicial de 8.9.2004 al Proyecto de Reglamento, según establece el art. 37.1 CP debe quedar determinado por el Juez en la sentencia o auto motivado posterior y no dejarse para el plan de ejecución como se deducía del Reglamento anterior; ese lugar diferente al domicilio puede ser cualquier institución pública o privada de tratamiento o un domicilio diferente al del penado. En esta modalidad de cumplimiento en domicilio, los días de cumplimiento son muy flexibles ya que pueden ser laborables, fines de semana, consecutivos o de forma no continuada, siendo en estos dos últimos casos a petición del penado, oído el Ministerio Fiscal y aprobado por el Juez, si las circunstancias lo aconsejan.

Su incumplimiento conduce a deducir testimonio por quebrantamiento de condena, lo que volverá a traer problemas de legalidad, ya que no se definen los términos de dicho incumplimiento en el Reglamento; la Circular 2/2004 FGE entendió como tal cualquier incumplimiento del deber de permanencia, si bien analizado de forma global, con los informes policiales de control de permanencia.

2. EVOLUCIÓN HISTÓRICA DE LA PENA DE PRISIÓN

2.1. Origen de la prisión

Es necesario distinguir entre el encierro propio de la sociedad primitiva y medieval y la prisión como pena impuesta por el Estado a través de los órganos jurisdiccionales, por eso en la historia de la prisión se pueden destacar dos etapas:

– antecedentes de la pena de prisión: lo constituye el encierro como custodia, periodo que se extiende hasta el siglo XVII.

– aparición de la pena privativa de libertad propiamente dicha, a partir del siglo XVIII.

Hasta el siglo XVII solamente unas limitadas excepciones tienen un contenido similar al de la pena de prisión moderna, ya que el encierro en general tenía la función cautelar de servir de retención hasta el momento del juicio o de la ejecución; en este sentido señalaba Ulpiano en el Digesto "*las cárceles son para contener a los hombres, no para castigarlos*" por la concepción de la inadmisibilidad de la privación de libertad como pena, dado el elevado volumen de población que carecía de ella, como era el caso de los esclavos o los siervos.

Entre estas excepciones se puede destacar el *ergastulum* o prisión para esclavos, propia del Derecho Romano, que se cumplía en un lugar de la casa del amo destinada para ello. En los demás casos la cárcel sólo actuaba como aseguramiento preventivo de la persona del acusado hasta el momento del juicio, a salvo de alguna figura específica como la prisión por deudas.

En la Edad Media[52] tampoco existía esta pena pues las vigentes en ese momento eran la pena de muerte, las penas corporales, las penas infamantes y las penas pecuniarias, sin embargo, la prisión custodia sigue existiendo hasta el juicio sin tener la naturaleza de pena y sólo para los delitos más graves, a diferencia del resto de infracciones en los que bastaba la fianza; su cumplimiento en castillos, torreones y calabozos marca una de las épocas más crueles de la historia penal. Un supuesto específico de esta época era la *cárcel de Estado* para enemigos políticos del poder real y la *cárcel canónica* para religiosos, en ambas cabía la detención temporal o perpetua.

Tras este periodo, la expansión cultural y económica y el humanitarismo contribuyen a la aparición de las *casas de trabajo* en Europa el siglo XVI, entre otras razones, por la necesidad de mano de obra barata y la influencia de las ideas religiosas de la reforma protestante, siendo una de las más importantes la de Amsterdam. Se trataba de casas de corrección para sujetos antisociales como vagabundos o prostitutas en las que se buscaba la enmienda a través del trabajo, la instrucción, los castigos y la asistencia religiosa; la de hombres se denominaba "*rasphuis*", debido a que la actividad laboral era el raspado de madera y la de mujeres "*spinhuis*", por dedicarse a la hilandería.

En el siglo XVIII culmina la evolución de la prisión y se generaliza su utilidad como sanción ya que el Estado representa a la sociedad civil y el delito representa una afrenta a la sociedad, su buena aceptación se debe a que además de no ser tan cruel como la pena de muerte o las corporales, puede servir para retribuir, por eso se llegó a decir que la prisión era el gran invento social de la época.

2.2. *Evolución en España*

En España se desarrolla una evolución paralela, ya que durante la Edad Media sólo existe la prisión como custodia preventiva hasta que en el siglo XVIII adquiere su propia autonomía; de ahí la diferencia terminológica entre cárcel, como encierro custodial hasta el juicio o pronunciamiento de la sentencia y presidio, como lugar donde se

---

52 Extensamente sobre la privación de libertad en la época medieval García Valdés, C. "El nacimiento de la pena privativa de libertad". *CPC* nº1 1977.

cumplían las penas privativas de libertad impuestas[53]. En el mismo sentido que el texto de Ulpiano, en las Partidas (Ley IV, tit. XXXI, Part. VII), se declara que la cárcel no es para escarmentar sino para guardar a los presos hasta su enjuiciamiento y se instaura su carácter de establecimiento público que sólo al Rey corresponde construir, ya que hasta ese momento también los nobles y la Iglesia tenían las suyas de propiedad particular en las que dominaba la arbitrariedad. Otras normas de interés en las Partidas son las referentes a un trato no cruel a los reclusos, a la separación por sexos y por la posición social, e incluso a la posibilidad de comunicar con el exterior con las debidas precauciones.

Por otro lado, desde su aparición en la pragmática de Carlos I de 31 de enero de 1530, en los siglos XVI y XVII se utilizan las *galeras,* embarcación de vela y remo destinada al combate movida por forzados[54], que podía alcanzar una duración de hasta diez años; la llamada cárcel flotante se utilizaba como pena propia o sustitutiva de la muerte pues ya iba decayendo la barbarie punitiva. A pesar de ello, el trabajo de remo era duro, las condiciones higiénicas y de alimentación totalmente deficientes, y los castigos corporales habituales para conseguir superar la flaqueza de los condenados. El traslado a galeras de los condenados unidos entre sí por cadenas y esposados es relatado magistralmente por Cervantes en un famoso pasaje de Don Quijote de la Mancha (cap. XXII de la primera parte)[55].

En cuanto a la privación de libertad organizada propiamente dicha, en un primer momento se cumple en presidios militares en África y presidios navales, sin embargo, debido al lamentable estado que llegaron a alcanzar, comenzaron a ser sustituidos a principios del siglo XIX por presidios militares peninsulares, a los que a partir de 1834 se sumaron los presidios civiles.

---

53 Llorca Ortega, J. *Cárceles, presidios y casas de corrección en la Valencia del siglo XIX*, Valencia 1992 pág. 119.

54 Cadalso y Manzano, F. *Instituciones penitenciarias*...cit. pág. 99. Rodríguez Ramos, L. "La pena de galeras en la España moderna" en *Estudios Penales Homenaje al Profesor Antón Oneca* Salamanca 1982 pág. 523 y ss.

55 Sobre ello Martin Nieto, E. "La lección penitenciaria de Don Quijote" *REP* 1981.

2.3. *Causas de transformación*

Entre las causas que motivaron la transformación de la prisión custodia en pena de prisión, según explica García Valdés[56] se pueden destacar las siguientes:

a.- *razones de política criminal*: el desplazamiento de grandes masas de la población como consecuencia del desarrollo urbano provocó graves desórdenes públicos y un aumento de la delincuencia que se propuso reducir haciendo uso del encierro.

b.- *razones penológicas:* el desprestigio en que había caído la pena de muerte por la recepción de corrientes humanitarias en Europa provocó el aumento de las expectativas sobre esta nueva pena que no producía tantos daños como las corporales.

c.- *razones socioeconómicas*: el trabajo de las personas encarceladas permitía aprovecharse de una mano de obra barata y libre de exigencias. En este sentido Foucault[57] ha asociado el origen de la pena de prisión al nacimiento del capitalismo.

d.- *razones religiosas:* si bien no son aceptadas unánimemente, hay que reconocer la influencia del sentido penitente de la reclusión, que incluso ha permanecido en la denominación.

2.4. *Primeras manifestaciones científicas: los reformadores*

A finales del siglo XVIII, la mayoría de los establecimientos donde se cumplía la pena de prisión eran lugares de terror y crueldad, entre otros motivos por el hacinamiento en que se encontraban los condenados, los castigos corporales, la escasez de comida, los trabajos forzados, enfermedades, humedad y falta de luz en los establecimientos...[58]. La única finalidad de las prisiones, con la salvedad de las

---

56 "El nacimiento..." cit. pág. 37

57 Foucault, M. *Vigilar y castigar.* Trad. A. Garzón del Camino, 13ª Ed. en castellano (5ª en España) Madrid 1986.

58 Extensamente sobre las inhumanas condiciones de la historia de la ejecución penal en la obra colectiva *Geografía de la crueldad. Lugares de ejecución 1.* VVAA (Editores De Vicente, R./Vizuete, C./García, B.) Tirant lo Blanch, Valencia 2022.

casas de corrección, era separar al penado de la sociedad, sin interés alguno en las condiciones de las personas recluidas.

Con este desolador panorama, el inglés John Howard (1726-1790) se interesó por la situación penitenciaria a través de su propia experiencia, tras ser apresado por un buque de guerra portugués y cumplir una condena de prisión que le llevó a la muerte al contraer las fiebres carcelarias. Como resultado de sus viajes por Europa visitando prisiones, escribió en 1777 su obra "*State of prisons in England and Wales* "en la que denunciaba el sistema penitenciario de la época a través de las siguientes propuestas: higiene y alimentación adecuadas, separación de los reclusos, trabajo e instrucción obligatoria, supresión del derecho de carcelaje... El interés que despertó su obra y la extensa difusión que alcanzó es el punto de partida de la aparición de los sistemas penitenciarios en los que, por primera vez, se diseñan unas características y objetivos específicos de la ejecución penal.

Otra figura relevante es la de Cesare Bonesana, Marqués de Beccaría (1738-1794) coincidente en propugnar las ideas de reforma y humanidad, pero sin ceñirlo exclusivamente a las prisiones, sino a todo el Derecho Penal. Su obra "*Dei delitti e delle pene*", publicada en 1764 es un anticipo de todo el Derecho Penal moderno en el que se denuncia la crueldad de las penas, la necesidad de proporcionalidad y de garantías penales.

Finalmente, Jeremías Bentham (1748-1832) en su "*Tratado de legislación civil y penal*" publicado en 1802 propone su famoso Panóptico como modelo arquitectónico de prisión. Uno de los principales problemas de la época era que los establecimientos donde se cumplía las penas eran absolutamente inadecuados, por eso diseña uno con la idea central de guardar los presos con seguridad y economía a través de un edificio de cristal desde cuya parte central se pueden divisar todas las celdas. Problemas de respeto a la intimidad de los condenados y de excesivo costo de su construcción provocaron que apenas fuera llevado a la práctica.

En España también tenemos un nutrido grupo de autores con destacadas propuestas reformistas y humanitarias, encabezadas en el siglo XVI por las célebres obras de Bernardino de Sandoval, Cerdán de Tallada y Cristóbal de Chaves. Bernardino de Sandoval es autor de la obra "*Del cuidado que se debe tener con los presos pobres*" en 1564 donde explicaba cómo debían ser las cárceles y el trato que se debía dar a los reclusos. Cerdán de Tallada ejerció la abogacía en Valencia y publicó, entre otras, la obra "*Visita de la cárcel y de los presos*" en 1574 en la que denunció los abusos que se cometían sobre los presos y la mala actuación de los jueces, proponiendo un régimen carcelario muy avanzado para la época. Cristóbal de Chaves escribió "*Relación de la cárcel de Sevilla*" en 1585 donde denunciaba las irregularidades que en ella se cometían[59].

Posteriormente, ya en el siglo XVIII, destaca la figura de Manuel de Lardizábal (1739-1820) que a través de su obra "*Discurso sobre las penas* "publicada en 1782 difunde las ideas de la Ilustración que empiezan a penetrar en el Derecho Penal, sirviendo de borrador y preparación para lo que más adelante sería el primer Código Penal español de 1822. En su contenido formula una crítica a las penas de presidios y arsenales de esta etapa por ser perniciosas, desproporcionadas e inútiles[60] y llega a calificar la pena de cárcel (entonces con la única finalidad de custodia) como pena corporal aflictiva por la privación de libertad, incomodidades y molestias que produce, vejaciones y malos tratos. Finalmente, ya en el siglo XIX es necesario resaltar la figura de Concepción Arenal (1820-1893), precursora del penitenciarismo español, cuya relevante aportación quedó plasmada en sus Obras Completas. Tras ejercer como visitadora general de prisiones desde su nombramiento en 1864, escribió "*El visitador del preso*" en 1891[61], una de sus obras más célebres, siendo pionera en defender la igualdad de trato entre los hombres y las mujeres presas y el acceso de ambos a la educación y el trabajo[62].

---

59 Cadalso y Manzano, F. *Instituciones*... pág. 164 y ss.

60 Lardizábal y Uribe, M. de *Discurso sobre las penas*. Granada 1997 pág. 95 y 100 respectivamente.

61 De especial interés resulta la edición preparada por la Asociación de colaboradores con las presas, prologada por Manuela Carmena. Madrid 1991.

62 Cervelló Donderis, V, "Mujer, prisión y no discriminación: del legado de Concepción Arenal a las reglas de Bangkok" *EPyC* vol. XLI, 2021.

2.5. Sistemas penitenciarios

Los sistemas penitenciarios surgen como respuesta a la necesidad de organizar las prisiones, primero en las colonias inglesas de Norteamérica y, posteriormente en Europa. De la evolución de todos ellos han ido formándose los sistemas penitenciarios actuales en los que algunas de sus figuras tienen una clara conexión con las primeras manifestaciones históricas.

Como sistemas históricos se conocen el sistema filadélfico, el sistema de Auburn y el sistema progresivo con sus distintas manifestaciones.

El sistema filadélfico o de Pensilvania nace a finales del siglo XVIII como reacción frente a los problemas de hacinamiento y promiscuidad que presentaban las prisiones americanas. Se instaura en la penitenciaría de Filadelfia con un sistema inspirado en la austeridad del grupo religioso de los cuáqueros que defendía la no violencia.

Su característica más importante era el aislamiento total durante todo el día y silencio absoluto, por eso se le conoce también con el nombre de sistema celular. El preso pasaba día y noche en la celda solo, sin visitas ni actividad alguna, más que la lectura de la Biblia.

Este sistema contribuyó a la separación de reclusos y a la mejora de la higiene y la salubridad, siendo su mayor inconveniente el deterioro psíquico que producía el aislamiento total. Pese a ello se exportó a Europa, llegando a España e inspirando la arquitectura de la cárcel de Madrid construida por orden de Alfonso XII en 1876.

El sistema de Auburn nace en esta ciudad del Estado de Nueva York a principios del siglo XIX. Mantiene el aislamiento nocturno, pero incorpora como novedad el trabajo y la vida en común durante el día, lo que supone una mejora en la vida de los presos, pero la difícil compatibilidad de la vida en común con la regla de silencio absoluto da lugar a una severa disciplina a base de duros castigos corporales.

Si bien se adoptó en la mayoría de prisiones norteamericanas, su incidencia en España y el resto de Europa fue escasa, lo que no evitó que alguno de sus postulados, como el aislamiento nocturno y el trabajo diurno en común, se recogieran en la Ley de bases para la reforma penitenciaria de 1869.

El sistema progresivo surge en el siglo XIX en Europa para alcanzar la reforma del sujeto a través de la mejora de condiciones en función del buen comportamiento del recluso. Con el mismo el cumplimiento de la pena de prisión se divide en etapas desde el aislamiento total hasta la libertad condicional, siendo cada una de ellas una progresión de la anterior en función de la buena conducta que va demostrando el reo y que le proporciona gradualmente menos disciplina y mayor libertad.

En España lo experimentó desde 1835 a 1850 el Coronel Manuel Montesinos (1796-1862) en el penal de San Agustín de Valencia, convento abandonado tras la desamortización al que consiguió trasladar a los penados civiles desde las inadecuadas Torres de Cuarte donde se instalaba el presidio militar, para ello dividió la prisión en cuatro periodos: hierros, trabajo, libertad intermedia y libertad definitiva[63]. Curiosamente hasta 1900 no se implanta de manera general en todo el país y lo hace bajo el nombre de sistema progresivo irlandés.

En Inglaterra lo aplicó Maconochie en 1840 en la isla de Norfolk dividiendo en tres fases la ejecución: régimen cerrado o periodo de prueba, régimen intermedio de trabajo en comunidad y libertad condicional. La duración de la pena era una suma de trabajo y buena conducta representada por un número de marcas o boletos, así, la cantidad de marcas que el penado tenía que obtener antes de obtener la libertad estaba en proporción a la gravedad del hecho criminal.

Este sistema con más o menos matices y modificaciones es el usual en la práctica penitenciaria europea de los siglos XIX y XX con la pena dividida en las siguientes fases:

1.- aislamiento inicial para la observación y clasificación del penado.

2.- vida en común con instrucción y trabajo.

3.- preparación previa para la vida en libertad fomentando las salidas al exterior.

4.- libertad condicional como libertad a prueba.

---

63 Boix, V. *Sistema penitenciario del presidio correccional de Valencia*. Valencia 1850 pág. 11 y ss.

Con un enfoque basado en el positivismo criminológico, el sistema reformatorio se desarrolló en el reformatorio de Elmira en 1876 con un programa para jóvenes basado en el ejercicio físico, la instrucción, la progresión en grados y la sentencia indeterminada hasta alcanzar la reforma del interno.

2.6. *El sistema penitenciario español*

Por lo que respecta al sistema español, el art. 84 del Código Penal de 1944 hacía referencia al sistema progresivo que venía desarrollado en el Reglamento de los Servicios de Prisiones de 1956. Dicho sistema se dividía en cuatro fases: régimen cerrado, régimen ordinario, régimen abierto y libertad condicional, siendo en sus inicios muy rígido porque exigía el paso por todas y cada una de estas fases, pero matizado en 1968 al permitir la posibilidad de la clasificación directa en segundo grado, sin necesidad de pasar por el primero. La LOGP en 1979 adoptó el sistema de individualización científica, cuya mayor diferencia con el anterior es su flexibilidad al permitir la clasificación en cualquiera de los grados desde el inicio, salvo la libertad condicional, y manteniendo como única exigencia el cumplimiento de un periodo de dos meses de observación antes de acceder al tercer grado, para quienes ni siquiera habían cumplido una cuarta parte de la condena, que fue suprimido después por el RD 1764/1993 de 8 de octubre[64].

El Código Penal de 1995 eliminó la referencia al sistema progresivo remitiendo en su art. 36 el cumplimiento de las penas privativa de libertad a lo dispuesto en las leyes, lo que suponía no interferir en la legislación específica y dejar a la Ley penitenciaria la regulación del sistema penitenciario y de sus requisitos de clasificación. Tal autonomía legislativa se vio alterada por la reforma del Código penal por la LO 7/2003 de 30 de junio que añadió un segundo párrafo al art. 36 exigiendo para la clasificación en tercer grado de los condenados a penas de más de cinco años de prisión el periodo de seguridad, consistente en la necesidad de haber cumplido la mitad de la condena. Con

---

64 Más extensamente Cervelló Donderis, V. "La clasificación en tercer grado como instrumento de resocialización". *Estudios de Derecho Judicial* nº 84-2005. El Juez de Vigilancia penitenciaria y el tratamiento penitenciario, (Dtors. J. L. Castro Antonio/ J. L. Segovia Bernabé), Madrid 2006.

ello se añadía un requisito adicional a los ya recogidos en la LOGP, provocando una dispersión legislativa de la regulación de los requisitos de la clasificación penitenciaria y, por tanto, del propio sistema penitenciario.

Con esta reforma penal comenzó a quebrarse el sistema de individualización científica[65], pese a la solvencia de la progresión y regresión de grado con criterios científicos individualizados como eje de la clasificación, para incorporar criterios objetivos basados exclusiva y preferentemente en la duración de la condena impuesta, en la línea del sistema progresivo más clásico.

Un nuevo revés al sistema de individualización científica se produjo con las reformas del Código Penal de 2015, en particular con la inclusión de periodos fijos de tercer grado y libertad condicional en la prisión permanente revisable y, muy especialmente, con la supresión de la libertad condicional como última fase del sistema penitenciario y su transformación en un supuesto de suspensión de la ejecución.

No hay que olvidar que ya antes de la incorporación del periodo de seguridad y del resto de reformas, al sistema penitenciario español se le reprochaba su excesivo objetivismo en la separación en grados ya que sin ser lo esencial, sí contempla referencias a la gravedad del delito o, incluso, al tipo de delito en la clasificación, como sucede en el art. 102 RP. A diferencia de ello, la tendencia europea se aproxima a los sistemas consistentes en planes individualizados de tratamiento según la personalidad y evolución del recluso sin afectar al régimen o establecimiento de cumplimiento, algo similar a lo que parece introducir el art. 100.2 RP que permite la combinación de características de los distintos grados con la finalidad de flexibilizar el sistema, adecuando el grado a las características individuales del sujeto.

---

65 Renart García, F. *La libertad condicional: nuevo régimen jurídico* Madrid 2003 págs. 89-90 lo califica de sistema mixto, relacionándolo con la ola de neoconservadurismo que se extiende en las legislaciones con la idea de justicia como venganza.

3. REGULACIÓN ACTUAL DE LA PENA DE PRISIÓN

3.1. Características

La característica esencial de la pena de prisión es la reclusión en un establecimiento penitenciario, a diferencia de la localización permanente que permite como regla general un lugar distinto a la prisión y, sólo como excepción, el cumplimiento en centro penitenciario. El deber de permanecer en el establecimiento penitenciario correspondiente se deriva de la obligación de Instituciones Penitenciaria de garantizar la retención y custodia de detenidos, presos y penados.

A la regla general de cumplimiento en un centro penitenciario, cada vez se le suman más excepciones que no exigen tal ingreso como las diversas modalidades de cumplimiento de régimen abierto, el control telemático, las unidades dependientes, las unidades extrapenitenciarias, y la libertad condicional.

La segunda característica es el contenido resocializador de la pena de prisión derivado del mandato legal de la reeducación y reinserción social de los internos como finalidad esencial de las Instituciones Penitenciarias, lo que supone dotar a la prisión de un contenido específico formado por actividades de tratamiento que se ofrecen a los internos, respetando su derecho a rechazarlas, y crear un ambiente en la prisión dirigido a fomentar dicha finalidad.

La tercera característica es el sometimiento al régimen de vida formado por las normas que rigen la convivencia ordenada y los derechos y obligaciones que se derivan de las mismas, lo que implica compatibilizar las actividades tratamentales con las medidas de seguridad y exigir a los internos el cumplimiento del régimen disciplinario recogido en la legislación penitenciaria formado por un catálogo de infracciones y de sanciones.

3.2. Límites legales

La pena de prisión tiene una duración mínima de tres meses y máxima de veinte años como regla general, si bien en ambos casos se admiten excepciones.

La duración mínima de tres meses de la pena de prisión está garantizada en la previsión legal de cualquier conducta delictiva y en la aplicación de las reglas de determinación de la pena, en virtud del art. 71.2 CP donde señala la sustitución obligatoria de toda pena de prisión inferior a tres meses por multa, trabajos en beneficio de la comunidad o localización permanente. Sin embargo, en el cumplimiento de la responsabilidad personal subsidiaria por impago de multa, no hay previsión legal similar a la anterior, por lo tanto, es posible que pueda dar lugar a cumplimientos inferiores a dicho límite.

La duración máxima de la pena de prisión es de veinte años, lo que presenta tres excepciones:

a) Lo que dispongan otros preceptos del Código Penal, es decir, algún delito que pueda tener una pena prevista mayor a este límite, por ejemplo, asesinato o terrorismo.

b) Si como consecuencia de las operaciones de determinación judicial, la pena superior en grado excede a los límites máximos legales previstos para esta pena, se entenderá como inmediatamente superior la prisión con una duración máxima de treinta años, art. 71.3.1 CP

c) Por aplicación de las reglas concursales recogidas en el art. 76 CP, la condena por dos o más delitos castigados con pena de prisión, podrá tener un límite máximo de cuarenta años.

Bibliografía: Abel Souto, M. *La pena de localización permanente*. Granada 2008. **Álvarez García, J.** *Consideraciones sobre los fines de la pena en el ordenamiento constitucional español* Granada 2001. **Antón Oneca, J.** *La prevención general y la prevención especial en la teoría de la pena.* Salamanca 1944. **Cadalso y Manzano, F.** *Instituciones penitenciarias y similares en España* Madrid 1922. **Cervelló Donderis, V.** "La pena de localización permanente en centro penitenciario" *Revista estudios penitenciarios* Extra 2013 **Cordoba Roda, J.** "La pena y sus fines en la Constitución". *Doctrina Penal* 2, 1979. **García Valdés, C.** "El nacimiento de la pena privativa de libertad". *CPC* nº 1 1977. **Llorca Ortega, J.** *Cárceles, presidios y casas de corrección en la Valencia del siglo XIX*. Valencia 1992. **Martínez-Bujan Pérez, C.** "La regulación de la pena de multa en el CP de 1995". *Estudios penales y criminológicos* nº 20-1997. **Mata y Martín, R.** (Dtor,) *Las prisiones españolas durante la transición*, Comares, Granada, 2022. **Pozuelo Pérez, L.** *Las penas privativas de derechos en el Código Penal.* Madrid 1998. **Roldán Barbero, H.** *Historia de la prisión en España.* Barcelona 1988. **Sanz Delgado, E.** *El huma-*

nitarismo penitenciario español del siglo XIX Madrid 2003. **Sanz Morán, A.** *Las medidas de seguridad y corrección en el Derecho penal.* Valladolid 2003. **Téllez Aguilera, A.** *Los sistemas penitenciarios y sus prisiones.* Madrid 1998. **VVAA** *Geografía de la crueldad. Lugares de ejecución 1.* (Editores De Vicente, R./Vizuete, C./García, B.) Tirant lo Blanch, Valencia 2022.

Capítulo 4º

LA PRISIÓN PERMANENTE REVISABLE

1. CONCEPTO Y CONTENIDO

1.1. Naturaleza jurídica

La prisión permanente revisable, desde sus inicios como pena perpetua revisable a través de la enmienda presentada por el partido popular a la LO 5/2010 de 22 de junio de reforma del Código Penal, ha sufrido diversos cambios de denominación, sistematización y criterios de aplicación dirigidos a sortear un difícil encaje en su incorporación al Código Penal[66] .

En este primer texto se recogió la prisión perpetua revisable como pena grave en el art. 33, por razones de retribución, prevención general positiva y prevención especial inocuizadora, según señalaba la Exposición de Motivos y se manifestaba en las expresiones: "*el que la hace la paga*" "*todos deben saber que el que la hace la paga*" "*terroristas, violadores y pederastas que causen la muerte van a tener que arrepentirse cada día de su vida en la cárcel*".

En ese momento se reprochó la contradicción de su denominación, puesto que entender como revisable algo que se define de perpetuo resulta incomprensible, a salvo de que se quiera utilizar tal calificativo con fines populistas, lo que se puede deducir de la combinación entre

---

66 Cervelló Donderis, V. *Prisión perpetua y de larga duración. Régimen jurídico de la prisión permanente revisable.* Valencia 2015, pág. 174.

el término "perpetua" por su significado punitivo dirigido a saciar la demanda social de impunidad y el adjetivo "revisable" como intento de salvar su discutible constitucionalidad a través de la negación de su carácter vitalicio.

Posteriormente, en la propuesta de Anteproyecto de reforma del Código Penal de julio de 2012, esta pena cambió de denominación y pasó a llamarse *prisión permanente revisable,* lo que además de arrastrar las contradicciones del texto anterior, incorporaba otras como la señalada por Ríos Martín que advertía que la denominación de permanente no es correcta ya que las penas son perpetuas y quienes permanecen son las personas, no las penas[67]. Además de ello, el empeño del legislador en justificar su regulación y su legitimidad le lleva a ocultar su carácter de pena, y dispersar a lo largo del articulado las consecuencias de este cumplimiento penitenciario vitalicio, que tienen nombre, pero no ubicación entre el listado de penas del art. 33 CP. Con ello acababa siendo una suerte de privación de libertad de duración indeterminada, sometida a un proceso de revisión," una vez fuera acreditada la reinserción del penado".

Su falta de inclusión en el listado de penas, y su falta de homogeneidad en la denominación, unas veces llamada prisión permanente revisable y, otras, prisión de duración indeterminada, provocaron su cambio en el texto presentado en octubre del mismo año, donde ya se reguló de forma similar al texto finalmente aprobado.

En la actualidad ya se recoge en el listado de penas del art. 33 CP como pena privativa de libertad grave, diferenciada formalmente de la pena de prisión por su denominación propia, pero también materialmente por las peculiaridades de su cumplimiento, ya que más que una pena con contenido propio, regulado y diferenciado, se trata de una prisión indeterminada sometida a un proceso de revisión por el mismo Tribunal sentenciador, con un cumplimiento mínimo de veinticinco años y un máximo indefinido. Además, contempla unas condiciones específicas de acceso a los permisos de salida, el tercer grado y la libertad condicional, ya que su ejecución se caracteriza por un con-

---

67 Ríos Martín, J. C. *La prisión perpetua en España. Razones de su ilegitimidad ética y su inconstitucionalidad.* San Sebastián 2013, pág. 19.

tinuo bloqueo a eventuales salidas de la prisión por el endurecimiento que sufre en el acceso a cualquier figura de excarcelación.

1.2. Relación con la pena de prisión

Como ya se ha señalado, la pena de prisión permanente revisable es una pena privativa de libertad de carácter grave, según establecen los arts. 33.2 y 35 CP, con ello se sitúa como una pena diferente a la pena de prisión, lo que afecta a aspectos de regulación legal, de aplicación judicial, y de cumplimiento penitenciario, debido a que se mantiene la distancia con la prisión en todas aquellas previsiones legales que se refieran a la misma, mientras que comparte con la prisión todas aquellas previsiones cuya referencia sea a las penas privativas de libertad.

Por razones meramente formales, aspectos penales como la prescripción o la imposición de penas accesorias quedan fuera de la prisión permanente revisable, dada la limitación por parte del legislador del alcance de dichas figuras sólo en la prisión, omitiendo referencia alguna a la prisión permanente revisable. En el caso de las penas accesorias, los arts. 55 y 56 CP sólo establecen la imposición de penas accesorias a las penas de prisión de más de diez a años o menos de diez años, respectivamente, y por lo que respecta a la prescripción, el art. 133.1 CP establece que prescribirán a los 30 años las penas de prisión de más de treinta años; ambos supuestos puestos en relación con el art. 33 CP permiten afirmar que sólo afectan a la pena de prisión, y no al resto de penas privativas de libertad[68] .

En el resto de casos, el propio legislador ha previsto diferencias legales en figuras que afectan por igual a la prisión y a la prisión permanente revisable, lo que ratifica la diferencia no sólo formal, sino sustantiva de estas dos penas. El primer supuesto se encuentra en la determinación judicial, ya que la pena de prisión permanente revisable es una excepción en el sistema de penas, al no estar formada por un mínimo y un máximo, sino que tiene un contenido cerrado y único, lo que puede provocar problemas cuando se tenga que valorar figuras que permiten bajar la pena en grado como el grado de ejecu-

---

68 Cervelló Donderis, V. *Prisión perpetua...* cit. pág. 238.

ción, la participación, o el sistema de atenuantes y agravantes. Para paliar los inconvenientes de este marco jurídico abstracto tan rígido, el legislador ha previsto la posibilidad de bajar la pena en grado, ya que al carecer de límite inferior y no ser posible realizar la operación definida en el art. 70.2 CP, el art. 70.4 CP establece que la pena inferior en grado a la de la prisión permanente revisable será la prisión de veinte a treinta años, solución excesiva y desproporcionada, pero que convierte al menos a la pena de prisión permanente revisable en una prisión común, y por tanto, de duración determinada.

Otra diferencia se da en la regulación del concurso de delitos donde haya al menos un delito castigado con prisión permanente revisable, en esos casos el endurecimiento ya no se dirige a prolongar el tope máximo de condena, sino a prolongar tanto las posibilidades de suspensión de la misma sentencia, como de la concesión del régimen abierto, que más adelante se expondrán, lo que en definitiva supone prolongar más la privación de libertad por una vía encubierta.

En relación al cumplimiento penitenciario el art. 35 CP recoge para todas las penas privativas de libertad que su cumplimiento y los beneficios penitenciarios que supongan acortamiento de la condena, se ajustarán a lo dispuesto en las leyes y en el propio Código penal. Ello debería conducir a una regulación específica de esta nueva pena por la legislación penitenciaria y residual por el Código penal, sin embargo, en la línea de las reformas de 2003, los aspectos de mayor importancia de la ejecución vienen recogidos en los art. 36 y 92 CP, sin que hasta el momento se haya hecho la necesaria adaptación y modificación de la legislación penitenciaria.

2. REGULACIÓN LEGAL

2.1. Antecedentes legislativos

Sólo los CP de 1822, 1848 y 1870 recogían penas perpetuas. En el primero de ellos, ni siquiera lo era en realidad, porque se trataba de la pena de trabajos perpetuos que se podía acoger a los diez años a la rebaja de penas y la pena de reclusión por el resto de la vida, que en realidad era una alternativa a la anterior para los mayores de sesenta años. El CP de 1848 es el primero que la recogió claramente dividida en cadena perpetua y reclusión perpetua con un cumplimiento especialmente aflictivo, con la posibilidad de sustituir la primera de ellas en mayores de sesenta años. El CP de 1870 con una regulación similar, añade el indulto a los 30 años como regla general.

Desaparecida la pena perpetua del catálogo de penas del CP de 1928, se permitía un internamiento indeterminado para multirreincidentes e incorregibles y, finalmente, por lo que respecta a CP de 1944, a pesar de mantener la pena de muerte, no recuperó la pena perpetua.

Tampoco la derogación de la pena de muerte por la Constitución española de 1978 recuperó la pena perpetua, como había sucedido antes en otros países tras la segunda guerra mundial, en lo que pueden haber influido tres razones: la primera porque la pena de muerte en España ocupaba hasta ese momento el lugar de la pena perpetua en otros países, la segunda porque de una forma tácita el espíritu democrático de la transición renunció a recuperarla y, la tercera, porque la pena perpetua puede tener sentido cuando las penas más severas no pasen de quince años de prisión, pero resulta innecesaria si ya existen penas que pueden llegar hasta treinta años de duración[69].

De esta forma, teniendo en cuenta que ni el Código de 1944, ni el Código de 1995 la contemplaron, nos tenemos que remitir al año 2010 como el primero en el que se intentó recuperar esta ancestral pena a través de una enmienda presentada al Proyecto de reforma del Código penal de 2010 que finalmente no prosperó.

Posteriormente, en el Anteproyecto de reforma del Código Penal de julio de 2012 ya aparece la prisión permanente revisable, sin figurar en el listado de penas del art. 33 CP, limitándose su regulación a una referencia en el art. 36 CP de la necesidad de un cumplimiento efectivo de treinta y dos años para acceder al tercer grado, algo especialmente restrictivo en comparación a su evolución posterior. Al no estar recogida dentro del listado de penas, se regulaban solo sus particularidades en relación a la suspensión de la ejecución del resto de la pena y libertad condicional a los treinta y cinco años de condena.

No debe olvidarse que en ese momento sólo estaba prevista para los supuestos más graves de la delincuencia terrorista, ampliándose

---

[69] Cervelló Donderis, V. *Prisión perpetua*... cit. pág. 55.

después su ámbito de aplicación para incluir cinco supuestos de excepcional gravedad.

En el Proyecto de reforma del Código Penal de octubre de 2013 se terminó aceptando como pena autónoma, si bien a través de una regulación fragmentaria y dispersa a lo largo de diversos aspectos de la pena de prisión como los concursos, la determinación judicial o la suspensión, en lugar de recogerla como una pena independiente con todas sus características de cumplimiento y ejecución expuestas de forma unitaria.

Finalmente, la LO 1/2015 de 31 de marzo de reforma de Código Penal fue la que introdujo la pena perpetua en España a través de la regulación de la pena de prisión permanente revisable, recogida en el art. 33 CP como pena grave, siendo significativo que la propia Exposición de Motivos señalara que "la prisión permanente revisable sólo podrá ser impuesta en casos de especial gravedad en los que está justificada una respuesta extraordinaria mediante la "*imposición de una pena de prisión de duración indeterminada* (prisión permanente) si bien sujeta a un régimen de revisión".

2.2. *La LO 1/2015 de 30 de marzo*

Llama la atención que pese a la convulsión que produjo la introducción de la prisión permanente revisable por su novedad y trascendencia, la redacción del art. 36 CP sea un auténtico despropósito por la falta de sistemática empleada en la regulación de la misma, mostrando su resultado una inexcusable falta de rigor en la delimitación de una pena que afecta de una manera tan evidente a la dignidad humana.

Ello es así porque el art. 36.1 CP encabeza la regulación de esta pena con la remisión de su revisión al art. 92 CP, cuando lo lógico es que se hubiera empezado por definir esta nueva pena y delimitar su contenido, circunstancias y plazos de revisión, ya que como señaló el Informe del Consejo Fiscal al Anteproyecto de reforma del Código Penal[70] esto debería haber sido prioritario a la duración de la pena de

---

70 Informe del Consejo Fiscal al Anteproyecto de reforma del Código Penal, 2012, pág. 18.

prisión que viene a continuación. En este mismo apartado, sin embargo, sí que hace referencia a los plazos para la clasificación en tercer grado y para el disfrute de los permisos de salida, pese a tratarse de una materia claramente penitenciaria, con lo cual queda claro que su contenido va dirigido exclusivamente a la restricción en la aplicación de figuras penitenciarias.

Estas son las únicas referencias en el art. 36 CP a la pena de prisión permanente revisable, ya que en el nº 2 se recogen los límites de la pena de prisión y la regulación del período de seguridad y en el nº 3 se incorpora la concesión de tercer grado por motivos humanitarios a enfermos muy graves con padecimientos incurables y septuagenarios, ya contemplada en el Reglamento penitenciario, pero quizá recogida aquí para expresar su alcance a todo tipo de penas, incluida la prisión permanente revisable.

Dada esta referencia tan escueta, hay que hacer un ejercicio de búsqueda en el resto del Código Penal para recopilar todas las características legales de su cumplimiento, que sintetizadas quedan de la siguiente manera:

1.- Definición: art. 33y 35

2.- Clasificación en tercer grado: art. 36.1. En supuestos concursales: art. 78 bis 1. Motivos humanitarios: art. 36.3

3.- Obtención permisos de salida: art. 36.1

4.- Requisitos generales de la suspensión de la ejecución del resto de la pena: art. 92.1. Específicos para terrorismo: art. 92.2. En supuestos concursales art. 78 bis.2. Motivos humanitarios: art. 91

5.- Procedimiento: art. 92.3. Remisiones: a) Criterios suspensión: art. 80.1; b) Imposición de prohibiciones y deberes: art. 83 y 92.3; c) Causas revocación por tribunal sentenciador: art. 86; d) Remisión de la pena: art. 87

6.- Revocación de la suspensión por juez de vigilancia: art. 92.3

7.- Verificación periódica de la revisión: art. 92.4

Esta extensa lista de preceptos en realidad está recogiendo básicamente dos aspectos de la pena: los plazos de aplicación de permisos de salida y clasificación en tercer grado y el proceso de revisión que permite que esta pena no sea perpetua, lo que ocurre es que, en lugar de hacerlo de manera ordenada y sistematizada, en el primer caso se hace mediante un complejo y casuístico sistema lleno de especificidades y excepciones y, en el segundo, mediante una constante confusión de términos que, a través de sucesivas remisiones, va nutriéndose de las características previstas para otras figuras delictivas.

Con ello, uno de los errores que se observan en la regulación de la prisión permanente revisable, más allá de su confrontación con los principios de seguridad jurídica, humanidad y reinserción social, es su total falta de sistemática que obliga a una continua búsqueda de los preceptos relacionados con la misma, y la falta de uniformidad terminológica ya que conceptos como suspensión de la ejecución, suspensión de la ejecución del resto de la pena y libertad condicional son usados de manera arbitraria y confusa sin que sea fácil determinar si se trata de las mismas o diferentes figuras jurídicas.

Por último, en relación a los supuestos en los que se va a poder aplicar, se trata de una pena excepcional reservada para supuestos de extrema gravedad, que según el Código son el asesinato cualificado, la muerte del Rey o del heredero, la muerte por atentado terrorista, la muerte de jefe de estado extranjero o persona internacionalmente protegida por Tratado, y la muerte, agresiones sexuales o lesiones graves de una persona en delitos de genocidio y crímenes de lesa humanidad. Su regulación conduce a que sea una pena especialmente rigurosa ya que en todos ellos la pena de prisión permanente revisable es preceptiva para el Tribunal, nunca facultativa, lo que dificulta las operaciones de determinación judicial y, además, en muchos de ellos hay elementos valorativos que hacen dudar de la seguridad jurídica en una penalidad tan elevada.

2.3. Problemas constitucionales. La STC 169/2021 de 6 de octubre

Los numerosos problemas constitucionales que planteó la regulación legal de la pena de prisión permanente revisable fueron analizados en la STC 169/20221 de 6 de octubre que desestimó el recurso de inconstitucionalidad presentado por los grupos de la oposición en julio de 2015, no obstante, como son muchos los aspectos constitucionales de interés, sólo se va a hacer una breve mención a los más relevantes desde la perspectiva penitenciaria[71].

Principio de legalidad penal y de ejecución

La exigencia de la previsión legal de la pena en el momento de los hechos resulta de la misma importancia que su no modificación en el momento del cumplimiento en su doble vertiente de formalidad legal y claridad y concisión material. De esta forma, la garantía de legalidad no se limita a la esencia de la pena, sino que se extiende a su ejecución, y a la necesidad de previsión legal, taxatividad y prohibición de retroactividad no favorable en los aspectos del cumplimiento.

La pena perpetua indeterminada, al no fijar un periodo mínimo o máximo de cumplimiento, puede vulnerar la exigencia de taxatividad propia del principio de legalidad, lo mismo que sucede cuando no se da la suficiente concreción de los motivos que se necesitan para optar a una posible libertad condicional. Como consecuencia de ello una pena perpetua que no contemple la fijación de un plazo de finalización de su cumplimiento o cuyos requisitos de revisión no sean suficientemente claros y concisos, puede vulnerar la seguridad jurídica derivada del principio de legalidad.

Son cuatro los problemas que se plantean en el análisis de la relación de la pena perpetua con el principio de legalidad y de seguridad jurídica por las incertidumbres que se generan con su imposición y cumplimiento: a) *garantía de determinación judicial:* es necesario que la duración de la pena venga señalada por la ley para que el juez pueda tomarla en consideración en la sentencia, sin dejar su concreción a posteriores decisiones administrativas llevadas a cabo durante la ejecución, b) *garantía de temporalidad no vitalicia*: el periodo de duración de la pena fijado por la ley debe ser fijo, sin dejarlo abierto a la indeterminación, la solución puede ser recoger un límite mínimo de cumplimiento o bien uno máximo como tope legal, c) *garantía de revisión*: la ley debe señalar con claridad los medios que permitan optar a la excarcelación, d) *garantía de seguridad jurídica:* la ley debe fijar criterios objetivos basados en los resultados alcanzado en orden

71 Cervelló Donderis, V. *Prisión perpetua*... cit. pág. 109 y ss.

a la reeducación y reinserción social, y no en la valoración de una hipotética peligrosidad futura.

Principio de igualdad

Las penas perpetuas tienen dos aspectos relacionados con la duración de su cumplimiento que pueden afectar al principio de igualdad. De un lado, la relevancia biológica de la edad o el estado de salud del condenado que pueden prolongar o reducir su duración en función de las características individuales del sujeto, y de otro, la posibilidad de un cumplimiento desigual derivado de la concesión arbitraria de las medidas correctoras, alejada de criterios objetivos claramente tasados por la ley.

De esta forma, en el primer caso se discute si la pena perpetua puede afectar más severamente a los jóvenes que a los mayores[72], entendiéndose que su imposición a los jóvenes impide el cambio a lo largo de toda su vida, mientras que si se impone a personas ya maduras, el tramo de cumplimiento de pena es mucho menor, lo que produce una afección mucho mayor a los jóvenes por la mayor esperanza de vida que presentan en general. Con un argumento similar, en relación a la pena de muerte se sostiene que la falta de madurez y de sentido de la responsabilidad de la minoría de edad hace más factible el cambio y más necesaria la oportunidad de la rehabilitación.

En el segundo sentido, el transcurso de la pena perpetua está marcado por la inseguridad jurídica y la arbitrariedad al depender su duración de la valoración de aspectos subjetivos que pueden no afectar a todos los sujetos por igual, lo que da lugar al contraste entre el automatismo de su imposición y la gran discrecionalidad en su finalización.

---

72 Ferrajoli, L. "Ergastolo y derechos fundamentales". En *Dei delitti e delle pene* núm 2, 1992. Versión traducida en *El sistema de penas del nuevo Código Penal* Coord. J. Hurtado Pozo. Ed. Asociación peruana de Derecho Penal 1999 cit. pág. 303. Muñoz Conde, F. "Algunas reflexiones sobre la pena de prisión perpetua y otras sanciones similares a ella". *Teoría y derecho: revista de pensamiento jurídico*, nº 11, 2012, pág. 253.

Principio de proporcionalidad

En el análisis de la adecuación de la pena perpetua al principio de proporcionalidad o de prohibición de exceso, son dos los aspectos discutibles, en primer lugar, la proporcionalidad dirigida al legislador para evaluar la necesidad e idoneidad de esta sanción en el marco del sistema general de sanciones punitivas y, por tanto, la no existencia de sanciones alternativas que puedan lograr los mismos objetivos y, en segundo lugar, la proporcionalidad dirigida al Juez para determinar si en una pena de duración única se pueden valorar las circunstancias específicas de cada supuesto de hecho o, por el contrario, supone dar un tratamiento unitario a aspectos de desigual gravedad.

En respuesta a la primera cuestión, la convivencia de la pena perpetua con largas penas de privación de libertad impide entender la necesidad de su regulación, más allá de servir a intereses populistas y propagandistas de un Derecho penal que deja de lado el mandato constitucional del art. 25.2. De esta forma, ni el volumen de delitos graves sobre el total de la delincuencia nacional, ni la insuficiencia de las penas de prisión ya existentes, incluidas las de prisión de larga duración, justifican en modo alguno la necesidad de una nueva pena perpetua en España.

Por lo que afecta a la proporcionalidad en sentido estricto, su imposición automática y la falta de posibilidades de graduación, impiden valorar las diferencias entre la gravedad de los delitos y las características individuales de los sujetos, conduciendo a una pena de imposición obligatoria sin excepciones.

Principio de humanidad

El TEDH identifica la prohibición de penas inhumanas y tratos degradantes como una valoración de las circunstancias en que se ejecute la pena perpetua, es decir, sólo si supone un envilecimiento con un nivel determinado y diferenciado del habitual de las penas, lo que supone el rechazo a la consideración de inhumana o degradante a la pena perpetua, en tanto que se trate de una pena revisable y susceptible de modificación, y la necesidad de vigilar su forma de cumplimiento, por si fuera de una especial aflicción.

Pese a ello, hay que recordar que la mera posibilidad de acceder a figuras que admitan la excarcelación no impide que una pena sea inhumana, no sólo por la incertidumbre de poder alcanzar o no dichas figuras y, con ello, ser puesto en libertad, sino porque en ocasiones la rigidez de los requisitos convierte en imposible su disfrute, ello es debido a que las posibilidades de revisión no sólo han de estar formalmente previstas, sino ser materialmente posibles, lo contrario confirma la inhumanidad de la pena perpetua[73].

Además de ello, la pena perpetua y de larga duración puede suponer un trato cruel, inhumano o degradante porque los encierros prolongados acaban cosificando al ser humano como objeto del tiempo. Esto se materializa en la afección a la autonomía individual y al equilibrio emocional que produce el sometimiento tan prolongado al régimen penitenciario y en la incertidumbre y desconfianza que genera la ignorancia sobre la duración real del encarcelamiento, y de los posibles medios de excarcelación.

Conviene recordar en este sentido que desde la aprobación de la Constitución de 1978 hay una dilatada jurisprudencia del Tribunal Supremo que entiende que las penas muy largas de prisión no sólo impiden la reinserción social, sino que son inhumanas y degradantes por la humillación o sensación de envilecimiento que suponen, muy superior a la mera imposición de una pena, pudiendo constituir una vulneración de la prohibición constitucional de tratos inhumanos y degradantes. Como ejemplo de ello la STS 1822/1994 de 20 de octubre rechazó las penas de más de treinta años de duración, al entender que una pena que rebase ampliamente esta duración merece el calificativo de inhumana difícilmente reconducible a los fines de reeducación y reinserción social y la STS 343/2001 de 7 de marzo que sostuvo que una pena que por su extensión se asimilara a la cadena perpetua, chocaría con los principios constitucionales por resultar inhumana y degradante. Más recientemente, en relación a la propia prisión permanente revisable, la STS 716/2018 de 16 de enero de 2019 formuló una severa crítica sobre la misma por atentar *per se* contra la dignidad humana y por su errónea técnica legislativa incompatible con la necesaria proporcionalidad de la pena.

---

73 Ríos Martín, J. C. *La prisión perpetua* ... cit. pág. 156.

Principio de reinserción social

La pena perpetua es una sanción que por sí misma ya se opone a la reinserción social[74] porque si es verdaderamente perpetua resulta innecesario cualquier tratamiento o intervención sobre el interno que no va a salir de la prisión, impidiendo valorar los cambios individuales a lo largo del cumplimiento de la condena. Esta es la razón que lleva a las legislaciones a esforzarse por introducir sistemas de revisión que puedan permitir la excarcelación.

La posibilidad de la revisión o suspensión de la condena, sin embargo, no altera la incompatibilidad con el principio de reinserción social ya que las dificultades para superarlas e, incluso, su imposibilidad en algunos casos, supone un choque con este principio constitucional, y una exigencia para las autoridades penitenciarias de tomarse la preparación para la vida en libertad como una obligación institucional de oferta de programas de tratamiento adecuados a las necesidades de los reclusos, para facilitarles el acceso a los cauces de revisión[75] . En términos generales la mera existencia de un proceso de revisión puede ser compatible con el principio de reinserción social, pero habrá que comprobar en cada caso individual si tanto los órganos judiciales, como los penitenciarios, aplican las normas que lo regulan respetando el derecho a la reinserción social[76].

En la regulación de la prisión permanente revisable ha habido una clara dejación del principio constitucional de reinserción social, entre otras razones, por la excesiva prolongación de los plazos para la revisión, la dependencia de los pronósticos al paso de los plazos y la incertidumbre sobre la duración máxima a cumplir, lo que deja la puerta abierta a que la no superación de las revisiones pueda dar lugar a una verdadera reclusión a perpetuidad.

---

74 Álvarez García, J. "Consideraciones..." cit. pág. 83. Muñoz Conde, F. "Algunas reflexiones..."cit. pág. 252. Cuerda Riezu, *La cadena perpetua y las penas muy largas de prisión: por qué son inconstitucionales en España*. Barcelona 2011, pág. 65.

75 Ríos Martín, J. C. *La prisión perpetua*...cit. pág. 177.

76 Tamarit Sumalla, J. M. "La prisión permanente revisable" en *Comentarios* a la reforma penal de 2015. Dtor. G. Quintero Olivares. Navarra 2015, pág. 95.

La STC 169/2021 de 6 de octubre

Las expectativas sobre la inconstitucionalidad de la prisión permanente revisable no eran muy favorables, habida cuenta de la corriente conformista del TEDH sobre esta pena en la que se iba a basar el Tribunal Constitucional en sus razonamientos y la preocupación que despertaba el anuncio de una futura reforma que ampliara su ámbito de aplicación.

El recurso de inconstitucionalidad sobre la prisión permanente revisable se planteó por la vulneración de los principios de prohibición de penas inhumanas y degradantes, proporcionalidad y resocialización, siendo todos los argumentos rechazados por la STC 169/2021 de 6 de octubre, salvo en lo relativo a la revocación y nueva solicitud de revisión que obligaba a interpretar de una determinada forma.

En sus argumentos el Tribunal Constitucional rechaza que la regulación de la prisión permanente vulnere los principios de prohibición de penas inhumanas o degradantes, proporcionalidad y resocialización por los siguientes motivos:

En relación a la inhumanidad de la pena por posible perpetuidad, se afirma que la prisión permanente revisable no es una pena perpetua porque tiene la posibilidad de revisarse y que las estrategias para humanizar su cumplimiento, como los permisos de salida o la concesión del tercer grado, impiden que la aflictividad supere los límites constitucionalmente admisibles. Tampoco considera que se trate de una pena desproporcionada en sus diferente significados: no es innecesaria, dada la libertad del legislador para marcar la política criminal que considere más adecuada; no es desproporcionada, por ser una respuesta justificada, idónea y equilibrada dada la gravedad de los hechos a los que va destinada; no es excesivamente rígida en su determinación porque permite cierta modulación; no es indeterminada por contemplar criterios legales de revisión con especial relación de los vinculados a la conducta del penado. Finamente, en relación a la resocialización, tampoco hay vulneración constitucional por la posibilidad de revisión y por dejar abierta las expectativas de libertad[77].

---

[77] Lascuraín, J. A. "La insoportable levedad de la sentencia del Tribunal Constitucional sobre la prisión permanente revisable" *RGDC* nº 36, 2022, pág. 30 y ss.

Solamente el Tribunal Constitucional considera insatisfactoria la regulación de la prisión permanente revisable en lo referente a la revocación, fijando una determinada interpretación en dos aspectos: para evitar la discrecionalidad con la que el Juez de Vigilancia Penitenciaria puede ordenar el reingreso en prisión en virtud del art. 92.3 CP, sin apenas pautas legales, considera que dicho artículo no será inconstitucional siempre que el cambio de circunstancias propio de esta revocación vaya acompañado de cualquiera de los supuestos de incumplimiento tasados por el art. 86.1 CP y, en segundo lugar, para que la revocación no sea un obstáculo para obtener una nueva revisión de la pena, considera que el art. 92.4 CP no será inconstitucional siempre que la verificación de los requisitos legales que debe hacer el Tribunal cada dos años se extienda también a los supuestos de reingreso en prisión por la revocación de la libertad condicional.

3. ASPECTOS PENITENCIARIOS

3.1. Clasificación en tercer grado y permisos de salida

La ejecución de la prisión permanente revisable se caracteriza por una independencia formal de la pena de prisión cuya única diferencia real es la previsión de plazos específicos para la obtención de permisos de salida y la clasificación en tercer grado.

El art. 36 CP simplifica la trascendencia de esta pena en la fijación de plazos específicos de figuras penitenciarias, recogiendo excepciones a la ley penitenciaria y modificando la competencia de una serie de decisiones que requieren de la observancia de la evolución del sujeto en la prisión, lo que acaba siendo un refuerzo punitivo derivado de la gravedad de la pena impuesta.

Aunque en su primera versión era el Juez de Vigilancia el competente para adoptar el pronóstico favorable de reinserción social necesario tanto para el tercer grado como para los permisos de salida, algo coherente y adecuado, en el texto finalmente aprobado la competencia pasa al Tribunal sentenciador, en consonancia con la finalidad punitiva y no resocializadora que se le quiere dotar a esta pena.

En relación a los permisos de salida que pueden disfrutar los condenados a pena de prisión permanente revisable se dispone, a modo de periodo de seguridad, que hasta que no se cumplan ocho años no se podrán conceder, salvo en delitos referentes a organizaciones y grupos terroristas y delitos de terrorismo que deberán pasar doce años. Ello supone crear un régimen diferenciado y más restrictivo que el previsto en el art. 47.1 LOGP, donde su concesión exige el cumplimiento de una cuarta parte de la condena y estar clasificado en segundo o tercer grado.

Por su parte, no podrá efectuarse la progresión a tercer grado hasta que no pasen quince años de cumplimiento efectivo, salvo en el caso de delitos referentes a organizaciones y grupos terroristas y delitos de terrorismo del capítulo VII del Título XXII del Libro II del Código Penal donde se eleva a veinte años y en los concurso donde hay diversa excepciones, lo que supone establecer un periodo fijo y obligatorio de seguridad, similar al opcional que existe en el art. 36 CP para las penas de más de cinco años.

El resto de requisitos se analizarán en los respectivos capítulos correspondientes a la clasificación y los permisos de salida con la finalidad de poder hacer un análisis integrado en el sistema penitenciario en su totalidad.

3.2. Cuestiones de régimen y tratamiento

Aunque hasta la fecha no se disponga de regulación alguna que aborde las cuestiones de régimen o tratamiento de la prisión permanente revisable, ni de Circular o Instrucción que diseñe la actuación de la Administración penitenciaria en el cumplimiento de esta pena, existen algunos aspectos respecto a los cuales ya se debe tomar postura ante el aumento de personas que ya se encuentran cumpliendo esta sanción.

En primer lugar, no hay razones legales para determinar que los condenados a prisión permanente revisable deban estar separados del resto de internos, ni incluidos de forma generalizada en régimen cerrado. Por eso las condiciones penitenciarias deben ser las comunes sin que puedan estar separados, ni aislados del resto de internos, ni puedan ser excluidos de las actividades del centro o de los contactos con el exterior. Con ello debe advertirse que tampoco sería adecuado incluirlos en un grupo de FIES por el mero hecho de estar condenados a esta pena.

En relación al tratamiento es difícil estimular la participación de quien ha de estar un largo periodo de su vida en prisión, especialmente si su excarcelación es incierta, por ello resulta imprescindible diseñar programas de tratamiento específicos dirigidos a facilitar la progresión a tercer grado, por ser requisito preceptivo para la finalización de la condena. Asimismo, resulta necesario que sea obligatorio ofrecer estos programas en los centros penitenciarios y que se lleven a cabo por equipos especializados y estables de forma similar a lo previsto para el régimen cerrado. Un problema puntual que pueden generar la prisión perpetua es la ancianidad en prisión y con ello la necesidad de adaptar horarios, instalaciones y actividades, así como la asistencia sanitaria adecuada a las necesidades gerontológicas.

Todo ello es resultado de las normas internacionales que regulan el cumplimiento de penas perpetuas y de larga duración que exigen que, además de ser excepcional y revisable con criterios legales precisos y comprensibles, debe respetarse la integración y no la separación bajo la idea de que no todos los condenados a estas penas son peligrosos y que el tratamiento debe ir dirigido a normalizar el comportamiento y no estigmatizar a los internos.

4. LA REVISIÓN DE LA PRISIÓN PERMANENTE REVISABLE

4.1. Precisiones terminológicas

La característica más importante de la pena de prisión permanente revisable es su condición de pena indefinida o indeterminada, cuya finalización depende de una valoración positiva de la evolución del sujeto tras su paso por la prisión. Tan importante cometido debería haber tenido un papel destacado en la regulación de esta pena, no sólo en lo material, sino también en lo formal, para que se pudiera conocer con claridad los requisitos legales exigidos para poder excarcelar al condenado a prisión permanente revisable y con ello poder realizar una interpretación adecuada.

En lugar de ello el legislador ha utilizado una fórmula confusa y errónea tanto en la sistemática empleada como en sus contenidos.

El art. 92 CP denomina como suspensión de la ejecución de la prisión permanente revisable el proceso con el que puede finalizar el cumplimiento de la prisión permanente revisable, siendo significativo que esté ubicado dentro del capítulo III del Título III del Libro I del Código Penal dedicado a las formas sustitutivas de la ejecución de las penas privativas de libertad y de la libertad condicional y, más concretamente, en la sección 3ª dedicada a la libertad condicional.

Dicha ubicación, junto a las numerosas remisiones al art. 80 CP confunde figuras tan diversas como la suspensión propiamente dicha, la libertad condicional y la revisión de la pena, creando una notable confusión entre el no ingreso inicial en prisión como alternativa a las penas cortas de prisión, la excarcelación anticipada al final de la condena en todo tipo de penas privativas de libertad y el necesario proceso de revisión de la pena de prisión permanente revisable para evitar su perpetuidad. El resultado de todo ello es una regulación compleja y de difícil comprensión que entorpece una adecuada interpretación acorde a los principios constitucionales.

Como proceso de revisión de la prisión permanente revisable hay que entender el previsto en el art. 92 CP bajo la fórmula "suspensión de la ejecución de la prisión permanente revisable", que no ha de confundirse, ni con la suspensión de la ejecución de la pena de prisión que permite el no ingreso inicial de penas cortas de prisión, ni con la libertad condicional como excarcelación anticipada de toda pena privativa de libertad.

4.2. Suspensión de la ejecución

Con la aclaración terminológica anterior, como revisión debe entenderse el proceso por el cual la pena de prisión permanente revisable va a poder interrumpir su cumplimiento con la posibilidad de que sea definitivo o temporal, ya que se trata de una pena sin duración determinada. El art. 92 CP recoge tal posibilidad como un supuesto de suspensión de la ejecución de la pena de prisión permanente revisable, exigiendo los siguientes requisitos: cumplimiento de un plazo temporal, clasificación en tercer grado y pronóstico favorable de reinserción social.

4.2.1. Cumplimiento de un plazo temporal

El requisito de carácter temporal se refiere a la necesidad de pasar un determinado plazo de tiempo hasta que se pueda plantear la revisión de la condena, siendo su alcance general la necesidad de cumplir veinticinco años de condena, sin diferencias respecto a los delitos de terrorismo.

En los casos de concurso de delitos, este plazo de revisión se amplía en función de la gravedad de las penas que acompañan a la prisión permanente revisable, diferenciando los delitos de terrorismo, con una serie de nuevos supuestos por la remisión que hace el art. 92 CP al art. 78 bis CP. La consecuencia de ello es que en los supuestos concursales los plazos de revisión se amplían extraordinariamente de la siguiente manera: el concurso entre una sola pena de prisión permanente revisable y otras penas de prisión, mantiene el plazo de revisión de veinticinco años, sin establecer diferencias en función del número y gravedad de las penas que acompañan a la prisión permanente revisable, siempre que no excedan de veinticinco años. El concurso de dos o más penas de prisión permanente revisable, o bien, una sola pena de prisión permanente revisable y el resto de penas impuestas sumen un total de veinticinco años o más, permite la revisión a los treinta años de cumplimiento. En delitos referentes a organizaciones y grupos terroristas y delitos de terrorismo del Capítulo VII del Título XXII del Libro II del Código Penal, o cometidos en el seno de organizaciones criminales, los plazos de revisión pasan a ser de veintiocho años o treinta y cinco años, en función de las penas que acompañan a la prisión permanente, lo que supone un plazo muy cercano al tope concursal de cuarenta años, y superior a las tres cuartas partes del mismo que se sitúan en treinta años.

4.2.2. Clasificación en tercer grado

Junto al requisito cronológico de haber pasado los plazos anteriormente señalados, el siguiente requisito también es excluyente y consiste en estar clasificado en tercer grado, lo que de nuevo lleva a requisitos cronológicos, ya que, tanto el art. 36 como el art. 78 bis CP en caso de concursos, fijan los periodos mínimos para acceder al tercer grado: quince años como regla general, con una serie de excepciones como terrorismo, donde se exigen veinte años y concursos donde se exige el cumplimiento de dieciocho, veinte y veintidós años, según la gravedad de las condenas, o veinticuatro y treinta y dos años, en los supuestos concursales de terrorismo. Este requisito cronológico no es el único para poder ser clasificado en tercer grado, ya que no hay que olvidar que el acceso al tercer grado, se enmarca dentro de la clasificación penitenciaria como un supuesto de progresión en el que deben confluir circunstancias favorables, lo que puede dificultar mucho la revisión porque en este tipo de delitos y de condenas no es nada frecuente reunir dichas circunstancias. Ello puede dar lugar a que haya sujetos que tras veinticinco años de cumplimiento no hayan logrado pasar del segundo grado, lo que les va a impedir llegar a la revisión.

Como requisitos propios del tercer grado, la capacidad de vivir en semilibertad deberá ser valorada, pero no el específico del pago de la responsabilidad civil, por no ser mencionado en el art. 92 CP y porque, de lo contrario, se podría perpetuar la prisión de un sujeto por falta del pago de la misma, lo que no puede permitirse.

En todo caso, esta clasificación en tercer grado podrá ser tanto pleno, como restringido, en el sentido previsto en el art. 82 RP que permite una modalidad de vida con salidas al exterior restringidas y con controles y medios de tutela específicos.

4.2.3. Pronóstico favorable de reinserción social

Este requisito que ha desaparecido de la libertad condicional ordinaria, se mantiene en la prisión permanente revisable. Se trata de acreditar una serie de condiciones que están dispersas a lo largo de varios artículos del Código Penal y que comienzan por lo previsto en el art. 92.1 c) al exigir que el Tribunal contemple el pronóstico favorable de reinserción social, "*valorando la personalidad del penado, sus antecedentes, las circunstancias del delito cometido, la relevancia de los bienes jurídicos que podrían verse afectados por una reiteración en el delito, su conducta durante el cumplimiento de la pena, sus circunstancias familiares y sociales, y los efectos que quepa esperar de la propia suspensión de la ejecución y del cumplimiento de las medidas que fueren impuestas*". Este párrafo es casi una copia literal de las condiciones de la suspensión de la ejecución recogidas en el art. 80 CP, con algunas diferencias significativas, por ejemplo, donde en este último alude a circunstancias personales del sujeto, en el art. 92 CP se refiere a la personalidad del penado, algo inadmisible como criterio revisor de la duración de la condena.

Para tomar su decisión, el Tribunal se valdrá de los informes de evolución remitidos por el centro penitenciario y por aquellos especialistas que el propio Tribunal determine, con lo cual no hay una estricta vinculación a los informes de los profesionales de la prisión, ya que se puede contar con otros informes externos.

La finalidad del pronóstico favorable de reinserción social es valorar si el sujeto está preparado para vivir en libertad, sin embargo, después de tan largo periodo privado de libertad, esa predicción de comportamiento futuro en un medio diferente al carcelario, que es donde ha vivido, es difícil de pronosticar. Las dificultades para emitir un pronóstico de comportamiento futuro genera una gran incertidumbre sobre la extensión de esta pena, especialmente si se tiene en cuenta que en los delitos más graves, suele ser elevado el número de falsos positivos en la predicción de conducta criminal, entre otras razones por la arbitrariedad y falta de justificación con la que se suelen emitir los pronósticos[78], lo que contrasta con resultados que avalan que en condenas más largas, la reincidencia es menor que en estancias cortas en prisión[79].

Estas dificultades han llevado a que la Recomendación (2003) 23 del Comité de Ministros del Consejo de Europa sobre la gestión de penas perpetuas y de larga duración disponga que para la toma de decisiones en estas penas se utilicen modernos instrumentos de evaluación de riesgos realizados por profesionales especializados, que se complemente con otros tipos de evaluaciones para que no sean el único medio empleado por el margen de error que presentan y que sean periódicamente revisados porque que la peligrosidad y los factores criminógenos no son características intrínsecamente estables.

---

78 Martínez Garay, L. "La incertidumbre de los pronósticos de peligrosidad: consecuencias para la dogmática de las medidas de seguridad" en *Derecho penal de la peligrosidad y prevención de la delincuencia.* (Dtor. E. Orts), Valencia 2015, pág. 91.

79 Redondo, S./Funes, J./Luque, E. *Justicia penal y reincidencia.* Centro de estudios de estudios jurídicos y formación especializada de la Generalitat de Cataluña, Barcelona 1994 pág. 122.

Sólo en el caso de los delitos referentes a organizaciones y grupos terroristas y delitos de terrorismo del capítulo VII del título XXII del Libro II del CP, se exigirán los mismos requisitos contemplados para el tercer grado y la libertad condicional, es decir, que el penado muestre signos inequívocos de haber abandonado los fines y los medios de la actividad terrorista y la colaboración activa con las autoridades.

Aunque estos puedan parecer los únicos requisitos necesarios para la revisión de la prisión permanente revisable, por ser los únicos previstos en el art. 92 CP, la remisión a los arts. 80, 83, 86, 87 y 91 CP le hace extensible los requisitos allí contemplados para la concesión de la suspensión de la pena en general, lo que endurece notablemente la revisión con nuevos y enrevesados requisitos que se analizan en el procedimiento.

En relación al procedimiento, una vez se cumplan los plazos legales ya señalados, la revisión se inicia de oficio por el Tribunal sentenciador, con un procedimiento oral y contradictorio con la presencia del Ministerio Fiscal y el interno asistido por su abogado, para valorar el resto de requisitos y, en caso de denegación, cada dos años se volverán a revisar, verificación bianual que la STC 169/2021 de 6 de octubre obliga a extender también a los supuestos de revocación. El penado también puede pedir la revisión, si se le deniega puede fijarse un plazo de hasta un año para no realizar nuevas solicitudes.

Con la confusión terminológica ya señalada en el párrafo tercero indica que el plazo de suspensión y "libertad condicional" durará entre cinco y diez años, por lo tanto, no se trata de una excarcelación definitiva, sino provisional, computándose desde el momento de la puesta en libertad, pudiendo el Tribunal, además, imponer cualquiera de las prohibiciones y deberes recogidos en el art. 83 CP, si se entiende que son necesarias para evitar el peligro de comisión de nuevos delitos, pero garantizando que no sean excesivas y desproporcionadas.

La revocación de la revisión de la prisión permanente revisable, junto a la misma revisión, es un elemento clave de su regulación, por el riesgo que conlleva de convertir la pena en perpetua[80], sin embargo,

---

80 Mapelli Caffarena, B. "Teoría de la pena..." cit. pág. 269, considera que por analogía procede extender a la prisión permanente revisable el límite de 40 años del art. 76 CP. Con ello es verdad que se quiere mantener como únicas diferencias

una vez más, pese a su importancia, se ha hecho de manera dispersa y confusa. Hay dos tipos de revocación, la general, y común al supuesto general de suspensión del art. 86 CP, que queda en manos del Tribunal sentenciador, y la específica de la prisión permanente revisable, que recoge el art. 92 CP, y que queda en manos del Juez de Vigilancia.

El supuesto específico de revocación de la suspensión de la ejecución de la prisión permanente revisable que queda en manos del Juez de Vigilancia atenderá al "*cambio de las circunstancias que hubieran dado lugar a la suspensión que no permita mantener ya el pronóstico de falta de peligrosidad en que se fundaba la decisión adoptada*". La laxitud de esta causa de revocación es el segundo aspecto en el que la STC 169/ 2021 6 de octubre fija la interpretación para evitar su inconstitucionalidad porque considera que la expresión "cambio de circunstancias" puede provocar un desproporcionado retorno a la prisión; para que ello no suceda, el cambio de circunstancias al que se refiere el precepto ha de ir en todo caso asociado a una de las causas generales de revocación, previstas en el art. 86 CP como son la condena por la comisión de un nuevo delito, el incumplimiento grave o reiterado de las prohibiciones y deberes impuestos o la información inexacta sobre los bienes u objetos decomisados, no cumplimiento del pago de las responsabilidades civiles o facilitación de información inexacta sobre el patrimonio.

El art. 86 CP establece que para decidir esta revocación el Juez o Tribunal debe oír al Ministerio Fiscal y demás partes, lo que no impide que se permita el ingreso inmediato en prisión, sin necesidad de los requisitos de audiencia anteriores, cuando resulte imprescindible para evitar el riesgo de reiteración delictiva, haya riesgo de huida del penado o sea necesario para asegurar la protección a la víctima, es decir, se permite un ingreso en prisión que por su urgencia no permite las garantías anteriores, pero que una vez tomada la decisión debe ser inmediatamente comunicada al Fiscal y las partes.

Para finalizar, la misma falta de protagonismo que adquiere la revisión y su revocación en la regulación de la prisión permanente revisable, tiene la remisión, algo esencial en una pena perpetua para

---

de esta pena los plazos específicos de las figuras penitenciarias, pero ello vacía de contenido toda la regulación específica de esta pena.

cerrar su cumplimiento definitivamente y que, sin embargo, se remite a la regulación del art. 87 CP, también entre los supuestos generales de suspensión de la pena.

Destaca en esta laberíntica regulación que el Juez de Vigilancia pierda competencias en la prisión permanente revisable, como sucede con la concesión de la libertad condicional o la segunda instancia del tercer grado y, sin embargo, se le permita revocar la suspensión decidida por el Tribunal sentenciador o que la revisión de esta sanción se apoye en demasiados aspectos del pasado o del incierto futuro reflejado en el concepto de peligrosidad, pero no del presente y su evolución, indicando un marcado carácter retributivo del proceso revisor.

Como se puede observar, lo más grave del régimen penitenciario previsto para la prisión permanente revisable es que, además de vulnerar el mandato del art. 15 y 25.2 de la Constitución, anula el sistema de individualización científica vaciándolo de contenido, e incluye periodos de seguridad en figuras que son derechos reconocidos a los internos cuando se cumplen los requisitos previstos legalmente. Muy lejos queda la voluntad del art. 71.1 LOGP de priorizar el tratamiento sobre el régimen, cuando todas estas previsiones son continuos ataques al sistema penitenciario basado en la reeducación y reinserción social.

Bibliografía: Carbonell Mateu, J. C. "Prisión permanente revisable I" en *Comentarios a la reforma del Código Penal de 2015*. Dtor. J. L. González Cussac, 2ª Ed. Valencia 2015. **Casals Fernández, A.** "La sentencia del Tribunal Constitucional sobre la pena de prisión permanente revisable" *La Ley Penal* nº 153, 2021. **Cervelló Donderis, V.** *Prisión perpetua y de larga duración. Régimen jurídico de la prisión permanente revisable,* Valencia 2015. **Cuerda Riezu, A.** *La cadena perpetua y las penas muy largas de prisión: por qué son inconstitucionales en España.* Barcelona 2011. **Del Carpio, J.** "La pena de prisión permanente en el Anteproyecto de 2012 de reforma del Código Penal". *Diario La Ley* nº 8004, 18.1.2013. **Muñoz Conde, F.** "Algunas reflexiones sobre la pena de prisión perpetua y otras sanciones similares a ella". *Teoría y derecho: revista de pensamiento jurídico* nº 11, 2012. **Ríos Martín, J. C.** *La prisión perpetua en España. Razones de su ilegitimidad ética y su inconstitucionalidad.* San Sebastián 2013. **VVAA** "Estudios monográficos. Prisión: resocialización o castigo" *La ley Penal* nº 110 septiembre-octubre 2014. **VVAA** *Contra la cadena perpetua* (Coord. C. Rodríguez Yagüe) Ed. Universidad Castilla La Mancha, 2016. **Vives Antón, T. S.** "La dignidad de todas las personas". *Diario El País* de 30 de enero de 2015 http: www.elpais.com.

Capítulo 5º
ALTERNATIVAS PENALES Y SANCIONES COMUNITARIAS

1. CRISIS DE LA PENA DE PRISIÓN

La pena privativa de libertad nació y se extendió con entusiasmo en el siglo XVIII por el progreso y superación que suponía desplazar las penas dominantes hasta ese momento, como eran la de muerte y los castigos corporales, y la mitigación que representaba de la crueldad y dureza del sistema penal vigente. Sin embargo, el paso del tiempo ha demostrado su escasa contribución a contener la delincuencia y que, al igual que sus predecesoras, significa una sanción inadecuada por tratarse de una pena *"inhumana, injusta y socialmente ineficaz"*[81].

Se considera *inhumana* porque el aislamiento puede dañar la personalidad del delincuente y desembocar en la llamada psicosis carcelaria; a ello ha de sumarse las condiciones materiales de la prisión en muchos casos inadmisibles y su prolongada duración, que en España puede alcanzar una duración máxima de cuarenta años, muy próxima a la perpetuidad de otros países europeos.

Se considera *injusta* por cuanto huye de los factores sociales que provocan la delincuencia y descarga sobre el sujeto la desigualdad e injusticia social; también por mantener su existencia y estructura a sabiendas de su ineficacia, si se considera igual de injusto castigar

---

81 Sainz Cantero, J. A. "El futuro de la pena privativa de libertad: la vía de sustitución" en *I Jornadas penitenciarias andaluzas* 1983 pág 79.

cuando no se ha cometido delito alguno, que castigar el delito cometido pese a que no reporte beneficio ni al individuo ni a la comunidad[82].

Por último, es a todas luces una pena *ineficaz* por su incapacidad para frenar o reducir la delincuencia, hasta el punto de ser considerada la propia prisión como factor criminógeno, y porque acaba siendo un mero aislamiento que separa temporalmente al delincuente de la sociedad[83].

A primera vista parece que la existencia de la pena de prisión no beneficia a nadie: al Estado le supone elevadísimos costes que son superiores a los que entrañarían otros tipos de penas, al delincuente no le beneficia, salvo por lo que respecta a los limitados efectos resocializadores del tratamiento y, por último, a la víctima sólo le puede alcanzar una satisfacción de tipo moral compensatoria del daño sufrido dadas las dificultades para afrontar los resarcimientos materiales derivadas de la frecuente insolvencia de los penados y la escasez de ingresos en prisión.

Por otro lado, en el ámbito del análisis económico de Derecho se cuestionan los altos costes que conlleva en relación a los escasos beneficios que genera, optando por la necesidad de buscar otros medios que resulten menos gravosos desde un punto de vista estrictamente económico. De esta forma, desde esta perspectiva la mejor y más eficiente Política Criminal penitenciaria sería el resultado de comparar las pérdidas para las víctimas, los costes de aplicación de las sanciones y la probabilidad de su aplicación efectiva, algo inaceptable por relegar a un segundo plano la finalidad resocializadora.

De todo ello se puede deducir que ocupa un destacado papel en la permanencia de la prisión el interés de la sociedad en verse defendida de los ataques más graves con la dureza de esta pena, lo que lleva a descartar una remota desaparición o reducción generalizada de la reacción penitenciaria, pese a la evidencia de sus dudosos fines resocializadores.

---

82 Vives Antón, T. "Régimen penitenciario y Derecho Penal" *CPC* nº 3 1977 pág 262.

83 Segovia Bernabé, JL "Consecuencias de la prisionización" *Cuadernos de Derecho Penitenciario* nº 8. Colegio de Abogados de Madrid pág. 4 y ss.

Como consecuencia de todos estos factores, la crisis se ha ido extendiendo señalando que las penas largas de prisión aniquilan y destruyen la personalidad produciendo prisionización y subcultura carcelaria y que las penas de corta duración difícilmente pueden realizar tareas de tratamiento por su brevedad, ni evitar el contagio criminal o la desocialización; pese a ello, la prisión se sigue postulando como "un mal necesario" que de momento debe aspirar a limitar su duración máxima, mejorar las condiciones de su cumplimiento y evitar su imposición o ejecución por periodos cortos.

En esta última línea, una vía para aliviar la crisis prisional puede consistir en limitar la pena de prisión a los casos en que sea estricta y absolutamente imprescindible para evitar que se generen una serie de daños sociales como la criminalización innecesaria, la crispación de la convivencia por resolver conflictos de forma inadecuada y, por supuesto, un aumento de los costes para la Administración de Justicia que van ascendiendo de una forma imparable[84].

Siguiendo este espíritu reformista, el CP de 1995 limitó la prisión e incorporó diversas vías para evitarla en los supuestos menos graves a través de sanciones alternativas como el trabajo al servicio de la comunidad y los sustitutivos penales como la suspensión de la ejecución. Las reformas de 2003 frenaron estos avances con medidas que endurecían el cumplimento penitenciario y dificultaban la resocialización y, finalmente, desde 2010 se han ido produciendo reformas legales que impulsan un progresivo crecimiento de la aplicación de sustitutivos penales dirigidos a limitar el recurso de la pena de prisión para las conductas menos graves.

2. COMPETENCIAS PENITENCIARIAS EN LAS ALTERNATIVAS Y SANCIONES COMUNITARIAS

Dentro de las alternativas y sanciones comunitarias, la pena de trabajos en beneficio de la comunidad y la suspensión de la ejecución de la pena tienen una especial relación con la Administración Peni-

---

84 *Informe del CGPJ sobre el Anteproyecto de Código penal.* Ponente T. Vives Antón Madrid 1992 pág. 17.

tenciaria por haberse centralizado su gestión en el Servicio de gestión de penas y medidas alternativas, dependiente de la Secretaría General de Instituciones Penitenciarias, que ha asumido la competencia de diseñar el programa de ejecución que deba cumplir el condenado a trabajos en beneficio de la comunidad y el plan de intervención y seguimiento de las penas suspendidas, así como supervisar y controlar su cumplimiento. Su especial interés es debido a la posibilidad de compartir contenidos tratamentales similares a los de la pena de prisión, permitiendo que se utilicen los recursos penitenciarios existentes, si bien, adaptándolos al medio abierto.

El art. 1 LOGP establece que son tres los fines de las Instituciones penitenciarias: la reeducación y reinserción social de los sentenciados a penas y medidas penales privativas de libertad, la retención y custodia de detenidos, presos y penados y la labor asistencial y de ayuda para internos y liberados. Esto implica que en ningún momento se hace referencia a que sus competencias alcancen a otras penas que no sean las privativas de libertad, algo que el Reglamento Penitenciario de 1996 corrigió al atribuir en el art. 163 a los Centros de inserción social, además del cumplimiento de penas privativas de libertad en régimen abierto y de las penas de arresto de fin de semana (actualmente sustituidas por la pena de localización permanente), el seguimiento de cuantas penas no privativas de libertad se establecieran en la legislación penal y cuya ejecución se atribuyera a los servicios correspondientes del Ministerio de Justicia e Interior (actualmente Ministerio de Interior) u órgano autonómico competente y el seguimiento de los liberados condicionales que tuvieran adscritos.

Con el fin de desarrollar las circunstancias de ejecución de estas figuras, el RD 690/1996 de 6 de mayo por el que se establecían las circunstancias de ejecución de las penas de trabajo en beneficio de la comunidad y arrestos de fin de semana recogió expresamente que la Administración Penitenciaria sería la competente para facilitar los trabajos en beneficio de la comunidad[85] y el RD 840/2011 de 17 de junio por el que se establecen las circunstancias de ejecución de las pe-

---

[85] Montero Herranz T. "La pena de trabajos en beneficio de la comunidad y los cambios en su marco de ejecución", *Diario La Ley* nº 7574, 22 febrero 2011, pág. 9.

nas de trabajo en beneficio de la comunidad y de localización permanente en centro penitenciario, de determinadas medidas de seguridad, así como de la suspensión de la ejecución de las penas privativas de libertad y sustitución de penas, recogió importantes novedades relativas a los trabajos en beneficio de la comunidad y a la propia gestión de todas estas figuras y creó los Servicios de gestión de penas y medidas alternativas como unidades administrativas dependientes de la Administración penitenciaria, formadas por equipos multidisciplinares, competentes para la ejecución de medidas y penas alternativas a la privación de libertad en las que se integraron los servicios sociales penitenciarios.

La creación de estos Servicios de gestión de penas y medidas alternativas se desarrolló en el RD 400/2012 de 17 de febrero que atribuye a la Subdirección General de penas y medidas alternativas de Instituciones Penitenciarias la ejecución de las medidas alternativas, en concreto la suspensión de la ejecución, los trabajos en beneficio de la comunidad, la libertad condicional y las medidas de seguridad y el RD 952/2018 de 27 de julio que reestructura de nuevo la organización interna con una Dirección General de Ejecución penal y reinserción social y una Subdirección General de medio abierto y penas y medidas alternativas.

El aumento de referencias a las competencias penitenciarias de algunas penas no privativas de libertad en las reformas del Código Penal y su regulación en los Reglamentos de desarrollo, han ido configurando una estructura paralela dentro de la Administración penitenciaria que se dedica a la gestión de las penas y medidas alternativas. Pare ello se han servido de los programas de tratamiento elaborados por Instituciones Penitenciarias para los internos con el fin de adaptarlos e incorporarlos a los contenidos propios de las actividades de utilidad social los trabajos en beneficio de la comunidad y las condiciones consistentes en programas formativos que acompañen a la suspensión de la ejecución de la pena.

La asunción por Instituciones Penitenciarias de la ejecución de las medidas alternativas ha dinamizado su cumplimiento, sumido anteriormente en un injustificado abandono, y ha permitido aprovechar los recursos penitenciarios en medio abierto hasta alcanzar una indiscutible madurez, siendo evidente que el crecimiento y avance de las alternativas y medidas comunitarias se ha servido de la experiencia e infraestructura penitenciarias para despegar en un contexto poco propicio a su desarrollo por la fragilidad de la regulación legal y los problemas de aplicación derivados de un contexto muy punitivo y poco proclive a prescindir del predominio de la pena de prisión.

Pese a ello, la menor intervención judicial en la elaboración de los planes de ejecución que ha convertido su ejecución en un exceso de trámites administrativos y el riesgo de que la limitación de medios acabe creando un sistema de alternativas más acumulativo que propiamente alternativo al sistema penitenciario, obligan a plantearse si el modelo vigente, dependiente de Instituciones Penitenciarias, es el más adecuado o, en caso contrario, cuáles serían las modificaciones que cabría realizar con el fin de que las garantías en medio abierto no sean menores que las del medio carcelario[86].

3. SUSPENSIÓN DE LA EJECUCIÓN DE LA PENA

La suspensión de la ejecución de la pena prevista en el art. 80 y ss. CP puede tener una doble relevancia penitenciaria, de un lado, si se concede la suspensión de la ejecución acompañada de la imposición de prohibiciones y deberes cuyo seguimiento corresponda a los Servicios de gestión de penas y medidas alternativas, lo que sucede en las reglas 6ª, 7ª y 8ª art. 83.1 CP y, de otro, si se concede la suspensión de la ejecución condicionada a la prestación de trabajos en beneficio de la comunidad prevista en el art. 84.1.3° CP. En este segundo caso, dentro de la llamada suspensión sustitutiva, hay que tener en cuenta que los trabajos en beneficio de la comunidad no actúan como pena, sino como condición de una pena suspendida, por lo tanto, aunque la problemática de su tramitación y contenidos coincidan, difiere en el control judicial que dependerá del órgano judicial sentenciador, no del Juez de Vigilancia, y en las consecuencias de su incumplimiento que serán las previstas para las penas suspendidas en el art. 86 CP, no las del art. 49 CP que regula el trabajo en beneficio de la comunidad como pena propiamente dicha.

---

86 Solar calvo. P. "Medidas alternativas y sistema penitenciario. Acumulación versus alternatividad" *RGDP,* 32(2019), pág. 12.

Hasta la reforma del Código Penal por LO 1/2015 de 30 de marzo había dos figuras con una misma pretensión de eludir el cumplimiento de una pena corta de prisión pero que actuaban en distintos momentos, con diferentes requisitos y consecuencias diversas, se trataba de la sustitución de la pena de prisión a decidir en la sentencia o antes de la ejecución para permitir la imposición y cumplimiento de una pena diferente a la prisión, y de la suspensión de la ejecución a decidir después de la firmeza de la sentencia con la pretensión de evitar el ingreso en prisión de una pena ya impuesta.

Este sistema binario se suprimió con la reforma de 2015 unificando ambas figuras en una sola denominada suspensión de la ejecución de las penas privativas de libertad, aunque el capítulo que encabeza su regulación se siga denominando "De las formas sustitutivas de la ejecución de las penas privativas de libertad" porque la supervivencia del art. 89 CP ha dejado como forma sustitutiva la expulsión del territorio nacional para sujetos extranjeros. Además de ello, la transformación de la libertad condicional en una suspensión de la ejecución, convierte a esta última en una figura de amplios contornos al recoger en su seno lo que antes eran tres instituciones diferentes: sustitución de la pena, suspensión de la ejecución y libertad condicional.

De esta manera la suspensión de la ejecución de las penas privativas de libertad en su regulación actual recoge los supuestos que permiten suspender la ejecución de dichas penas, la sustitución por expulsión y la libertad condicional, cuya dependencia de la suspensión le ha hecho perder su autonomía y dejar en entredicho su mantenimiento como última fase del sistema penitenciario de individualización científica.

3.1 Clases de suspensión de la ejecución de las penas privativas de libertad

En la suspensión de la ejecución de la pena, la pena privativa de libertad ya ha sido impuesta en la sentencia, por lo tanto, con ella se pretende evitar el cumplimiento o ingreso en prisión, arts. 80 y ss. CP. Son muy variadas las posibilidades actuales de no cumplir una pena de prisión: suspensión de la ejecución de la pena general, suspensión para sujetos no primarios, suspensión para enfermos muy graves, suspensión para drogodependientes, suspensión con condiciones específicas y suspensión con prestaciones.

Sistematizando todo ello las clases de suspensión previstas en la actualidad se pueden agrupar en dos bloques:

A) Suspensión ordinaria: arts. 80.2 CP.

B) Suspensión extraordinaria: a) para no primarios art. 80.3 CP, b) para enfermos muy graves art. 80.4 CP, c) para drogodependientes art. 80.5 CP.

A) Suspensión ordinaria:

Cabe la suspensión de la ejecución de cualquier pena privativa de libertad no superior a dos años de duración cuando sea razonable esperar que la ejecución de la pena no sea necesaria para evitar la comisión futura de nuevos delitos por el penado, este cambio es muy importante pues se apuesta por una prevención especial negativa consistente en acreditar que no sea necesario cumplir la pena de prisión[87], lo que supone una prueba en contra de la prevención especial.

Los criterios a tener en cuenta por el Juez o Tribunal para tomar esta decisión son: las circunstancias del delito cometido (no su gravedad, sino las probabilidades de reiteración), las circunstancias personales del penado, sus antecedentes (sin especificar si son penales o policiales lo que sumado a la supresión de los procedimientos penales pendientes le quita rigidez), su conducta posterior al hecho, en particular su esfuerzo para reparar el daño causado, sus circunstancias familiares y sociales, y los efectos que quepa esperar de la suspensión de la ejecución y el cumplimiento de las medidas impuestas. Esta relación parece recoger un concepto de peligrosidad más criminológico y menos punitivo que el anterior, que lo vinculaba excesivamente a los antecedentes penales.

Con esta regulación se han suprimido los dos requisitos del texto anterior que recibían mayores críticas por su indeterminación y clara oposición a los objetivos preventivo especiales de la suspensión, como eran la peligrosidad criminal y la existencia de procedimientos penales pendientes.

Los requisitos para poder suspender la ejecución de la pena son los siguientes:

---

87 García Albero, R. "La suspensión de la ejecución de las penas" en *Comentario a la reforma penal de 2015* (Dtor. G. Quintero Olivares), Navarra 2015, pág. 144.

a) *haber delinquido por primera vez*: sólo quien tiene una condena anterior firme por cualquier delito en la fecha de comisión del hecho no es primario, ya que la presunción de inocencia impide tener en cuenta hechos anteriores que no estén sentenciados. Las condenas anteriores ya canceladas en el momento de la suspensión y las que sean por imprudencia o por delitos leves no se tienen en cuenta, lo que es más amplio que la regulación anterior que no excluía las leves y, además, porque añade que tampoco se tengan en cuenta los antecedentes por delitos que por su naturaleza o circunstancias carezcan de relevancia para valorar la probabilidad de nuevos delitos. Esta última novedad es una de las más acertadas, ya que permite no tener en cuenta condenas anteriores desconectadas de la situación delictiva actual, permitiendo no excluir la suspensión por la mera existencia objetiva de antecedentes penales, por ejemplo, que un delito contra la seguridad del tráfico anterior no impida la suspensión de un delito de lesiones posterior.

b) *que la pena impuesta o suma de las impuestas no sea superior a dos años*: permite que sea tanto una sola pena como la suma de varias en una misma sentencia, es decir, la pena efectivamente impuesta[88]. En este cómputo no se incluye la derivada del impago de la multa, lo que va a permitir en la práctica que se puedan suspender los dos años de prisión más el año máximo de responsabilidad personal subsidiaria por impago de multa. En casos de indulto, el plazo de dos años se puede referir a la pena resultante después de aplicar el indulto, como estableció el Auto 29.5.2001 y, más recientemente, el Auto nº 206 AP Granada de 23 de marzo de 2022.

El art. 97 d) CP permite también la suspensión de la ejecución de medidas de seguridad en atención a los resultados obtenidos, condicionada también a la obligación de no delinquir.

c) *haber satisfecho las responsabilidades civiles y haber hecho efectivo el comiso*: ya no es precisa la declaración formal de insolvencia, basta con asumir el compromiso de pago de acuerdo a su capacidad

---

88 Si se tomara cada una de ellas individualmente, la segunda ya no se podría suspender por no ser primario, por ello es preferible considerar conjuntamente las penas del concurso de delitos. Sánchez Yllera, I. *Comentarios al CP de 1995* Coord. T. Vives Antón, vol. I Valencia 1996, pág. 477.

económica y de facilitar el comiso, siempre que sea razonable esperar que se cumplirá en un plazo prudencial, no obstante, como señala la STC 32/2022 de 9 de marzo ni la suspensión, ni su revocación pueden condicionarse al pago de la responsabilidad civil cuando es imposible su pago, por eso los Tribunales deben realizarse diligencias de investigación que acrediten el impago injustificado. En función del alcance de la responsabilidad civil y del impacto del social del delito el Juez o Tribunal podrá solicitar las garantías que estime convenientes para asegurar el cumplimiento.

B) Suspensión extraordinaria:

a) Para sujetos no primarios art. 80.3 CP.

En este caso pueden ser suspendidas las penas de prisión que individualmente no pasen de dos años de duración, aunque la suma de ellas supere este límite, con lo cual además de permitir que tenga antecedentes, siempre que no sea habitual, pueden tener varias condenas si ninguna de ellas supera los dos años. Exceptuados los dos primeros requisitos generales del art. 80 CP, el tercero se mantiene, enfatizando la obligación de reparar efectivamente el daño o indemnizar el perjuicio causado conforme a la capacidad económica del penado o cumplir el acuerdo de mediación alcanzado. Con ello se permite como alternativa al pago de la responsabilidad civil, el cumplimiento del acuerdo alcanzado por las partes en un programa de mediación, algo novedoso y positivo, pero incompleto, ya que en el supuesto ordinario no se indica algo similar, lo que sólo permitirá su imposición como prestación opcional del art. 84 CP. De esta forma, sólo en el supuesto extraordinario de no primarios es una forma de cumplir la reparación del daño, lo que no tiene sentido que no se extienda también al supuesto ordinario[89].

La condición ineludible de este supuesto privilegiado es que se imponga además el pago de una multa o la realización de trabajos en beneficio de la comunidad, lo que recuerda a la anterior figura de sustitución de la pena, con la diferencia de que ahora se trata de medidas impuestas como condición de la suspensión. La extensión de estas figuras se fijará de manera proporcional a la pena suspendida, sin que

---

89 García Albero, R. "La suspensión…" en *Comentario…* pág. 154.

pueda ser inferior a un quinto de la pena impuesta con los módulos de conversión correspondientes.

Se trata de un supuesto excepcional, por ello los criterios señalados para ser valorados por el Juez son que las circunstancias personales del reo, la naturaleza del hecho, su conducta, y en especial, el esfuerzo en la reparación del daño así lo aconsejen.

b) Para enfermos muy graves art. 80.4 CP.

Es un supuesto especialmente previsto para enfermos muy graves con padecimientos incurables que permite suspender la ejecución de cualquier pena, no sólo privativa de libertad, sin ningún límite temporal. La única condición es que al cometer el delito no tuviera el sujeto ya otra pena suspendida por este motivo, ya que el fundamento de este supuesto especial son las razones humanitarias de dar un trato adecuado evitando sufrimientos innecesarios y la baja peligrosidad por la enfermedad que padece.

Sobre la gravedad de la enfermedad, la STC 48/1996 de 25 de marzo entendió que no ha de tratarse de un estado terminal o de riesgo inminente de muerte, sino que basta que la estancia en prisión incida negativamente en el curso de la enfermedad acelerando su desenlace.

c) Para drogodependientes art. 80.5 CP.

Este supuesto fue de las pocas reformas que beneficiaron a los condenados en la reforma de 2003 con el fin de suavizar los requisitos de la suspensión y que tuviera un mayor alcance en los sujetos que cometen el hecho delictivo a causa de su dependencia a bebidas alcohólicas, drogas tóxicas, estupefacientes, sustancias psicotrópicas y otras que produzcan efectos análogos. La finalidad es extender la posibilidad de que estos sujetos no entren en prisión, por ser el lugar menos apropiado para el tratamiento de su drogodependencia; de esta manera no es necesario que sean primarios, es decir, pueden ser reincidentes, y la pena puede ser más extensa que en el supuesto ordinario ya que puede llegar hasta cinco años, pero como condición se ha de certificar suficientemente por centro o servicio público o privado debidamente acreditado u homologado, que el condenado se encuentra deshabituado o sometido a tratamiento.

Es condición necesaria para mantener la pena suspendida que el tratamiento no se abandone, y pese a que no se entienda como tal las recaídas puntuales que no impliquen abandono definitivo, es la condición más dura de cumplir, para su comprobación los centros donde se sigue el tratamiento deben enviar al Juez informes sobre la evolución del penado.

3.2. *Prohibiciones, deberes, prestaciones y medidas asociadas a la suspensión*

Las anteriores reglas de conducta han sido sustituidas por dos grupos de figuras, las prohibiciones y deberes del art. 83 CP y las prestaciones o medidas del art. 84 CP, cuyo control de cumplimiento se distribuye entre los Cuerpos y Fuerzas de Seguridad y el Servicio de gestión de penas y medidas alternativas; los primeros se ocupan de la 1, 2, 3 y 4 y el segundo de la 6, 7 y 8.

Todos ellos pueden acompañar a la suspensión de cualquier pena privativa de libertad, no solo a la prisión, y en cualquier tipo de suspensión, tanto la ordinaria como las extraordinarias.

Las prohibiciones o deberes recogidas en el art. 83 CP tienen carácter asegurativo, restrictivo de libertad o terapéutico y pueden ser las siguientes:

1ª Prohibición de aproximarse a la víctima o a aquéllos de sus familiares u otras personas que se determine por el juez o tribunal, a sus domicilios, a sus lugares de trabajo o a otros lugares habitualmente frecuentados por ellos, o de comunicar con los mismos por cualquier medio. La imposición de esta prohibición será siempre comunicada a las personas con relación a las cuales sea acordada.

2ª Prohibición de establecer contacto con personas determinadas o con miembros de un grupo determinado, cuando existan indicios que permitan suponer fundadamente que tales sujetos pueden facilitarle la ocasión para cometer nuevos delitos o incitarle a hacerlo.

3ª Obligación de mantener su lugar de residencia en un lugar determinado con prohibición de abandonarlo o ausentarse temporalmente sin autorización del juez o tribunal.

4ª Prohibición de residir en un lugar determinado o de acudir al mismo, cuando en ellos pueda encontrar la ocasión o motivo para cometer nuevos delitos.

5ª Comparecer personalmente con la periodicidad que se determine ante el juez o tribunal, dependencias policiales o servicio de la administración que se determine, para informar de sus actividades y justificarlas.

6ª Participar en programas formativos, laborales, culturales, de educación vial, sexual, de defensa del medio ambiente, de protección de los animales, de igualdad de trato y no discriminación, y otros similares.

7ª Participar en programas de deshabituación al consumo de alcohol, drogas tóxicas o sustancias estupefacientes, o de tratamiento de otros comportamientos adictivos.

8ª Prohibición de conducir vehículos de motor que no dispongan de dispositivos tecnológicos que condicionen su encendido o funcionamiento a la comprobación previa de las condiciones físicas del conductor, cuando el sujeto haya sido condenado por un delito contra la seguridad vial y la medida resulte necesaria para prevenir la posible comisión de nuevos delitos.

9ª Cumplir los demás deberes que el juez o tribunal estime convenientes para la rehabilitación social del penado, previa conformidad de éste, siempre que no atenten contra su dignidad como persona.

La imposición de cualquiera de estas prohibiciones o deberes tiene carácter potestativo, pero ligado a un análisis de proporcionalidad, lo que exige que no sean excesivas ni desproporcionadas y que sean necesarias para evitar el peligro de comisión de nuevos delitos.

Solo en los delitos cometidos sobre la mujer por quien sea o haya sido su cónyuge o esté ligado por similar relación de afectividad, aun sin convivencia, será obligatorio imponer las reglas 1ª, 4ª y 6ª, es decir, las de alejamiento de la víctima y las formativas-educativas. Como tales se puede entender no solo los delitos en los que el legislador establece diferencias penológicas por tratarse de una violencia hombre-mujer en un contexto de dominación, sino cualquier delito cometido por razón de género. Estas reglas han permitido que un elevado número de delitos de violencia de género que no revisten gravedad se beneficien de la suspensión, sometidos a la obligación de participar en programas formativos obligatorios, lo que ratifica el carácter sancionador-educativo de las penas suspendidas. Para su implantación Instituciones Penitenciarias ha diseñado diversos talleres que se realizan con la colaboración de entidades externas que se rigen por las orientaciones a las entidades colaboradoras en suspensión y sustitución de condena editado por la Subdirección General de Penas y Medidas Alternativas[90].

Para proceder al cumplimiento de las prohibiciones y deberes impuestos, el RD 840/2011 de 17 de junio establece que los Servicios de gestión de penas y medidas alternativas realizarán las actuaciones necesarias para hacerlo efectivo, lo que significa que una vez se haya dictado la sentencia y el auto de suspensión con las reglas impuestas se le notifique para elaborar un plan de intervención y seguimiento que se comunicará al Juez competente para la ejecución, sin perjuicio de que se ejecute inmediatamente. De nuevo en esta figura la actuación judicial se ve mermada no solo porque no ejerce el control sobre las actividades a desarrollar, sino porque solo hay obligación de comunicar posteriormente el plan de intervención, al igual que sucede con la ejecución de los trabajos en beneficio de la comunidad. Esto provoca vgr. que se haya establecido que los Jueces y Tribunales se deban limitar a ordenar la obligatoriedad de la participación en un programa formativo, pero sin poder establecer el contenido, duración o fecha de inicio, según dispone el Auto AP Girona 486/2017 de 6 de septiembre al atribuir tales cometidos a la Administración Penitenciaria[91].

Una vez elaborado el plan de ejecución los Servicios de gestión de penas y medidas alternativas remitirán al condenado al centro o servicio específico donde vaya a seguir el programa de intervención, con la obligación de informar al Juez o Tribunal encargado de la ejecución sobre las incidencias que vayan surgiendo y su finalización, siendo especialmente importante que sustraerse al control de los Servicios de gestión de penas y medidas alternativas es uno de los motivos de revocación de la suspensión de la pena que implican el ingreso en prisión. El procedimiento de cumplimiento se recoge en la Instrucción SGIP 10/2011 de 1 de julio que detalla el manual de procedimiento para las penas suspendidas a agresores por violencia de género.

---

90 https://www.institucionpenitenciaria.es/documents/20126/0/manual_suspensiones_ongs.pdf/b77e3989-181d-7454-5d28-4ec751d4e3d7.

91 Cervelló Donderis, V. “La gestión penitenciaria de la ejecución de alternativas y sanciones comunitarias” en *Guía práctica de Derecho Penitenciario* (Dtor. J. León) Wolters Kluwer, Madrid, 2022, pág. 133.

Uno de los inconvenientes en los casos de programas no obligatorios, es que la oferta se ajuste a las necesidades del condenado y que llegue a conocimiento del Juez o Tribunal que se encarga de la ejecución, porque de ello puede depender el no cumplimiento de la pena de prisión y su sometimiento al cumplimiento de deberes u obligaciones que deben ser impuestos en el auto de suspensión.

Otra opción diferente a las prohibiciones y deberes es la referencia del art. 84 CP a la posibilidad de imponer prestaciones o medidas como son el cumplimiento del acuerdo de mediación, la multa o los trabajos en beneficio de la comunidad. Todas ellas son preceptivas en el supuesto extraordinario de suspensión para no primarios del art. 80.3 CP, ya que es obligatorio imponer multa o trabajos en beneficio de la comunidad con la posibilidad de obligar al cumplimiento del acuerdo de mediación como instrumento de reparación del daño, mientras que en el resto de supuestos se deja elegir al Juez su imposición. Para alejar este sistema de la antigua sustitución, en la actualidad no se les denomina penas, sino prestaciones o medidas, ni hay una correlación entre la pena suspendida y la figura que se impone en su lugar, siendo suficiente con mantener una cierta proporcionalidad.

Estas prestaciones o medidas se pueden imponer además de las anteriores prohibiciones o deberes, ocupando con ello el espacio dejado por la anterior sustitución de la pena, de esta manera la ventaja es que se unifica el procedimiento, pero la desventaja es la ausencia de requisitos adicionales para endurecer de esta manera la suspensión, a diferencia de lo que ocurre con las prohibiciones o medidas del art. 83 que van ligadas a la necesidad de evitar delitos futuros.

El primer supuesto permite condicionar la suspensión al cumplimiento del acuerdo alcanzado por las partes en virtud de mediación, algo muy positivo porque implica admitir los efectos de la mediación penal en adultos, cuyo marco normativo procede de la Directiva 2012/29 del Parlamento europeo y del Consejo de Europa por la que se establecen normas mínimas sobre los derechos, el apoyo y la protección de las víctimas de delitos y se recoge en el Estatuto de la víctima del delito Ley 4/2015 de 27 de abril. En este caso se entiende que ya ha terminado la mediación con acuerdo, emplazando a cumplirlo, lo que es diferente a la posibilidad de que sea el Juez el que remita al inicio de un programa de mediación como uno de los posibles programas formativos del art. 83.6 o 83.9 CP.

Otra posibilidad es que el Juez condicione la suspensión al pago de una multa. En este caso la extensión de la multa la determina el Juez o Tribunal teniendo en cuenta las circunstancias del caso, pero sin que nunca sea superior a dos cuotas de multa por cada día de prisión sobre un límite máximo de dos tercios de su duración. Esta imposición de la multa tiene una limitación en los delitos contra la mujer y de violencia familiar, ya que sólo se podrá imponer si resulta acreditado que no hay relaciones económicas derivadas de una relación familiar o derivada de descendencia común, algo que ha sido muy criticado por ser mucho más flexible que la prohibición de la regulación anterior que no permitía en ningún caso que estos delitos resultaran castigados con pena de multa.

Por último, cabe condicionar la suspensión a la realización de trabajos en beneficio de la comunidad, para lo que se tendrá en cuenta especialmente que resulte adecuado como forma de reparación simbólica según las circunstancias del hecho y el autor. En este caso la duración de los trabajos en beneficio de la comunidad se determinará valorando las circunstancias del caso, pero sin que exceda del cómputo de un día de trabajo por cada día de prisión sin superar dos tercios de la duración de la condena. Como aquí los trabajos en beneficio de la comunidad rigen como condición impuesta a una pena suspendida se producen dos importantes consecuencias: la competencia de su seguimiento no corresponde a los Jueces de Vigilancia, sino al órgano judicial sentenciador, según estableció el Acuerdo de pleno no jurisdiccional del Tribunal Supremo de 24 de octubre de 2018, y su incumplimiento no constituye delito de quebrantamiento de condena, sino que da lugar a la revocación de la suspensión y la ejecución de la pena suspendida, STS 603/2018 de 28 de noviembre.

Tanto estas prohibiciones o deberes como las prestaciones o medidas del art. 84 CP pueden ser alzadas, modificadas o sustituidas por otras menos gravosas, lo que da a entender que sólo se admiten cambios para beneficiar y no para empeorar la situación del condenado.

3.3. *Procedimiento y condiciones*

La suspensión se puede acordar en sentencia, si es posible y, si no, después de ser firme la sentencia, con la mayor urgencia, una vez comprobados los requisitos y haber oído a las partes.

La suspensión de la ejecución de la pena va condicionada a la imposición judicial de un plazo durante el cual el sujeto no puede delinquir. En su resolución motivada el Juez o Tribunal ha de señalar el plazo de suspensión que puede oscilar entre dos y cinco años para las penas no superiores a dos años, de tres meses a un año si se trata de penas leves y de tres a cinco años para el supuesto especial de drogodependientes; los criterios que ha de tener en cuenta el Juez o Tribual para determinar el plazo son los mismos que para adoptar el supuesto general de suspensión del art. 80.1.2º CP, es decir, las circunstancias del delito, las circunstancias personales del penado, antecedentes, conducta posterior al hecho, el esfuerzo en reparar, circunstancias familiares y sociales y los efectos que quepa esperar de la suspensión y de las medidas impuestas.

3.4. *Revocación*

La revocación de la suspensión se puede dar por los siguientes motivos, según señala el art. 86.1 d):

a) *Por la comisión de un nuevo delito*: Ser condenado por un delito cometido durante el plazo de suspensión y que ello ponga de manifiesto que la expectativa en que se fundaba la suspensión ya no se puede mantener. Aquí son dos las mejoras, de un lado que exija expresamente que el hecho y la condena sean durante el plazo de suspensión y, de otro, que no sirva solo la condena para la revocación, sino además la valoración de no ser ya oportuna la suspensión. Esto último precisamente puede servir para excluir las condenas por delitos imprudentes que expresamente no están excluidas, pero que no denotan una voluntad de delinquir y por ello no requieren necesidad de pena[92].

---

92 Prats Canut, J. M.-Tamarit Sumilla, JM *Comentarios al nuevo Código Penal.* (Dtor. G. Quintero Olivares) 3ª Ed. Pamplona 2004 pág. 505. García Arán, M.

b) *Por el incumplimiento de las prohibiciones, deberes y condiciones impuestas*: Se recogen dos supuestos, el primero, el incumplimiento grave o reiterado de las prohibiciones o deberes del art. 83 CP o de las condiciones del art. 84 CP. El segundo, sustraerse al control del servicio de gestión de penas y medidas alternativas. En ambos casos, la revocación obligatoria se derivará del incumplimiento de las condiciones impuestas a la suspensión, que por la fórmula alternativa empleada podrá ser grave, aunque sea puntual, o incumplimiento reiterado, aunque no sea grave, lo que resulta excesivo.

En caso de que el incumplimiento de las prohibiciones, deberes o condiciones no sea grave o reiterado el Juez podrá, lo que ya no es obligatorio como en los supuestos anteriores, imponer nuevas prohibiciones, deberes o condiciones o modificar las ya impuestas, o bien prorrogar el plazo de suspensión sin que exceda de la mitad del tiempo impuesto inicialmente.

En la reforma de 2015 se suprimió la diferencia anterior entre los delitos relacionados con la violencia de género, donde, tanto el incumplimiento de la condición general de no delinquir, como el de las reglas de conducta, conducía a la revocación de la suspensión y al ingreso en prisión.

c) *Por el incumplimiento de las obligaciones de contenido económico*: es una nueva causa de revocación referida a los casos en los que el sujeto facilite información inexacta o insuficiente sobre el paradero de los bienes u objetos del decomiso acordado, no cumpla con la responsabilidad civil (salvo si carece de capacidad económica) o bien facilite información inexacta sobre su patrimonio para la ejecución de sus responsabilidades civiles.

Aunque en todos estos casos la revocación sea obligatoria, no significa que sea automática, por la obligación de oír previamente al Fiscal y demás partes, como señala el art. 86.4 CP, con la finalidad de conocer los motivos del incumplimiento que descarten la falta de capacidad económica. En este sentido, la anteriormente mencionada STC 32/2022 de 9 de marzo consideró nula la revocación de una pena

---

Fundamentos y aplicación de aplicación de penas y medidas de seguridad en el CP de 1995 Navarra 1997 pág. 110.

suspendida por falta de pago de la responsabilidad civil por no haberse cumplido con el preceptivo trámite de audiencia con el condenado, ni realizar diligencia de comprobación alguna que pudiese acreditar que la falta de pago era voluntaria e injustificada por disponer de medios económicos suficientes para poder cumplirla y no producto de la falta de recursos.

En los casos en los que resulte imprescindible el inmediato ingreso en prisión para evitar el riesgo de reiteración delictiva, de fuga o asegurar la protección de la víctima, se podrá resolver sin oír a las partes y al Fiscal. Sólo si es necesario se podrán practicar diligencias y vista oral, lo que resulta poco garantista para los penados.

Cuando la suspensión va ligada al cumplimiento de las prestaciones del art. 84 CP hay diferentes consecuencias si se revoca, de esta manera si la pena se suspendió por el cumplimiento de un acuerdo de mediación no se devolverá el importe de la reparación, pero sí se suspendió condicionada al pago de la multa o de realización de trabajos en beneficio de la comunidad sí que se abonarán el importe de los pagos y las jornadas de trabajos, para evitar la vulneración del principio *ne bis in idem*.

3.5. Cumplimiento de la suspensión y remisión de la pena

Los Servicios de gestión de penas y medidas alternativas una vez reciben la sentencia con las reglas impuestas, elaboran un plan de intervención y seguimiento que se comunica al Juez competente para la ejecución, a continuación, remiten al condenado al centro o servicio específico donde vaya a seguir el programa de tratamiento, y durante su cumplimiento irán informando cada tres meses al Juez sobre las incidencias, y al final del programa sobre su término.

El aspecto más negativo de la reforma de 2003 fue la supresión de la Sección especial del Registro de penados y rebeldes lo que resultaba positivo para facilitar la reinserción; en este sentido hay que recordar que la posibilidad de no inscripción de antecedentes penales junto a la incorporación de las reglas de conducta fue una de las mayores ventajas de la regulación de la suspensión de la ejecución de la pena en el CP de 1995. Desde entonces las penas suspendidas se inscriben en el Registro general de antecedentes penales, por tanto, al igual que las demás generan dichos antecedentes penales.

Transcurrido el plazo de suspensión sin haber cometido delito que ponga de manifiesto que la expectativa en que se fundaba la suspensión ya no se puede mantener y, cumplidas las reglas de conducta impuestas, se acuerda la remisión de la pena, es decir, se da por cumplida quedando inscritos los antecedentes penales, cuyo plazo de cancelación se computará desde el día siguiente al que hubiera quedado cumplida la pena suspendida, según dispone el art. 136.3 CP.

En los supuestos especiales para drogodependientes además deberá acreditarse la deshabituación del sujeto o la continuidad del tratamiento, de lo contrario o se ordena el cumplimiento o si los informes correspondientes aconsejan continuar el tratamiento, se podrá prorrogar no más de dos años.

4. TRABAJO EN BENEFICIO DE LA COMUNIDAD

4.1. Características

Se trata de una pena de origen anglosajón muy extendida en los países europeos que se incorporó en el Código Penal de 1995 con un ámbito de aplicación muy reducido al limitarse a sustituir al arresto de fin de semana y servir para cumplir la responsabilidad personal subsidiaria por impago de multa. La Ley 15/2003 de 25 de noviembre de reforma del CP reforzó su vigencia pasando a ser pena principal en algunos delitos menos graves y en faltas, permitiendo que sustituyera directamente a la prisión de corta duración. En la actualidad mantiene la función de pena principal y modalidad de cumplimiento de la responsabilidad personal subsidiaria por impago de multa y se añade la de ser medida adicional a la suspensión de la ejecución del art. 84 CP.

Su regulación se completa con el Reglamento de ejecución que regula las circunstancias de ejecución de las penas de trabajo en beneficio de la comunidad y de localización permanente en centro penitenciario, de determinadas medidas de seguridad, suspensión de ejecución de las penas privativas de libertad y sustitución de penas (RD 840/2011 de 17 de junio) que sustituyó al anterior de 2005[93].

---

93 Sobre su primera regulación Viana Ballester, C. "Comentario del RD 515/2005 de 6 de mayo por el que se establecen las circunstancias de ejecución de las

Su duración, si es pena menos grave, es de treinta y un días a un año (art. 33.3.l CP) y, si es pena leve, dura de uno a treinta días (art. 33.4.h CP), siendo su contenido la prestación voluntaria de una cooperación no retribuida en actividades de utilidad pública, que podrán consistir en labores de reparación de los daños causados o de apoyo o asistencia a las víctimas en delitos similares al cometido por el penado, lo que según la Circular 2/2004 FGE ha de entenderse como reparación social y colectiva a otras víctimas de delitos, no a la víctima concreta para no perder su finalidad comunitaria; además, también puede consistir en participación en talleres o programas formativos o de reeducación, laborales, culturales, de educación vial, sexual o similares, lo que ya había introducido la reforma del Reglamento de desarrollo de 2009 (RD 1849/2009 de 4 de diciembre) para delitos contra la seguridad vial y que actualmente se extiende a otros delitos.

Su característica más importante, y diferente al resto de penas es su voluntariedad por la necesidad de distanciarlo de los trabajos forzados prohibidos por el art. 25.2 CE[94], lo que antes implicaba aceptar la pena y el trabajo en concreto, sin embargo, la reforma del Reglamento de 2009 eliminó el segundo consentimiento, con lo cual sólo se pide el consentimiento previo para imponer la pena, pero no para la actividad a desarrollar, como es el sentido dado por el CP que había quedado desvirtuado por la redacción reglamentaria anterior.

4.2. Condiciones de cumplimiento

Su relación con el medio penitenciario es muy estrecha habida cuenta del control de su ejecución por el Juez de Vigilancia, de la oferta de talleres ya existentes o adaptados de la Administración Penitenciaria y de la atribución a los Servicios de gestión de penas y medidas alternativas de las tareas de determinar la actividad a realizar por el

---

penas de trabajo en beneficio de la comunidad y de localización permanente, de determinadas medidas de seguridad, así como de la suspensión de la ejecución de las penas privativas de libertad" *Revista General de Derecho Penal* nº3 mayo 2005.

94 Sobre este aspecto, Escribano Gutiérrez, A. "El trabajo en beneficio de la comunidad. Perspectivas jurídico-laborales". *Revista española de Derecho del Trabajo* nº 121 enero-marzo 2004 pág. 48 y ss.

penado, elaborar el plan de ejecución y supervisar todas las actuaciones informando al Juez de Vigilancia de todas las incidencias.

Impuesta la sentencia, los Servicios de gestión de penas y medidas alternativas se entrevistan con el penado para conocer sus características personales y sociales, informar de plazas existentes, escuchar sus propuestas con el fin de valorar la actividad más apropiada y elaborar el plan de ejecución en el que constará la actividad a desarrollar y lugar de cumplimiento, el número de jornadas, el horario a cumplir y la fecha de inicio; una vez elaborado el plan de ejecución se traslada al Juez de vigilancia para su control, lo que acaba siendo una mera comunicación al ser de ejecución inmediata.

Si el penado no comparece a la entrevista o se opone a su cumplimiento no quedan muy claras sus consecuencias por no quedar incluidas entre las causas de quebrantamiento, por su parte, una vez cumplido el plan de ejecución, los Servicios de gestión de penas y medidas alternativas informarán al Juez de Vigilancia y al órgano jurisdiccional competente para la ejecución, a los efectos oportunos[95]. De esta forma son tres los niveles de control al penado durante el desarrollo de las actividades asignadas: control diario realizado por la entidad en la que se realiza la actividad que valora el número de horas y el rendimiento, control periódico sobre el seguimiento de la pena y la realización efectiva del trabajo que realizas los Servicios de gestión de penas y medidas alternativas y control judicial de la ejecución de la pena ejercido por el Juez de Vigilancia en los términos recogidos en el Código Penal[96].

Con este nuevo modelo son dos los problemas más relevantes: en primer lugar, se ha administrativizado el cumplimiento del trabajo en beneficio de la comunidad, al sustraer al Juez de Vigilancia todas las competencias que tenía atribuidas como la aprobación del plan de ejecución o la decisión del trabajo concreto a cumplir y encomendarlo a los Servicios de gestión de penas y medidas alternativas; aunque la finalidad sea agilizar su funcionamiento, no siempre se cumple con el

95 Cervelló Donderis, V. "La gestión penitenciaria..." cit. pág. 122.

96 Blay Gil, E. "Nuevos tópicos acerca del trabajo en beneficio de la comunidad: la necesidad de una discusión basada en conocimientos empíricos", *In Dret* 4/2007" cit. pág. 11.

debido rigor garantista. En segundo lugar, su regulación peca de un exceso de indeterminación por la poca claridad del alcance que tiene la oposición del penado a la aceptación del trabajo, o la decisión que deba tomar el Juez de Vigilancia al respecto, teniendo en cuenta que, si esta oposición es firme, lleva a la imposibilidad del cumplimiento de esta pena.

Las características de su ejecución vienen recogidas en el art. 49 CP:

a) no puede exceder de ocho horas diarias. La concreción de la duración de las jornadas y el plazo en que deban cumplirse dependerán de las circunstancias personales o familiares, de las circunstancias laborales o de la naturaleza de los programas o talleres permitiéndose su cumplimiento flexible incluso de forma partida en los mismos o diferentes días (RD 840/2011 de 17 de junio). Al no indicarse un mínimo diario las posibilidades son muy amplias, lo que aprovechó el Auto JV Alicante 21.2.2007 para fijar en dos horas el cupo por jornada para facilitar su cumplimiento y de esta manera permitir que quien realice más horas al día pueda extinguir antes su pena. El penado podrá realizar estas actividades al mismo tiempo que cumple una pena de prisión, siempre que se realicen durante permisos de salida, tercer grado o libertad condicional o, incluso, en el interior si lo hace durante su tiempo libre (Acuerdo Jueces de Vigilancia 2018).

b) se echa en falta mayor claridad en su control por el Juez de Vigilancia, ya que el penado está sometido a las instrucciones del mismo, de los Servicios de gestión de penas y medidas alternativas y de la entidad en la que preste el trabajo. La entidad donde se presta la actividad deberá enviar informes periódicos, incidencias y comunicación de la finalización del trabajo a los Servicios de gestión de penas y medidas alternativas, que a su vez remitirán al Juez de Vigilancia las incidencias relativas a ausencias o incumplimientos para que valore sus posibles consecuencias jurídicas.

c) no debe atentar a la dignidad humana.

d) será facilitado por la Administración directamente o en virtud de convenios con otras Administraciones Públicas o entidades públicas o privadas, aunque se permite también que lo facilite el penado, en cuyo caso tras ser valorado por la Administración penitenciaria se pondrá en conocimiento del Juez de Vigilancia, cuando antes recaía en el mismo la obligación de autorizarlo. Aunque en el Reglamento de desarrollo de 2005 se atribuía directamente a la Administración Penitenciaria la responsabilidad de facilitar el trabajo, tras la reforma de dicho Reglamento en 2009, se ha ampliado a todas las Administraciones (estatal, autonómica y local) que remitirán mensualmente la oferta de trabajos a la Administración Penitenciaria.

e) goza de la protección en materia de seguridad social correspondiente y de las normas de prevención de riesgos laborales, aclarando el Reglamento de desarrollo que se refiere a las contingencias de accidentes de trabajo y enfermedades profesionales, salvo que se participe en talleres o programas ya que en este caso no les alcanza dicha protección.

f) no se supeditará al logro de beneficios económicos.

La supresión en el art. 49 CP de la supletoriedad de la Ley penitenciaria en lo no previsto por el Código Penal, ha de interpretarse como un expreso alejamiento del trabajo penitenciario y, con ello, de la privación de libertad.

Afortunadamente en la actualidad se recogen en el CP, y no en el Reglamento, las incidencias relevantes de su ejecución que pueden dar lugar a incumplimiento como son la ausencia del trabajo durante dos jornadas, rendimiento inferior al mínimo exigible, incumplimiento reiterado de las instrucciones del responsable o si por su conducta el responsable se niega a seguir manteniéndolo en el centro; el Juez de Vigilancia ha de valorar si hay incumplimiento y, por tanto, quebrantamiento de condena, si sigue cumpliendo o le envía a otro centro. Como no figura en este listado, no se puede entender como tal la inasistencia a la cita para la entrevista previa con los Servicios de gestión de penas y medidas alternativas, salvo que su aplicación derive de su función de pena sustitutiva, en cuyo caso se retornará a la pena principal.

Finalmente, respecto a las previsiones de la normativa interna penitenciaria hay que tener en cuenta la Instrucción SGIP 9/2011 de 1 de julio que regula el procedimiento a seguir en la citación y entrevista del penado para elaborar el plan de ejecución y las Instrucciones que recogen los distintos programas o actividades como la Instrucción SGIP 4/2014 de 30 de enero respecto a los talleres formativos de seguridad vial o la Instrucción SGIP 10/2015 de 18 de diciembre respecto a programas de violencia sexual, de género y otros.

Bibliografía: Cervelló Donderis, V. "Suspensión de la pena y valoración de la peligrosidad criminal" en *Derecho Penal de la peligrosidad y prevención de la reincidencia* (Dtor. E. Orts) Valencia 2015. **Cervelló Donderis, V.** "La gestión penitenciaria de la ejecución de alternativas y sanciones comunitarias" en *Guía práctica de Derecho Penitenciario* (Dtor. J. León), Wolters Kluwer, Madrid, 2022. **Blay Gil, E.** "Nuevos tópicos acerca del trabajo en beneficio de la comunidad: la necesidad de una discusión basada en conocimientos empíricos" *In Dret* 4/2007. **Brandariz García, J. A.** "Las penas de trabajo en beneficio de la comunidad y localización permanente" *Comentarios a la reforma del Código Penal de 2015* 2ª edición, (Dtor. J. L. González Cussac) Valencia, Tirant lo Blanch, 2015. **Cid Moliné, J. /Larrauri Pijoan, E.** (coords.) *Alternativas a la prisión*. Barcelona 1997. **García Albero, R.** "La suspensión de la ejecución de las penas" en *Comentario a la reforma penal de 2015* (Dtor. G. Quintero Olivares) Navarra 2015. **Leganés Gómez, S.** "La expulsión de los penados en el Código penal de 2015" *Diario La ley nº 8579*. **Mapelli Caffarena, B.** "Teoría de la pena" en *Curso de Derecho Penal Parte General.* J. Cuello Contreras/B. Mapelli Caffarena, 3ª Ed. Madrid 2015. **Sánchez Herrador, F. J.** "Los trabajos en beneficio de la comunidad. La intervención de la Administración Penitenciaria" *Diario La Ley* nº 9769 13 enero 2021. **Vieira Morante, F. J.** (Dtor) *Las penas y sus alternativas* CDJ IV, 2005. **Villacampa Estiarte, C./Torres Rosell, N.** "El nuevo régimen de ejecución de las sanciones alternativas a la prisión" *Revista Derecho y proceso penal* nº 27, 2012.

Capítulo 6º

LA RELACIÓN JURÍDICA PENITENCIARIA

1. CONTENIDO

1.1. Nacimiento

La relación jurídico-penitenciaria es una relación de Derecho Público entre el Estado y la persona que tanga la condición de preso o penado.

Esta relación puede nacer por los siguientes motivos:

a) si se trata de presos, a través del auto que acuerda la prisión preventiva.

b) si se trata de penados, a través de la sentencia condenatoria firme, manteniendo hasta su firmeza una situación igual a la de los preventivos. A los penados que hayan estado previamente en situación de preventivos se les abonará para el cumplimiento de la condena el tiempo que hayan estado privados de libertad de forma preventiva por esa causa u otras anteriores a su ingreso en prisión (art. 58 CP), siempre que no se hubiera cumplido simultáneamente con una pena privativa de libertad impuesta por otra causa. Este último párrafo se añadió en la reforma penal de 2010 para evitar el cumplimiento simultáneo que permitía el silencio anterior del Código Penal y avaló la STC 57/2008 de 28 abril[97] y que, ya tras las reforma, ha sido así entendido por la STS 28.3.2011 (R. 2917).

---

97 Esta sentencia al permitir el abono de una prisión preventiva cumplida al mismo tiempo que una condena de prisión, contradecía el significado de la doctrina Parot (STS 28.2.2006 R. 70176) que anteriormente había modificado el cómputo

El procedimiento de ingreso se regula en el art. 15 RP, abriéndose desde ese momento un expediente personal sobre la situación procesal, penal y penitenciaria que forma el protocolo que acompaña al recluso a lo largo de toda su vida penitenciaria.

El título de recepción por el cual se va a admitir el ingreso puede ser el siguiente:

a) *orden judicial de detención*: según los criterios del art. 490 y ss. LECR.

b) *detención policial*: según los criterios del art. 492 LECR, y con los requisitos formales del art. 15.2 RP (datos del detenido, delito imputado, que se halla a disposición judicial, hora y día de vencimiento del plazo máximo legal).

c) *detención por el Ministerio Fiscal*: con los requisitos formales del art. 15.3 RP (identificación de las diligencias de investigación y plazo de vencimiento de la prisión) en virtud del art. 5 Estatuto Orgánico del Ministerio Fiscal de 30 de diciembre de 1981.

d) *mandamiento de prisión*: según los criterios de los arts. 503 y 504 LECR, modificados por la Ley 13/2003 de 24 de octubre.

e) *sentencia firme de la autoridad judicial.*

f) *presentación voluntaria*: según el art. 16.3 RP se ha de requerir en las 24 horas siguientes al ingreso el correspondiente mandamiento judicial.

Como supuestos especiales hay que tener en cuenta que si se trata de extranjeros se comunica su ingreso a las autoridades consulares, si se trata de madres se admite que vayan acompañadas de sus hijos menores de tres años y que, en todo caso, si en las 72 horas siguientes al ingreso no llega la orden judicial de prisión, hay que liberar a los detenidos como señala el art. 17.2 LOGP y 23 RP.

1.2. Extinción

Esta relación jurídica se extingue en los siguientes supuestos:

---

total del concurso de delitos para garantizar el máximo de treinta años en las penas largas.

a) *cumplimiento de la condena*: Una vez finalizado el tiempo señalado en la sentencia, se ha de aprobar la libertad definitiva por el mismo Tribunal que la dictó, para ello el Director del Establecimiento, con arreglo a la liquidación practicada, debe mandar dos meses antes de su término la propuesta de libertad al Tribunal, y reiterarla de nuevo quince días antes de la fecha propuesta, con el apercibimiento de que de no recibir respuesta se pondrá en libertad al recluso (art. 24.2 RP).

Recibida la orden de libertad, el Director dará orden escrita y firmada al Jefe de servicio para su cumplimiento, previamente la Oficina de régimen habrá revisado el expediente personal del interno para comprobar que no tiene causas pendientes y finalmente se procede a su identificación con el cotejo de huellas dactilares y comprobación de datos de filiación.

En caso de que se hubiera impuesto la medida de libertad vigilada en la sentencia, la Junta de Tratamiento antes de que el penado termine de cumplir la pena de prisión, debe informar sobre su evolución al Juez de Vigilancia, con una propuesta motivada de medidas concretas en función del pronóstico de peligrosidad.

Para subvenir a las primeras necesidades, los arts. 17.4 LOGP y 30 RP contemplan una serie de ayudas económicas para quienes carezcan de recursos.

b) *indulto*: El indulto total extingue completamente la relación penitenciaria, mientras que el parcial tan sólo reduce la duración de la pena permitiendo la continuidad de la relación penitenciaria. Viene regulado en la Ley de indulto de 1870 (reformada por ley de 14 de enero de 1988) y por el art. 130 CP. Aprobado el indulto, hasta que no llegue la orden de libertad dictada por el Tribunal sentenciador, no se puede proceder por el Director del Establecimiento a poner en libertad al penado.

Un supuesto diferente es el que recoge el art. 206 RP que contempla como beneficio que la Junta de Tratamiento proponga al Juez de Vigilancia que tramite el indulto particular para los internos que, durante dos años de modo continuado, hayan presentado buena conducta, desarrollado actividades laborales y participado en actividades de reeducación y reinserción, todo ello de manera extraordinaria.

Una vez solicitado el indulto, hasta que se resuelva su petición, pero antes del cumplimiento de la condena, se puede solicitar al Tribunal sentenciador que suspenda la ejecución de la pena para evitar dilaciones indebidas o se frustren los fines de la pena, art. 4.4 CP.

c) *prescripción de la pena*: Al igual que el indulto, la prescripción extingue la responsabilidad penal y con ello la relación penitenciaria. Transcurridos los plazos señalados por el art. 133 CP las penas ya no pueden ejecutarse, comenzando a contarse desde que la sentencia es firme, o desde que se quebranta, si ya había empezado a cumplirse.

d) *presos y detenidos*: Los detenidos se liberan a las 72 horas del ingreso si no ha llegado la orden judicial de prisión según el art. 17.2 LOGP, de lo contrario puede ser constitutivo de la conducta castigada en los arts. 530 a 532 CP como prolongación indebida de la detención. En el mismo caso nos encontraremos si la prisión preventiva se prolonga más allá de lo dispuesto por la autoridad judicial, cuyo plazo legal máximo es de cuatro años según reza el art. 504.2 LECR, con la prorroga excepcional de la mitad de la pena impuesta en el caso de interposición de recurso.

2. DERECHOS DE LOS INTERNOS

El art. 25.2 de la Constitución establece que el condenado a pena de prisión gozará de los derechos fundamentales a excepción de los que se vean expresamente limitados por el contenido del fallo condenatorio, el sentido de la pena y la ley penitenciaria.

Esto significa que el recluso tiene los mismos derechos fundamentales que cualquier ciudadano con las excepciones constitucionales y, además, los derechos penitenciarios de los reclusos. Su regulación global viene incluida en el art. 3 LOGP y de manera más detallada en el art. 4.2 RP.

2.1. Derechos generales con peculiaridades penitenciarias

a) *derecho a la vida e integridad física*: la Administración ha de prestar las condiciones mínimas para su ejercicio tales como alimentación sana y equilibrada, asistencia sanitaria, prendas de vestir adecuadas, prohibición de malos tratos y protección contra agresiones físicas...art. 3.4 LOGP y 4.2 a) RP.

b) *derecho a la igualdad*: se garantiza el derecho a no establecer diferencias por razones de raza, opiniones políticas, creencias religiosas, condición social o cualquier otra circunstancia análoga, art. 3 LOGP. Este derecho puede entrar en contradicción con la imposibilidad normativa de que los hombres puedan estar acompañados por sus hijos menores de tres años a diferencia de las mujeres a las que sí que se les permite (art. 38.2 LOGP) y en la equiparación del trabajo doméstico con trabajo exterior a efectos de tercer grado, también restringido a mujeres (art. 82.2 RP).

c) *derecho al honor y a la intimidad*: Una referencia a la protección de la dignidad humana se da cuando se garantiza el derecho a ser designado por el propio nombre art. 3.5 LOGP, a llevar prendas de vestir que carezcan de elementos considerados indignos y que no denoten la condición de reclusos art. 20 LOGP, así como cuando exige respetar tal derecho en los traslados (art. 18 LOGP). En cuanto a la intimidad, se ha de proteger en comunicaciones y correspondencia (art. 51.1 LOGP), visitas (art. 45.7 RP), cacheos (art. 68.3 RP), especialmente en los casos de desnudo integral, así como cuando se haya de alojar a más de una persona en una celda (art. 13 RP) extremo que la STC 195/1995 de 19 de diciembre entendió que no atentaba al derecho fundamental al permitir la propia legislación penitenciaria la posibilidad de celdas compartidas.

En virtud de la STC 37/89 de 15 de febrero y STC 57/94 de 28 de febrero el derecho a la intimidad personal puede ceder ante exigencias públicas, pero siempre que *su ejecución sea respetuosa de la dignidad de la persona* y no constitutiva, atendidas las circunstancias, de trato degradante alguno. De esta manera cualquier intromisión a la intimidad ha de ser reglamentariamente correcta y, además, respetuosa con la dignidad humana en la forma de llevarlo a cabo.

El Reglamento Penitenciario ha querido mencionar la protección de la intimidad en la regulación del uso de datos de carácter personal recogidos en los ficheros informáticos en los arts. 6 a 9, por ello para evitar que se cometan irregularidades por hacer un mal uso de ellos, están sometidos a la legislación de protección de datos. El RD 268/2022 de 12 de abril de reforma del Reglamento Penitenciario ha modificado la cesión de datos de carácter personal de los reclusos para adaptarlos a la LO 7/2021 de 26 de mayo de protección de datos personales tratados para fines de prevención, detección, investigación y enjuiciamiento de infracciones penales y de ejecución de sanciones penales.

La Instrucción SGIP 12/2011 de 29 de julio reguló la utilización de ficheros especiales de información de determinados grupos de internos con fines exclusivamente administrativos y no regimentales.

d) *derecho a la libertad religiosa e ideológica*: art. 54 LOGP, prueba de la protección a su ejercicio es el art. 51.3 LOGP que garantiza las visitas de ministros de su religión y el art. 21.2 LOGP que garantiza el respeto a las convicciones filosóficas y religiosas en la alimentación que se proporciona a los reclusos.

e) *derechos civiles, políticos y sociales*: vienen reconocidos en el art. 3.1 LOGP salvo que fueran incompatibles con el cumplimiento de la condena.

En cuanto a los derechos *civiles:* el derecho a la propiedad no se pierde por la condición de recluso, pero se puede limitar ya que el dinero, alhajas y otros objetos de valor se intervienen (art. 70 y 301.1 RP) salvo, por regla general, en los centros abiertos; además los derechos familiares también se respetan a través de las comunicaciones, visitas y permisos (art. 47, 51, 52 y 52 LOGP).

Los derechos *políticos* no son afectados por la pena de prisión, salvo que la condena lo sea también a inhabilitación y alcance a la privación del derecho de sufragio pasivo.

En cuanto a los derechos *sociales* la Constitución los reconoce en el art. 25.2 a través de la mención al derecho al trabajo y a los beneficios de la seguridad social que el art. 3.2 y 35 de la LOGP también garantizan.

2.2. Derechos penitenciarios

a) derecho a ser informado por escrito de la organización del Establecimiento, sus derechos y deberes y normas disciplinarias (art. 49 LOGP).

b) derecho a continuar los procedimientos pendientes (art. 3 LOGP) y a recibir información personal actualizada sobre su situación procesal y penitenciaria (art. 4.2 k RP).

c) derecho al tratamiento penitenciario (art. 4.2 d RP).

e) derecho a las relaciones con el exterior y beneficios penitenciarios previstas en la ley (art. 4.2 e y 4.2 h RP).

f) derecho a formular peticiones y quejas (art. 4.2 j RP).

g) derecho a un trabajo remunerado y a las prestaciones públicas (art. 4.2 f y 4.2 g RP)

h) derecho a participar en las actividades de la prisión (art. 24 LOGP) a salvo de las que impliquen facultades disciplinarias.

2.3. La limitación de los derechos del recluso. Régimen de garantías

El art. 25.2 CE garantiza el disfrute de los derechos del recluso a excepción "*de los que se vean expresamente limitados por el contenido del fallo condenatorio, el sentido de la pena y la ley penitenciaria*".

En cuanto a las limitaciones de la *propia condena,* además de la inherente restricción de la libertad de movimientos al interior del Establecimiento, la pena de prisión igual o superior a diez años lleva aparejada la inhabilitación absoluta como accesoria y, con ello, la privación automática de todos los honores, empleos o cargos públicos y la de ser elegido para cargo público (art. 55 CP); por su parte, la pena de prisión de hasta diez años puede ir acompañada de la inhabilitación especial con el contenido concreto que determine el Juez entre las opciones que le presenta el art. 56 CP.

En segundo lugar, las limitaciones referidas al *sentido de la pena* van referidas a aquellos derechos que, si bien no resultan afectados por el fallo condenatorio, son de imposible ejercicio[98], como es básicamente el derecho a la libertad de residencia, que puede verse menos afectado si se cumple la finalidad de evitar el desarraigo que señala el

---

98 Cobo del Rosal, M.-Boix Reig, J." Derechos fundamentales del condenado. Reeducación y reinserción social" en *Comentarios a la legislación penal. Tomo I DP y Constitución*. Madrid 1982, pág. 225.

art. 12 LOGP al referirse a la ubicación de los Establecimientos, así como otros derechos como el de reunión o asociación.

Por último, las limitaciones que imponga la *ley penitenciaria* (ya que sólo una ley orgánica[99] puede restringir los derechos fundamentales en virtud de los arts. 53.1 y 81.1 de la Constitución), muchas veces asociados a la propia organización penitenciaria, han de respetar en todo caso el contenido esencial del derecho afectado[100]. Todos ellos e basan en razones de tratamiento o seguridad y orden y aparecen, entre otros, en los siguientes supuestos:

– medios coercitivos (art. 45 LOGP)

– comunicaciones (art. 51.5 LOGP)

– visitas (art. 42.2 d LOGP)

– cualquier derecho reconocido en la Ley por graves alteraciones del orden (Disposición Final 1ª LOGP)

Pese a ello, el Tribunal Constitucional viene respaldando que la limitación de derechos pueda realizarse no sólo por la ley sino por toda la legislación penitenciaria, incluidas las normas reglamentarias, lo que se utiliza en exceso, especialmente en las normas de seguridad del régimen cerrado (art. 93 y 94 RP) y en otras como la limitación a la tenencia de publicaciones (art. 128.2 RP).

La posibilidad de limitar cualquier derecho por graves alteraciones del orden, si bien no se aclara, ha de entenderse sólo respecto a los de tipo penitenciario y no a los generales que derivan directamente de la Constitución, pues es en ella donde se regula su suspensión (art. 55 CE)[101].

Régimen de garantías

Los internos tienen derecho a formular peticiones y quejas ante el Director o persona que lo represente (art. 50.1 LOGP y 53 RP)

---

99 En contra, entendiendo que la expresión ley penitenciaria alude al bloque de legalidad y con ello comprende también las normas reglamentarias Bueno Arús, F "Derechos de los internos" en *Comentarios a la legislación penal* Edersa, tomo VI vol. I Madrid 1986 pág. 79.

100 Lamarca Pérez, C. "Régimen penitenciario y derechos fundamentales" *EPyC* nº 16, 1992-1993, pág. 225

101 Lamarca Pérez, C. *op. cit.* pág. 227

y a interponer los recursos previstos por la ley (art. 50.2 LOGP y 54 RP). Todos estos derechos están sometidos a un control judicial por parte del Juez de Vigilancia y a un control político por parte del Parlamento a través de preguntas, interpelaciones y visitas a los Centros. Finalmente, el Defensor del Pueblo tiene encomendada también la función de control, para lo cual goza de un trato preferente, tanto en comunicaciones (art. 49.2 RP), como en la recepción de peticiones y quejas (53.4 RP).

3. DEBERES DE LOS INTERNOS

El art. 4 LOGP señala los deberes de los reclusos:

a) permanecer en el Establecimiento, lo que se castiga en los arts. 468 y 469 CP como delito de quebrantamiento de condena.

b) acatar las normas de régimen interior, entre las que se encuentran las relativas a horario, seguridad, orden y limpieza o cumplir las sanciones penitenciarias impuestas. Su incumplimiento implica consecuencias disciplinarias.

c) mantener una actitud de respeto y consideración con los funcionarios y autoridades judiciales o de otro orden. Según la entidad produce consecuencias penales o disciplinarias.

d) mantener una conducta correcta con los compañeros.

e) utilización adecuada de los medios materiales y las instalaciones. De su incumplimiento derivan consecuencias disciplinarias.

4. LA RELACIÓN DE SUJECIÓN ESPECIAL Y SUS CONSECUENCIAS

Las relaciones de sujeción especial implican una relación de dependencia especial entre la Administración y determinados grupos de administrados, entre los que se encuentran, entre otros colectivos, los reclusos.

El Tribunal Supremo había empleado en alguna ocasión esta expresión en 1976, pero es el Tribunal Constitucional el que ha reiterado en distintos pronunciamientos que la relación de los internos con la Administración Penitenciaria es de sujeción especial, como se recoge en las siguientes sentencias:

STC 2/1981 de 30 de enero sobre compatibilidad entre sanciones penales y administrativas.

STC 2/1987 de 21 de enero sobre la regulación administrativa de las infracciones penitenciarias.

STC 120/1990 de 27 de junio sobre alimentación forzosa a reclusos en huelga de hambre.

Esta figura nació en el Derecho Administrativo alemán para justificar una situación de acentuada supremacía de la Administración que permitía restringir derechos a los administrados sin demasiados límites, a través de las normas que surgían de su propia potestad sancionadora. Para limitar esta potestad, la sentencia de 14 de marzo de 1972 del Tribunal Constitucional alemán entendió que dicha restricción de derechos efectuada por la Administración a los reclusos debía cumplir las garantías formales a través de una ley[102].

En España se introdujo en Derecho Administrativo por Gallego Anabitarte[103] para justificar la mayor intensidad de la primacía de la Administración sobre algunos colectivos, como es el caso de los reclusos. Esto implicaba unos intereses propios de la Administración que, a diferencia de los casos en que defiende intereses colectivos, no impedían simultanear sanciones penales y administrativas, ni que las infracciones se regularan por normas reglamentarias[104]. Tal innegable superioridad que supone el sometimiento a un entramado de derechos y deberes recíprocos, se ha visto en los últimos años criticada por su incompatibilidad en un Estado de Derecho, dada la inadmisible restricción de derechos a la que se ha llegado haciendo uso de ella.

---

102 Mapelli Caffarena, B. "Las relaciones especiales de sujeción y el sistema penitenciario". *EPyC* XVI 1992-1993 pág. 303.

103 Gallego Anabitarte, A. "Las relaciones especiales de sujeción y el principio de legalidad de la Administración". *RAP* 1961 nº34 pág. 11 y ss.

104 González Navarro, F. "Poder domesticador del Estado y derechos del recluso" en *Estudios sobre la Constitución Española Homenaje a García Enterría* Tomo II Madrid 1991 pág. 1088.

En el ámbito penitenciario la referencia, a veces indiscriminada, de la relación de sujeción especial por los Tribunales ha conducido a las siguientes consecuencias:

– se excluye de la reserva de ley a la potestad reglamentaria de la Administración, con lo cual la descripción de las infracciones penitenciarias puede estar en el Reglamento.

– se permite a la Administración que imponga sanciones que afectan a la libertad, como el aislamiento en celda.

– se permite a la Administración que realice intervenciones corporales coactivas, como sucedió con la huelga de hambre penitenciaria.

– se permite la doble sanción: disciplinaria y penal, siempre que respondan a distinto fundamento.

– se permiten restricciones de derechos en sede reglamentaria, como las limitaciones regimentales previstas en el art. 75 RP.

Esta situación podría variar si se respetaran los requisitos mínimos que ha de tener la relación de supremacía especial en un Estado de Derecho y que son los siguientes:

– cualquier restricción de derechos ha de venir contemplada en la Ley, no en el Reglamento.

– dicha restricción ha de respetar el contenido esencial de los derechos fundamentales.

– ha de estar sometida a posterior control judicial.

El Tribunal Constitucional ha matizado progresivamente su posición sobre la relación de sujeción especial en dos momentos y sentidos diferentes:

En el primero, localizado a partir de los años 90, se marcan los límites del ejercicio del poder de sujeción a la estricta observancia de la legalidad y prioritaria reinserción social (STC 129/1995 de 11 de septiembre), con un sentido reductivo compatible con el valor preferente de los derechos fundamentales (STC 58/1998 de 16 de marzo) y estableciendo su vigencia dentro del Derecho y no al margen de él (STC (pleno) 188/2005 de 7 de julio).

En el segundo, de época más reciente, se percibe un cierto desplazamiento de la relación de sujeción especial para centrar la atención en la preferencia de los derechos fundamentales del interno como la libertad de expresión, (STC 18/2020 de 10 de febrero) o la tutela judicial efectiva (STC 164/2021 de 4 de octubre)[105].

5. ÓRGANOS PENITENCIARIOS[106]

La Administración penitenciaria para la gestión y realización de las tareas que la legislación de la materia le encomienda dispone de una serie de órganos que, al formar parte de la Administración Pública, han de servir a los intereses generales, como señala el art. 103 de la Constitución española. Es competencia de la Administración la función motivadora de los internos, en orden a la consecución del seguimiento del tratamiento penitenciario para suplir sus carencias[107], un respeto a las normas de convivencia dentro y fuera del Centro penitenciario, etc...siendo el acierto o desacierto de la Administración en estos cometidos lo que determine el cumplimiento de la finalidad establecida constitucionalmente de las penas privativas de libertad. Para la obtención de los objetivos que debe realizar la Administración, se organizará de forma que obtenga una mayor funcionalidad en su competencia[108] y la Administración se compondrá, a tenor de lo dicho, de una serie de órganos colegiados o unipersonales a través de los cuales cumplirá con su cometido.

---

105 Solar Calvo, P. "Análisis de dos resoluciones revolucionarias: las SSTC de 27 de enero y 10 de febrero de 2020(1)" *La Ley Penal* nº 144, mayo-junio 2020.

106 Este epígrafe ha sido redactado por el profesor César Chaves Pedrón.

107 Vid. López Araujo, J. F. "Comentario sobre los órganos colegiados encargados del tratamiento en la Ley Orgánica General Penitenciaria y en el Reglamento Penitenciario" en *CPC* nº 41 1990, pág. 399, donde considera el tratamiento penitenciario como un conjunto de actividades dirigidas a conseguir un régimen de vida coherente e intentar una modificación de los aspectos que hicieron, a un sujeto, cometer un hecho delictivo.

108 Por cuestiones de funcionalidad se han unificado las oficinas de régimen y de tratamiento por Instrucción 11/2007 modificada por la 3/2009 de la DGIP ahora SGIP. También se realizarán convenios con Asociaciones y ONGs para poder llevar a cabo las tareas encomendadas, más ampliamente véase la Instrucción 2/2019 de la SGIP.

5.1. Órganos unipersonales

Director

Es la figura preponderante en un Centro penitenciario, pues, ostenta la representación de todos los órganos colegiados del mismo, así como del Centro Directivo (art. 280 RP).

La función que principalmente podemos destacar, por ser ésta, prácticamente, un resumen de sus atribuciones, es la de dirigir, coordinar y supervisar la ejecución de las directrices del Centro Directivo relativas a la vida del Centro, como tratamiento, régimen, sanidad, personal y gestión económico-administrativa[109]; decidir la separación interior de los internos, algo que va a incidir notablemente en la vida penitenciaria de estos (art. 280.2.9ª). También en el orden disciplinario tiene gran incidencia el Director, pues, puede adoptar medidas urgentes en caso de alteración del orden individual o colectivo, siempre que posteriormente dé cuenta al Centro Directivo; además puede adoptar medidas cautelares hasta que recaiga acuerdo definitivo en presuntas faltas disciplinarias cometidas por los internos.

La intervención del Director en algunas ocasiones tan solo es de representación, como la del Centro o la del Organismo Autónomo Trabajo y Prestaciones Penitenciarias, y en otras la de convocar y presidir los órganos colegiados de los que forma parte. Pero la actuación del Director comporta, de forma directa, la decisión sobre comunicaciones, salidas al exterior[110], conducciones de los internos, y algo mucho más importante como es la excarcelación definitiva en los casos en los que llegado el momento de la libertad definitiva, el Tribunal sentenciador no se haya pronunciado al respecto.

---

109 En este elenco de atribuciones consideramos las relativas a organizar, asignar, controlar, instruir y expedir certificaciones respecto de los empleados públicos del Establecimiento. También, supervisar la contabilidad y autorizar pagos de caja y extracción de fondos del Banco. Por último, decidir la separación interior de los internos, comunicar a sus familiares o persona designada la muerte, enfermedad o accidente grave del interno y distribuir en el centro penitenciario las circulares, órdenes e instrucciones de servicio dictadas por el Centro Directivo.

110 También en los casos que dispone el art. 47 LOGP, siempre con la previa autorización del Juez de Vigilancia o el Centro Directivo.

El Director incide en los aspectos fundamentales del desarrollo penitenciario sin posibilidad de sustracción a las decisiones que posibilitan el funcionamiento de la vida penitenciaria.

Subdirectores

Se trata de una figura dependiente del Director, es decir, que realizarán funciones que éste último les encomiende con fiel reflejo de sus instrucciones. Pese a lo dicho, la figura del Subdirector también encierra una función establecida por el Reglamento Penitenciario y que no queda a la fijación del Director: organizará y gestionará los servicios que tenga atribuidos en su puesto de trabajo, eso sí, con la dirección y supervisión del Director (art. 281 RP)[111].

Administradores

Las funciones del Administrador inciden en algunas de las apuntadas para los Subdirectores, por ello, el Reglamento Penitenciario en su art. 282 le otorga rango de Subdirector[112], aun así, el citado artículo establece un serie de funciones propias como son dirigir los servicios administrativos del centro penitenciario, en la mayoría de los casos bajo la supervisión del Director, extender talones de la cuenta de dicho centro junto con la firma mancomunada del Director o quien le supla, efectuar transferencias de los saldos del peculio, cuidar de los niveles de calidad y costes de bienes y servicios, y por último rendir cuentas ante los órganos competentes con informe de la Junta Económico-Administrativa y visado del Director.

Jefes de Servicio

Los Jefes de Servicio se encargarán de la coordinación de los servicios del área de vigilancia del centro penitenciario, y deberán adoptar, provisionalmente, las medidas indispensables para mantener el orden y buen funcionamiento de los servicios, informando al Director (art. 283 RP).

---

111 Vid. Juanatey Dorado, C. *Manual de Derecho Penitenciario*, Madrid 2011, pág. 106.

112 Este otorgamiento se entiende con todas las atribuciones, derechos y obligaciones, propias del cargo. También las incidencias reseñadas y contempladas en el art. 285 RP.

La aportación de los Jefes de Servicio a la vida penitenciaria es, fundamentalmente, en orden de seguridad y disciplina. Un ejemplo de lo que acabamos de exponer es la atribución realizada por el art. 44 RP por el que el Jefe de Servicios puede ordenar la suspensión de las comunicaciones orales cuando se cumplan los supuestos que se recogen en el citado artículo, es obvio mencionar que deberá dar cuenta de tal suspensión al Director a la mayor brevedad.

Por motivos de seguridad podrá efectuar recuentos extraordinarios (art. 67 RP) y autorizar los cacheos con desnudo integral (arts. 68 y 93 RP). Emitirá informe, junto con otros órganos, para aplicar, cuando sea necesario, el régimen cerrado en internos preventivos (art. 97 RP).

Por último, será precisa su intervención en los expedientes disciplinarios aportando alegaciones, documentos e informaciones, cuando sea un procedimiento abreviado por faltas leves, pudiendo acordar la tramitación por el procedimiento general cuando considere que los hechos son constitutivos de una falta grave o muy grave (art. 251 RP).

En resumen, ejerce unas competencias que, principalmente, consisten en el mantenimiento de la seguridad y el orden dentro del Establecimiento penitenciario.

Educador

Se trata de una figura con una injusta limitación en la participación de la vida penitenciaria. El art. 69.1 LOGP determina la posibilidad de colaborar con los equipos cualificados de especialistas que deban realizar las tareas de observación, clasificación y tratamiento de los internos. Se ha interpretado que colaborar no significa estar integrado en esos grupos, por ello, no pertenecen al colectivo indicado, aunque sí podrán colaborar con ellos[113]. Pero esta afirmación no está exenta de dudas, sobre todo, si valoramos la composición del art. 272.1 RP en el que se establece la posibilidad de que un Educador que haya intervenido en las propuestas pueda formar parte de la Junta de Tratamiento; en el mismo sentido el art. 274.2 RP considera la posibilidad de que el Educador forme parte integrante del Equipo Técnico.

---

113 En este sentido, López Araujo, J. F. *op. cit.* pág. 408.

Las funciones del Educador comienzan desde el momento en que una persona ingresa en un centro penitenciario, pues, a tenor del art. 20 RP la examina y deberá detectar sus carencias y necesidades, a fin de que junto con el Trabajador Social emita informe con propuesta de separación interior (al amparo de los arts. 99 RP y 16 LOGP) o de su traslado a otro centro penitenciario. En el mismo plano de examen y propuesta deberá, junto con el Trabajador Social, planificar la actividad de desarrollo personal, educativo, sociocultural y deportivo del interno.

Trabajador Social

Este profesional se encargará, principalmente, de realizar los informes sobre la situación familiar del interno; algo necesario para alcanzar la finalidad de reinserción social cuando existe apoyo familiar en el exterior. Llegó a estar fuera de la Junta de Tratamiento hasta que volvió a estar incluido por el RD 515/2005 de 6 de mayo. Su presencia es absolutamente necesaria en dicha Junta de Tratamiento y en el Equipo Técnico para aportar la información antes referida y que es de trascendental importancia a la hora de clasificación, permisos, etc.

5.2. Órganos colegiados

Consejo de Dirección

El Consejo de Dirección tiene una serie de cometidos que cristalizan en la ordenación de funcionamiento y convivencia dentro del centro Penitenciario, tal y como dispone al art. 271 RP con la exposición del elenco de funciones. Tanto es así, que la Disposición Transitoria 2ª RP ya encomendaba a los Consejos de Dirección de los respectivos centros penitenciarios adecuar las normas de régimen interior al citado Reglamento. Por ello, una de las principales funciones del Consejo de Dirección es la elaboración de normas de régimen interior del centro penitenciario, aunque tales normas deben ser aprobadas por la Administración penitenciaria, en este caso por el Centro Directivo[114]. Sin abandonar la citada competencia debemos hacer referencia a la

---

[114] Vid. Tamarit Sumalla, J. M. y otros *Curso de Derecho Penitenciario* 2ª Ed. Valencia 2005. pág. 125.

fijación de horarios de las comunicaciones ya sean orales, íntimas, familiares o de convivencia, así como la recepción de encargos y paquetes por los internos (art. 50 RP), y recuentos (art. 67 RP), horarios en general (art. 77 RP), etc.

La atribución al Consejo de Dirección la podemos resumir como la supervisión general del centro y elaboración de normas de régimen interior, incluso en los supuestos de alteración del orden en el centro deberán adoptar las medidas oportunas al respecto, dando cuenta al Centro Directivo. En resumen, todas las atribuciones que fija el mencionado art. 271 RP, pero que las podemos resumir como las de elaboración de las normas de régimen interior y la supervisión de la actividad general del centro penitenciario.

Una vez establecidas las funciones del Consejo de Dirección conformaremos la composición de éste, que presidirá el Director del Establecimiento penitenciario, a tenor de lo dispuesto en el art. 270 RP.

El Consejo de Dirección se reunirá en sesión ordinaria una vez al mes, y en sesión extraordinaria cuantas veces sea necesaria a criterio del Centro Directivo o el Presidente del Consejo de Dirección (art. 268.1 RP).

La Junta de Tratamiento

Este órgano se encargará, principalmente, de establecer y ejecutar los programas de tratamiento penitenciario (art. 273 RP). La competencia atribuida es compleja, pues, el sistema penitenciario español es el de individualización científica, tal y como se determina en los arts. 72.1 y 65.2 LOGP.

El funcionamiento penitenciario nos hace considerar a la Junta de Tratamiento como un órgano de suma importancia para el desarrollo de la vida penitenciaria del interno, pues, sus propuestas y decisiones condicionarán la vida dentro de prisión. A la Junta de Tratamiento le compete, previo estudio del interno, hacer la propuesta del grado más adecuado de clasificación, que elevará al Centro Directivo quien tomará la resolución última (arts. 100 a 109 RP).

Este órgano también se encargará de la ejecución del tratamiento penitenciario (art. 111 RP) con la evidente trascendencia de su funcionalidad para progresar de grado y conseguir los objetivos de reeducación y reinserción social.

La Junta de Tratamiento programará las actividades socio-culturales, deportivas, de formación profesional y ocupacional, comunes, formativas y lúdicas en las unidades de madres, adjudicaciones de puestos de trabajo (arts. 130, 131, 153, 171, 178 a 181 RP). Es decir, el programa de vida dentro del centro penitenciario que sirva para la mayor integración y formación de los internos. También proponer al Centro Directivo traslados de internos (art. 31.2 RP).

Otra función es la de planificar la medida de programa especializado en el exterior para internos clasificados en segundo grado con un perfil de baja peligrosidad social y sin riesgo de quebrantamiento de condena (art. 117 RP).

Una gran expectativa en la vida penitenciaria es la consecución de permisos de salida y beneficios penitenciarios, momento en el que interviene la Junta de Tratamiento con las propuestas de concesión o denegación, y que resolverá finalmente el Centro Directivo o el Juez de Vigilancia según el caso (arts. 160 a 162 RP). Respecto de los beneficios penitenciarios podrá proponer al Juez de Vigilancia Penitenciaria la concesión de éstos (adelantamiento de la libertad condicional e indulto —arts. 205 y 206 RP—). Las deliberaciones de la Junta tienen carácter reservado, y sus componentes deberán guardar secretos sobre las mismas[115].

Informará en la creación de las Unidades Dependientes, así como la selección de los internos que hayan de ser destinados a las mismas (arts. 166 y 167 RP), y designación de los internos que desempeñarán las funciones de servicios auxiliares de los centros.

Corresponde al órgano citado iniciar el expediente de libertad condicional, emitiendo los pronósticos de integración social del interno, remitirlo al Juez de Vigilancia Penitenciaria, y cuando ésta haya sido concedida establecer las directrices del control de los penados en dicha situación (arts. 194, 195, 198 y 200 RP).

La Junta de Tratamiento tiene la posibilidad de proponer a la Comisión Disciplinaria la suspensión o reducción de las sanciones que hayan sido impuestas a los presos (arts. 255 y 256 RP). Esto último se está aplicando en aquellos centros penitenciarios en los que se realiza

---

115 Vid. Rodríguez Alonso, A. y Rodríguez Avilés, J. A. *Lecciones de Derecho penitenciario*, 4ª ed. Granada 2011, pág. 127.

la mediación penitenciaria, a los internos que participan en ella con éxito[116].

En resumen, la incidencia de la Junta de Tratamiento en la vida penitenciaria es casi plena porque decidirá o informará en los aspectos más importantes de la vida penitenciaria. Su actuación determinará la flexibilidad o rigidez vital de los internos, así como sus posibilidades de salida al exterior en un tiempo más temprano de su licenciamiento definitivo. La funcionalidad de este órgano es trascendental para el desarrollo del entorno penitenciario, y actualmente el exceso de burocratización del mismo impide que se actúe con mejores resultados, algo que redunda en perjuicio de los internos.

Por último, la composición de la Junta de Tratamiento, que presidirá el Director del centro, se encuentra regulada en el art. 272 RP (reformado por el Real Decreto 419/2011 de 25 de marzo). Este órgano se reunirá, como mínimo, una vez al mes de forma ordinaria, y de forma extraordinaria cuantas veces sea necesario (art. 268.2 RP)[117].

Equipo Técnico

La función de los Equipos Técnicos constará, principalmente, de la atención a la vida penitenciaria del interno (art. 275 RP). Esta tarea la desarrollarán a través de la ejecución de los programas de tratamiento o los modelos individualizados de intervención que previamente haya establecido la Junta de Tratamiento para cada interno (art. 111 RP). Conocedor de los programas de tratamiento o modelos individualizados, podrá proponer a la Junta de Tratamiento que se adapte, a cada penado, aspectos característicos de cada grado con el fin de ejecutar un programa que necesite tal adecuación para su correcta ejecución (art. 100.2 RP). No solo se ocupan de estas cuestiones, también de informar a los internos de los objetivos a alcanzar (art. 112 RP). El Equipo Técnico debe llegar a un conocimiento tan importante de los internos que propondrá a la Junta de Tratamiento las medidas necesarias para superar las carencias de éstos.

---

116 Vid. Autos JVP Madrid nº 1 de 03-08-2007 y 13-06-2008.

117 Vid. Instrucción SGIP 5/2011 de 31 de mayo sobre las reuniones de la Junta de tratamiento tras la reforma del RP, entre otras cuestiones.

Por último, han de elaborar los informes sobre los internos a la hora de la concesión o denegación de los permisos de salida (arts. 154, 156, 157 y 160 RP).

Los Equipos Técnicos los podrán formar, a tenor del art. 274 RP, un Jurista, Psicólogo, Pedagogo, Sociólogo, Médico, ATS, Maestro o Encargado de Taller, Educador, Trabajador social, Monitor Sociocultural o Deportivo y un Encargado de Departamento. El número y composición de los Equipos Técnicos los fijará el Consejo de Dirección (art. 271 d) RP).

Comisión Disciplinaria

Es el órgano colegiado encargado del orden disciplinario en el centro penitenciario (art. 277 RP)[118]. Pero el ámbito disciplinario no solo lo constituyen las infracciones y posteriores sanciones, sino también la concesión de recompensas, a tenor de lo previsto en el art. 264 RP, cuando concurran en los internos los requisitos del art. 263 RP.

Respecto de las sanciones a imponer en los expedientes disciplinarios, se encargarán de su resolución, la notificación al interno, la ejecución de la sanción, así como su suspensión o revocación cuando así proceda. Anotarán y registrarán en los expedientes de cada interno las instrucciones disciplinarias que han acompañado la vida penitenciaria del mismo y las sanciones que se le hayan impuesto.

La composición de la Comisión Disciplinaria será la integrada por el Director del centro que la presidirá, el Subdirector de Régimen, el Subdirector de Seguridad, un Jurista del centro, un Jefe de Servicios, un funcionario de la plantilla de dicho centro penitenciario, actuando como Secretario, con voz, pero sin voto, un funcionario del centro que designe el Director (art. 276 RP).

Por último, la Comisión Disciplinaria se reunirá cuatro veces al mes de forma ordinaria, y de forma extraordinaria cuantas veces lo requiera su presidente (art. 268.3 RP).

---

118 Vid. Juanatey Dorado, C. *op. cit.* págs. 104 y 105.

Junta Económico-Administrativa

Este órgano colegiado se encargará de los aspectos económicos que rigen la vida del centro penitenciario (art. 279 RP). Sin perjuicio de las atribuciones que le puedan hacer tanto el Centro Directivo como el Director del centro penitenciario, se ocupará de la gestión de todo aquello que tenga una finalidad y repercusión económica. Los supuestos más habituales serán la gestión de personal, la gestión económico-administrativa, presupuestaria y contable del centro penitenciario, así como el análisis y proposición presupuestaria en orden a conseguir los medios necesarios para el correcto funcionamiento del citado centro penitenciario. También examinar y emitir informe sobre los gastos de alimentación propios de un Establecimiento (art. 309 RP). Estudiar la posibilidad de costear a un interno sin recursos el traslado de sus pertenencias personales cuando superen los 25 kilogramos (art. 318.2 RP).

La composición de este órgano, a tenor del art. 278 RP, será la de su Presidente en la persona del Director del centro, un Administrador, el Subdirector Médico o Jefe de los Servicios Médicos, el Subdirector de Personal, si lo hubiere, el Coordinador de Formación Ocupacional y Producción o el Coordinador de los servicios sociales, cuando sean convocados por el director, y un Jurista del centro. Como Secretario, con voz, pero sin voto, actuará un funcionario del Establecimiento designado por el Director.

Bibliografía: Cesano, J. D./Reviriego, F. *Teoría y práctica de los derechos fundamentales en las prisiones.* 2010. **Cobo, M./Boix, J.** "Derechos fundamentales del condenado. Reeducación y reinserción social" en *Comentarios a la legislación penal. Tomo I DP y Constitución*, Madrid 1982. **Duque Villanueva, J. C.** "El derecho a la intimidad personal y familiar en el ámbito penitenciario" *Cuadernos Derecho Judicial* nº 22, 1996. **García Morillo, J.** "Los derechos fundamentales de los internos en los centros penitenciarios" *PJ* nº 47, 1997. **Lamarca Pérez, C.** "Régimen penitenciario y derechos fundamentales". *EPyC* T. XVI, 1993. **López Araujo, J. F.** "Comentario sobre los órganos colegiados encargados del tratamiento en la Ley Orgánica General Penitenciaria y en el Reglamento Penitenciario" en *CPC* nº 41 1990. **López Benitez, M.** *Naturaleza y presupuestos constitucionales de las relaciones especiales de sujeción* 1ª Ed Madrid 1994. **Mapelli Caffarena, B.** "Las relaciones especiales de sujeción y el sistema penitenciario". *EPyC*, T. XVI 1993. **Muñagorri, I./Pinto de Miranda, A. M./Rivera, I.** *Legalidad constitucional y relaciones penitenciarias de especial sujeción* Barcelona 2000. **Rodríguez Blanco, M.** *La libertad religiosa en centros penitenciarios.* Madrid 2008. **Ruiloba**

Alvariño, J. *El convenio europeo para la prevención de la tortura y de las penas o tratos inhumanos o degradantes, de 26 de noviembre de 1987: su aplicación en España.* Madrid 2004. "El Comité de Derechos Humanos: examen de los informes y las quejas individuales presentadas contra España", en *España y los órganos internacionales de control en materia de derechos humanos* (Coord. C. Fernández Casadevante) Madrid 2010. **Solar Calvo, P.** "Consecuencias penitenciarias de la relación de sujeción especial. Por un necesario cambio de paradigma" *ADPCP* vol. LXXII, 2019.

Capítulo 7º

JURISDICCIÓN PENITENCIARIA

1. EL JUEZ DE VIGILANCIA PENITENCIARIA

1.1. Origen

Hasta la aprobación de la LOGP el Tribunal sentenciador dictaba la sentencia condenatoria, adoptaba las medidas necesarias para que el reo ingresara en prisión y volvía a intervenir para acordar la excarcelación, esto significa que dentro del recinto carcelario su actividad era prácticamente inexistente hasta el punto que la decisión de una figura tan importante, como la concesión de la libertad condicional, era tomada por un órgano mixto en el que intervenían tanto autoridades administrativas como judiciales. Esta situación daba lugar a que se mantuviera entonces que la ejecución dependía totalmente de la Administración y que la actividad judicial cesaba en las puertas de la prisión.

Las normas internacionales sobre la materia plantearon la necesidad de un control externo y ajeno a la Administración, que tuviera la finalidad de supervisar la actuación gubernativa, lo que fue asumido por la el art. 117.3 CE al declarar la competencia exclusiva de Juzgados y Tribunales de "juzgar y hacer ejecutar lo juzgado"; en cumplimiento de tal exigencia, la legislación española creó los Juzgados de Vigilancia penitenciaria con las funciones específicas de ejercer un control judicial sobre la Administración Penitenciaria, controlar la legalidad en la ejecución y tutelar los derechos de los reclusos.

Como consecuencia de ello los Juzgados de Vigilancia han asumido algunas funciones que antes correspondían a la Administración

Penitenciaria, como la aprobación de beneficios penitenciarios, algunas sanciones y algún tipo de permisos; otras que competían al Tribunal sentenciador, como la garantía del cumplimiento de la condena; y otras que correspondían a los Tribunales de lo contencioso-administrativo, como la resolución de recursos de los internos contra actos de la Administración, lo que demuestra su doble vertiente de naturaleza jurisdiccional penal en lo relativo a la ejecución de la pena de prisión y naturaleza jurisdiccional contencioso-administrativa en lo relativo al control sobre la Administración Penitenciaria[119].

La última reforma sobre la organización de este órgano jurisdiccional se produjo a través de la Ley 5/2003 de 27 de mayo que modificó los arts. 1, 6 y 18 de la Ley 38/1988 de 28 de diciembre de Demarcación y Planta Judicial y el art. 94.4 de la LOPJ de 1 de julio de 1985, al crear los Juzgados Centrales de Vigilancia Penitenciaria en la Audiencia Nacional. La creación de estos Juzgados garantiza la centralización de todas las resoluciones judiciales penitenciarias de los delitos juzgados por la Audiencia Nacional, entre los que hay que destacar por su importancia los de terrorismo.

1.2. Funciones

Las funciones que competen a los Juzgados de Vigilancia penitenciaria vienen reguladas en el art. 76 LOGP y se pueden agrupar en tres ámbitos: aquellas funciones decisorias en las que actúan en primera instancia, otras en las que interviene en segunda instancia resolviendo recursos y otras en las que su cometido es sólo tener conocimiento.

Decisorias en primera instancia:

a) *Conceder la libertad condicional y acordar su revocación,* art. 76.2 b): La propuesta la hace la Junta de Tratamiento cuando el interno haya cumplido tres cuartas partes de la condena, esté clasificado en tercer grado y presente buena conducta, según indica el art. 90 CP. Todas las modalidades actualmente previstas (ordinaria, adelantada, cualificada, primarios, terroristas, enfermos muy graves y septuagenarios) quedan bajo su competencia, salvo la prevista en el art. 91.3

---

119 Acuerdo reunión anual Jueces de Vigilancia Penitenciaria 1993.

CP para enfermos y mayores con peligro patente para su vida y la de la prisión permanente revisable, que quedan bajo la competencia del Juez o Tribunal sentenciador. La revocación se dará por las causas específicas del art. 90 CP y por las causas generales de los supuestos de suspensión previstas en el art. 86.1 CP.

b) *Acordar propuestas de beneficios que supongan acortamiento de la condena,* art. 76.2 c): Desaparecida la redención de penas por el trabajo del Código Penal de 1995, como beneficios solo cabe entender los contemplados en los arts. 205 y 206 RP, es decir, el adelantamiento de la libertad condicional y la solicitud de indulto, en el primer caso ha de aprobar su concesión y, en el segundo, ha de aprobar su tramitación; la Ley 7/2003 de 30 de junio amplió el primer supuesto, regulado en el art. 91 CP, con un adelantamiento complementario de 90 días por cada año efectivo de condena cumplido. La concesión judicial es facultativa y queda justificada su intervención por la relevancia sobre la estancia en prisión, en el primer caso, y la duración de la condena, en el segundo.

c) *Aprobar la imposición de la sanción de aislamiento de más de catorce días,* art. 76.2 d): Es indiferente que tal duración lo sea por una única infracción o por acumulación, STC 128/96 de 9 de julio, ya que lo importante es que se vaya a cumplir de manera continuada. Al actuar el Juez de Vigilancia en primera instancia, posteriormente cabe apelación, sin embargo, de las inferiores a esta duración sólo conoce por vía de recurso de alzada y tras ello de reforma, sin que quepa posterior apelación.

d) *Autorizar la concesión de los permisos de salida de más de dos días excepto de los clasificados en tercer grado,* art. 76.2 i): Esto significa que queda fuera de su competencia autorizar los permisos inferiores a dos días de los clasificados en segundo grado, todos los de tercer grado, y los de los presos preventivos que en su caso son concedidos por la autoridad judicial de quien dependen. Por otro lado, el art. 155.3 RP exige la autorización del Juez de Vigilancia para la concesión de permisos extraordinarios a los clasificados en primer grado.

En los permisos cuya autorización depende de la Administración, el Juez de Vigilancia sólo puede intervenir por vía de recurso (art. 162 RP).

e) *Acordar lo que proceda sobre peticiones y quejas que afecten a los derechos fundamentales formuladas por los internos en relación al régimen y tratamiento*, art. 76.2 g): Estas peticiones se pueden presentar directamente ante el Juez de Vigilancia o a través de instancias puestas a disposición de los internos.

Resolutorias en segunda instancia:

a) *Resolver por vía de recurso las reclamaciones de los internos sobre sanciones disciplinarias*, art. 76 2 e): Contra el acuerdo sancionador de la Comisión Disciplinaria cabe recurso ante el Juez de Vigilancia (art. 249 RP), quien mediante auto debe confirmar o modificar la sanción; este recurso se puede presentar verbalmente en el mismo momento de la notificación o por escrito ante el Juez de Vigilancia en los cinco días siguientes a la notificación.

b) *Resolver* los *recursos referentes a clasificación inicial y progresión y regresión de grado*, art. 76.2 f): Aprobada la clasificación por el Centro Directivo el interno puede recurrir ante el Juez de Vigilancia (art. 103 RP) sin que se indique el plazo de interposición, ni la forma de llevarlo a cabo, ya que el único caso donde se dice los plazos es en el art. 248.b) del RP relativo al supuesto anterior.

En todos estos casos si bien se dan facilidades tales como la ausencia de formalidades o la posibilidad de la interposición verbal, sin embargo, no se señala el plazo que tiene el Juez para resolver, ni se dice siempre el plazo de interposición por el interno.

Tener conocimiento:

Son varios los supuestos en los que el Reglamento Penitenciario exige comunicar al Juez de Vigilancia actuaciones de la Administración que pueden llevar a restringir los derechos de los internos, entre ellas se pueden destacar las siguientes:

a) *Conocer el paso a los establecimientos de primer grado*, art. 76.2 j): Tomado el acuerdo por el Centro Directivo dentro de las 72 horas siguientes se ha de comunicar al Juez de Vigilancia, como señala el artículo 95.1 RP. El alcance del término "conocer" ha sido interpretado en los acuerdos tomados por los Jueces de Vigilancia en su sentido procesal consistente en resolver sobre el fondo del asunto y, por tanto, pudiendo anular la decisión administrativa[120], si bien en todo caso se entiende dictada en primera instancia y por tanto susceptible de recurso. En este sentido la STC 54/1992 de 8 de abril en la resolución de un recurso de amparo sobre aplicación del art. 10 LOGP entiende que se trata de un respaldo judicial necesario para dar validez a un acto administrativo.

b) *Ser informado inmediatamente del uso de medios coercitivos*, art. 45 LOGP y 72.3 RP: Estos medios salvo por razones de urgencia los autoriza el Director quién lo ha de comunicar inmediatamente al Juez de Vigilancia, éste ha de notificar su conformidad a la Dirección del centro o su disconformidad ordenando se dejen sin efecto.

c) *Ser informado de los traslados de los penados*, art. 31.3 RP: La limitación a los penados conlleva que los traslados de detenidos y preventivos deben ser comunicados a la autoridad judicial de quien dependan.

Además de todas las citadas, el Reglamento Penitenciario de 1996 le asigna otras muchas relativas a la intervención de comunicaciones (art. 43.1, art. 44.2, art. 46.5), limitaciones regimentales (art. 75.2), ingreso en centros hospitalarios (art. 218.2)...en las que unas veces conoce, otras se le da cuenta, otras se le comunica o se le remite, diversidad terminológica que solo sirve para crear confusión.

Funciones asignadas por el Código Penal:

a) *Control sobre las medidas de seguridad privativas de libertad y la libertad vigilada impuestas en sentencia*, art. 98 CP: En el uso de esta facultad puede proponer al Tribunal sentenciador el mantenimiento, conclusión, sustitución o suspensión de las medidas de seguridad impuestas con la obligación de hacerlo anualmente.

b) *Acordar el regreso al régimen general en la aplicación de libertad condicional y beneficios penitenciarios,* art. 78: Si el Tribunal sentenciador ha hecho uso de la limitación de beneficios, el Juez de Vigilancia, previo pronóstico individualizado y favorable de reinserción social, puede modificarlo atendiendo a las circunstancias personales

---

120 Rodríguez Alonso, A. *Lecciones de Derecho Penitenciario* 3ªEd. Granada 2003, pág. 86.

del reo, y evolución del tratamiento reeducador, oyendo al Ministerio Fiscal, Instituciones Penitenciarias y demás partes.

c) *Conceder y revocar la libertad condicional* y sus reglas de conducta, art. 90 CP

d) *Acordar el régimen general para la clasificación en tercer grado*: Si el pronóstico de reinserción social es favorable, tras oír a las partes puede eximir de cumplir el periodo de seguridad que se haya impuesto por el Tribunal sentenciador en penas de más de cinco años, art. 36.2 CP, siempre que no se trate de los supuestos obligatorios, lo que supone una participación más directa en la clasificación.

e) *Suspender la ejecución de la pena por demencia sobrevenida*: esta competencia antes la ostentaba el Tribunal sentenciador y con la Ley 15/2003 de 25 de noviembre pasó a los Jueces de Vigilancia, art. 60.1 CP.

f) *Controlar la ejecución del trabajo en beneficio de la comunidad*, art. 49.1 CP: al igual que el caso anterior esta competencia antes la ostentaba el Tribunal sentenciador y pasó a los Jueces de Vigilancia con la Ley 15/2003 de 25 de noviembre.

g) *Abono de la prisión provisional por causa distinta de la que se decretó, art. 58.2 CP*: esta competencia antes también la ostentaba el Tribunal sentenciador.

h) *Proponer al Tribunal sentenciador el contenido de las obligaciones de la libertad vigilada y controlar su cumplimiento* art. 106.2 CP: sólo en los supuestos de libertad vigilada postpenitenciaria.

i) *Revocar la suspensión de la ejecución de la prisión permanente revisable*: art. 92.3 CP

A todas estas funciones hay que añadir que en virtud de la Ley 23/2014 de 20 de noviembre de reconocimiento mutuo de resoluciones penales en la Unión Europea, los Jueces de vigilancia son los competentes para autorizar la transmisión de sentencias condenatorias firmes de prisión para su ejecución en otro país de la Unión con la finalidad de facilitar la reinserción social.

2. RÉGIMEN DE RECURSOS

La regulación de los recursos es sumamente confusa, ya que la LOGP no los menciona más que en una referencia genérica del art. 50.2 a la posibilidad que tienen los internos de interponer "alguno de los recursos previstos en esta Ley" que luego olvida desarrollar, por ello hay que acudir a la LOPJ de 1985 que los regula en la Disposición Adicional Quinta, aunque de manera insuficiente.

Se pueden interponer recursos contra actos de la Administración y contra resoluciones del Juez de Vigilancia, siendo hasta fechas muy recientes las únicas personas legitimadas para interponerlos el interno y el Ministerio Fiscal, lo que dejaba fuera a las partes y a la Administración que no tenían legitimación para recurrir las resoluciones de los Jueces de Vigilancia, ni en reforma ni en apelación. La víctima sólo tenía la posibilidad de ser oída en algunas figuras como las recogidas en los arts. 36.2, 78.2 y 90.2 CP, pero desde la LO 4/2015 de 27 de abril que regula el Estatuto de la víctima del delito ya se permite su intervención para interponer recursos en algunos supuestos de materia penitenciaria.

En cuanto a la forma, rige una gran flexibilidad en los trámites ya que se pueden presentar por escrito ante la oficina de Régimen, ante el Director, ante el Juzgado o ante el mismo Juez de Vigilancia cuando realice las visitas a los centros penitenciarios, e incluso oralmente. Esta ausencia de formalismo unido a la particularidad del contenido de las peticiones de los recursos en materia penitenciaria, que en ocasiones están más próximas a la materia contencioso-administrativa que a la penal, provocan que principios tan relevantes en esta última como congruencia, motivación o valoración de la prueba no rijan ya que se trata especialmente de un control de legalidad de la actuación administrativa.

2.1. Recursos contra las decisiones de la Administración

Cualquier decisión o acto de la Administración puede ser recurrido en **alzada** ante el Juez de Vigilancia, lo que la Disposición Adicional Quinta LOPJ impropiamente declara que se trata de la resolución de un recurso de apelación contra resolución administrativa, cuando debería decir alzada[121]. La denominación es poco clara porque se confunde constantemente este recurso de alzada con la vía de queja e, incluso, con el recurso de queja.

Después de tal recurso el interno puede seguir recurriendo, en este caso ya contra resoluciones del Juez de Vigilancia, volviendo de nuevo a la LOPJ donde siguen las confusiones, contradicciones y términos incorrectos.

Ni la LOGP ni el RP mencionan los plazos para recurrir contra las decisiones de la Administración Penitenciaria, salvo en el caso de sanción disciplinaria que debe hacerse dentro de los cinco días hábiles siguientes a su notificación. Ante este silencio las opciones son atender al plazo general de cinco días establecido como regla general en el art. 212 LECR, este mismo plazo pero por analogía con lo previsto para sanciones disciplinarias, o atender al criterio general de un mes de la Ley de Régimen Jurídico de las Administraciones Públicas y del Procedimiento Administrativo Común[122], opción ésta última seguida por los Jueces de Vigilancia desde su reunión de 1993, salvo en materia disciplinaria.

La denegación por auto motivado, abre la vía al recurso de reforma ante el mismo Juez de Vigilancia.

Si la decisión de la Administración no se puede recurrir ante el Juez de Vigilancia Penitenciaria, por no entrar dentro de sus competencias, cabe la posibilidad de seguir la vía administrativa de recursos. Agotada la vía administrativa cabrá acudir a la vía contencioso-administrativa de conformidad con la Ley 29/98 de la Jurisdicción contencioso-administrativa. Entre las materias que se considera que no son un derecho del interno y por tanto no entran en las competencias del Juez de Vigilancia, se encuentran los traslados.

---

121 Nistal Burón, J. "El recurso de apelación en materia penitenciaria. Su controvertida procedencia contra los autos de los Jueces de Vigilancia desestimatorios de las quejas penitenciarias". *Diario La Ley* nº 6376, 12.12.2005, pág. 4, propone que se denomine recurso ordinario porque ni son recursos judiciales (reforma, apelación, queja y casación regulados en la LOPJ) ni administrativos (alzada, reposición y revisión regulados en la LRJAPyPAC)

122 Actualmente derogada y sustituida por la Ley 39/2015 de 1 de octubre de Procedimiento Administrativo común de las Administraciones Públicas.

2.2. *Recursos contra las resoluciones de los Juzgados de Vigilancia*

Frente a *todos* los autos del Juez de Vigilancia cabe interponer, en los tres días siguientes a la última notificación (art. 211 LECR), recurso de **reforma** que debe resolver él mismo. Si el recurso de reforma se interpone contra Autos que resuelven recurso planteado en materia disciplinaria tiene efecto suspensivo, salvo lo previsto en el art. 44.3 LOGP. No es necesario abogado ni procurador, si bien, que no se necesite asistencia letrada más que en el recurso de apelación, y no en los demás casos, no debería impedir la asistencia jurídica gratuita en todos los procedimientos en los que la intervención letrada no sea obligatoria, ya que lo contrario podría vulnerar el derecho de defensa.

El recurso se debe interponer ante el Juez de Vigilancia en cuya demarcación se encuentre el centro penitenciario donde esté internado el recluso, con independencia de que por un traslado el interno pase a otro centro para seguir cumpliendo su pena o medida cautelar. De esta regla general se exceptúa a los internos juzgados por la Audiencia Nacional, en cuyo caso será el Juzgado Central de Vigilancia de la Audiencia Nacional el competente.

Como subsiguiente al de reforma, siendo frecuente interponerlos en el mismo escrito, pero sin ser necesario el de reforma, se puede presentar el recurso de **apelación**, que sí requiere designar abogado y procurador cuando haya sido admitido a trámite y que se tramitará conforme al procedimiento abreviado de la LECR. Este tipo de recurso se podrá presentar en los casos siguientes, según señala la Disposición Adicional Quinta de la LOPJ:

Las resoluciones en materia de *ejecución de penas* se pueden recurrir en apelación y queja ante el *Tribunal sentenciador*, salvo cuando se hayan dictado resolviendo un recurso de apelación contra resolución administrativa, que no se refiera a la clasificación. Las resoluciones en materia de *régimen penitenciario* se podrán recurrir ante la *Audiencia Provincial,* salvo cuando se hayan dictado resolviendo un recurso de apelación contra resolución administrativa.

Aunque esta Disposición Adicional Quinta disponga, que si se refiere a ejecución de penas resuelve el Tribunal sentenciador y si se refiere a régimen resuelve la Audiencia Provincial, hay que tener en cuenta dos supuestos ya definidos:

– Si el recurso de apelación se presenta contra resoluciones dictadas por los Juzgados centrales de Vigilancia Penitenciaria, tanto en materia de ejecución de penas como de régimen penitenciario, resolverá siempre la Sala de lo Penal de la Audiencia Nacional, por tratarse del Tribunal sentenciador (Ley 5/2003 de 27 de mayo de modificación de la LOPJ). Esto implica que el Tribunal sentenciador en todo caso resuelve los recursos de apelación, sin la distinción que hay en los demás casos entre régimen y ejecución; con esta centralización se quiere evitar la controversia sobre los distintos pronunciamientos de clasificación en las Audiencias Provinciales respecto a internos terroristas.

– Todos los recursos de apelación contra resoluciones relativas a la clasificación los resolverá el Tribunal sentenciador encargado de la ejecución de la condena[123], Acuerdo del pleno no jurisdiccional del Tribunal Supremo de 28 de junio de 2002, STS 9.7.2002 (R. 7373)

En el resto de recursos de apelación se mantiene la diferencia de la Disposición Adicional Quinta LOPJ.

A pesar de estas aclaraciones quedan algunas cuestiones por resolver:

¿Qué son resoluciones sobre régimen penitenciario y cuáles se pueden recurrir en apelación?

Para responder a ello, como materias de régimen penitenciario se pueden entender las relativas a la organización penitenciaria como puedan ser las sanciones, medios coercitivos o peticiones y quejas, ya que es un concepto muy amplio. En estos casos, las resoluciones en materia de *régimen penitenciario* se podrán recurrir siempre que no se trate de una resolución que resuelve una apelación contra resolución administrativa, es decir, sólo se puede recurrir cuando el Juez de Vigilancia actúa en primera instancia y no cuando resuelve recursos contra actos de la Administración, por ejemplo, en materia disciplinaria cuando el Juez de Vigilancia resuelve recurso contra acuerdos sancionadores de la Administración, ya no cabe más recurso en vía

---

123 Juez competente para la ejecución puede ser el Juez sentenciador, el Juez de ejecutorias o el Juez de Instrucción en los supuestos de conformidad previstos en el art. 801 LECR.

ordinaria, es decir, no cabe apelación, sin embargo, cuando se trata de una sanción de más de catorce días como la autoriza él mismo, sí cabe apelación. En relación a los permisos de salida, aunque forman parte del tratamiento, se les suele considerar impropiamente como materia de régimen y en la práctica resuelve el recurso de apelación la Audiencia Provincial[124].

¿Qué son resoluciones sobre ejecución de penas y cuáles se pueden recurrir en apelación?

Aunque no queda claro, como ejecución de penas se podría entender las relativas al cumplimiento estricto de la pena, como pueda ser la libertad condicional y los beneficios penitenciarios, o la aplicación del régimen general de cumplimiento del art. 36 (periodo de seguridad) y del art. 78 (restricción beneficios penitenciarios)[125] la aplicación del art. 100.2 RP o del 86.4 RP; respecto a la clasificación hay una referencia expresa que la asocia a la ejecución de penas. En este caso tampoco se puede recurrir si se trata de una resolución que resuelve una apelación contra resolución administrativa, a excepción de la clasificación que se puede recurrir en apelación siempre.

¿Cuál es el Tribunal sentenciador cuando se están cumpliendo varias condenas?

La Ley 5/2003 de 27 de mayo añadió un párrafo aclarando que en los casos en que el penado se encuentre cumpliendo varias condenas, el órgano judicial competente será el que haya impuesto la pena privativa de libertad más grave y, si son de la misma gravedad, el que lo hubiera hecho en último lugar. Hay que tener en cuenta que sólo se refiere a la privación de libertad, sin tener en cuenta otras penas impuestas que pueden hacer la penalidad global de mayor gravedad.

Hechas estas aclaraciones, se puede concluir que cabe recurso de apelación contra *todas* las resoluciones del Juez de Vigilancia, salvo aquellas en las que ya intervenga como segunda instancia resolviendo recursos contra resoluciones administrativas, excepto clasificación que también lo admite en estos casos; de esta manera en materia dis-

---

124 Del Moral García, A. "Recursos frente a resoluciones de la jurisdicción de vigilancia penitenciaria" *Guía práctica...* (Dtor. J. León) pág. 268

125 Vienen a ser materias que asumen los Jueces de Vigilancia de los Tribunales sentenciadores.

ciplinaria sólo cabe cuando sea el Juez de Vigilancia quien acuerde la sanción pues en ese caso se trata de primera instancia y entonces si cabe apelación, como sucede con la sanción de aislamiento de más de catorce días. El plazo para interponerlo es de cinco días y se necesita abogado, art. 766.3 LECR.

Entre las críticas que se pueden formular a la regulación del recurso de apelación destacan las siguientes:

En primer lugar, debería suprimirse la diferencia entre régimen y ejecución y entre la competencia del Tribunal sentenciador y de la Audiencia Provincial. Los Jueces de Vigilancia en sus criterios unificados de actuación de 1994 ya se mostraban partidarios de atribuir el recurso de apelación, en todo caso, a las Audiencias Provinciales para evitar esa disfunción y con ello concentrar en un solo órgano todas las apelaciones[126].

El rechazo a que en materia de ejecución de penas resuelva el Tribunal sentenciador se debe a que no siempre es un órgano superior al Juzgado de Vigilancia y porque carece de la especialidad necesaria en materia penitenciaria, mientras que las Audiencias Provinciales tienen la posibilidad de dedicar alguna de sus salas a tal cometido, sin embargo, la última reforma que concentra en la Audiencia Nacional la resolución de todos los recursos contra autos de los Juzgados de Vigilancia, y el Acuerdo del pleno del Tribunal Supremo de 2002 parecen potenciar la intervención de los Tribunales sentenciadores en la ejecución penitenciaria.

Hay que tener en cuenta también que la creación de Juzgados de ejecutorias ha provocado que éstos resuelvan muchas de las tareas legalmente encomendadas a los Tribunales sentenciadores (acumulación de condenas, suspensión de ejecución, sustitución...). Para los casos en que el Tribunal sentenciador sea unipersonal (y por tanto no superior al Juez de Vigilancia) los Jueces de Vigilancia en su reunión anual celebrada en Madrid en 2003 proponían que resolviera la Audiencia Provincial.

En segundo lugar, se recogen algunas imprecisiones terminológicas como "las resoluciones del Juez de Vigilancia resolviendo recursos de

---

[126] Fernández Arévalo, L./Mapelli Caffarena, B. *Práctica forense penitenciaria* Madrid 1995 pág. 26.

apelación contra resoluciones administrativas", cuando debería decir recursos de alzada, ya que no cabe una apelación seguida de otra apelación. Esto hay que entenderlo como resoluciones dictadas en vía de recurso y no el mero respaldo judicial otorgando validez a un acto administrativo que no deja de ser una resolución en primera instancia, en este sentido la ya mencionada STC 54/1992 de 8 de abril consideró que la aprobación del Juez de Vigilancia de la aplicación del art. 10 de la LOGP no es la resolución de un recurso, sino una resolución en primera instancia frente a la cual sí que es posible presentar recurso de apelación.

Finalmente, una cuestión también importante es que si el objeto del recurso es la clasificación o libertad condicional que pueda dar lugar a excarcelación, en condenados por delitos graves (art. 33 CP) el recurso tendrá efecto suspensivo para impedir la puesta en libertad hasta la resolución del recurso o hasta que la Audiencia Nacional o Audiencia Provincial se pronuncien sobre la suspensión, lo que no debería ser automático para no dejar en manos del Ministerio Fiscal el retraso en la excarcelación[127].

Por inadmisión del recurso de apelación cabe recurso de **queja** que resolverá la Audiencia Provincial o Audiencia Nacional.

Por último, la reforma por LO 5/ 2003 de 27 de mayo introdujo el recurso de **casación** ante la Sala Segunda del Tribunal Supremo para unificación de doctrina en materia penitenciaria[128], contra los autos dictados por las Audiencias Provinciales o Audiencia Nacional resolviendo recursos de apelación en materia penitenciaria que no sean susceptibles de casación ordinaria (reducida a acumulación de condenas, abono de prisión preventiva o máximo de cumplimiento de condena).

Se trata de un recurso cuya finalidad es garantizar una aplicación unitaria de la ley con respeto al principio de igualdad ante dos supuestos iguales que han recibido una respuesta diferente por los Tribunales, por ello, los requisitos son: identidad de supuesto de hecho, identidad de norma jurídica aplicada, contradicción entre la norma

---

127 Del Moral García, A. "Recursos... pág. 275.

128 Regulado en el número 8 de la Disposición Adicional 5ª LOPJ.

jurídica aplicada en la resolución presente y la presentada como contraste y relevancia de la contradicción para la decisión recurrida.

El alcance, contenido y efectos de este recurso se analizan en el primero que se resolvió en la STS 1097/2004 de 30 de septiembre, donde se aclara que no se trata de una tercera instancia, sino de unificar doctrina ante supuestos idénticos para salvaguardar la igualdad y seguridad jurídica evitando que supuestos sustancialmente iguales reciban una distinta respuesta judicial[129]. Para ello hay que tener en cuenta que no se pueden incluir informes o diagnósticos personales y comportamientos individualizados de los internos porque son diferentes en cada persona, STS 780/2015 de 9 de diciembre.

Este recurso sólo podrán presentarlo el Ministerio Fiscal y el penado, teniendo en cuenta que la resolución de este recurso no afectará a las sentencias precedentes y que permitirá al Tribunal Supremo optar por una de las interpretaciones presentadas o por una tercera. El plazo para la presentación de la preparación del recurso es de cinco días desde la notificación del auto que se quiere impugnar, en tres días el Tribunal a quo tendrá por preparado el recurso, si es recurrible, y emplazará a las partes ante el Tribunal Supremo y, si no, denegará la preparación, ante lo cual cabe queja[130].

Una vez agotados todos los recursos posibles, el interno puede también interponer recurso de **amparo** ante el Tribunal Constitucional por vulneración de derechos fundamentales, siendo frecuente que se alegue tutela judicial efectiva para reclamaciones relacionadas con permisos, comunicaciones o disciplina y, finalmente, recurso ante el **Tribunal Europeo de Derechos Humanos** y la **Comisión Europea de Derechos Humanos**, por vulneración de los derechos recogido en el Convenio europeo de Derechos Humanos, siendo lo más frecuente en el ámbito penitenciario la impugnación por vulneración del art. 3 (prohibición de torturas, malos tratos, penas inhumanas y degradan-

[129] Un detallado análisis de los supuestos más relevantes de este recurso en Villegas García, A./ Encinar del Pozo, M. A. "La jurisprudencia de unificación de doctrina en materia de vigilancia penitenciaria". *Diario La Ley* nº 9517 de 13 de noviembre de 2019, pág. 16 y ss.

[130] Iñigo Corroza, E./Ruíz de Erenchun, E. *Los acuerdos de la sala penal del Tribunal Supremo (1991-2007)* Atelier, Barcelona 2007, pág. 341.

tes), art. 5 (derecho a la libertad y seguridad) y el art. 8 (derecho a la vida privada, vida familiar, domicilio y correspondencia).

2.3. Recursos que puede interponer la víctima

El Estatuto de la víctima del delito de 2015 recoge un capítulo dedicado a la participación de la víctima en la ejecución en el que les otorga tres posibilidades de intervención: a) derecho a recibir la notificación de decisiones judiciales o administrativas que afecten a sus intereses, b) derecho a recurrir una serie de autos del Juez de Vigilancia, c) derecho a solicitar la imposición de reglas de conducta a los liberados condicionales. Todo ello es consecuencia de la Directiva 2012/29/UE de Parlamento europeo y del Consejo que establece una serie de derechos a las víctimas, si bien su alcance es más limitado que el que se ha previsto por la nueva legislación española.

El derecho a que la víctima solicite recibir notificaciones se refiere, por un lado, a cualquier resolución o decisión judicial o penitenciaria que afecte a sujetos condenados por delitos cometidos con violencia o intimidación y que suponga un riesgo para la seguridad de la víctima y, de otro, en particular, a las resoluciones propias de la ejecución penitenciaria que puede recurrir. Entre las primeras puede tratarse de concesión de permisos, tercer grado o cualquier vía de excarcelación y respecto a las segundas son las que se citan a continuación[131].

Sólo las víctimas que hubieran ejercido el derecho a recibir notificaciones anterior, podrán recurrir tres tipos de autos del Juez de Vigilancia: el levantamiento del periodo de seguridad para que antes de cumplir la mitad de la pena se pueda progresar a tercer grado, la vuelta al régimen general de cumplimiento que anule las limitaciones del art. 78 CP respecto al cálculo de beneficios penitenciarios, permisos de salida, tercer grado y libertad condicional sobre la totalidad de la condena y la concesión de la libertad condicional. La facultad de recurrir estos autos sólo se permite en los delitos de homicidio, aborto, lesiones, delitos contra la libertad, delitos de tortura y contra la in-

---

131 Nistal Burón, J. "Los derechos de la víctima del delito en el ámbito de la ejecución penal. El "derecho a saber" y el "derecho a recurrir" en los términos establecidos en el estatuto de la víctima". *Diario La Ley* nº 8999 de 13 de junio de 2017, pág. 37.

tegridad moral, delitos contra la libertad e indemnidad sexual, delitos de robo con violencia e intimidación, terrorismo y delitos de trata de seres humanos. Para ello, antes de levantar el periodo de seguridad, volver al régimen general de concurso o conceder la libertad condicional se debe dar audiencia a la víctima para oírla y que formule alegaciones y tras la decisión judicial se abre la posibilidad de recurrir.

Finalmente, para solicitar la imposición de medidas o reglas de conducta al liberado condicional es necesario que se consideren necesarias para garantizar su seguridad y que la condena sea por hechos de los que derive una situación razonable de peligro para la víctima.

No parece adecuado dar esta intervención a la víctima en la ejecución ya que los intereses consustanciales a su papel de haber sufrido el daño producido por el delito, son diametralmente opuestos a la finalidad principal de la ejecución penitenciaria que es la orientación hacia la reinserción social del condenado, además, también iría en sentido contrario a lo aconsejado por la Victimología que es ayudar a las víctima a que dejen de serlo y no prolongar más su sufrimiento[132], quizá por ello son mucho más aconsejables las medidas dirigidas a la conciliación como pueda ser la mediación, y no las dirigidas a una mayor confrontación.

3. DELIMITACIÓN DE COMPETENCIAS CON EL TRIBUNAL SENTENCIADOR

La compleja distinción entre cumplimiento y ejecución, da lugar a que el Tribunal sentenciador además de pronunciar la sentencia asuma otras funciones con relevancia en la ejecución:

a) ejecutar la sentencia: art. 985 LECR

b) ejecutar la responsabilidad civil y devolver las fianzas: art. 989 LECR

c) libramiento sentencia y realizar los mandamientos al penado remitiéndolos al centro penitenciario donde se encuentre: art. 160 LECR

---

132 Tamarit Sumalla, J. M. "La prisión permanente revisable"...pág. 96.

d) abono de la prisión preventiva por la misma causa que cumple el penado: art. 58.1 CP

e) conceder la suspensión de la ejecución de la pena en la misma sentencia si es posible, art. 82 CP

f) anotar y cancelar los antecedentes penales: art. 136 CP

g) decretar el ingreso en prisión: art. 990.2 LECR

h) licenciamiento definitivo: 17.3 LOGP

i) resolver acumulación condenas en aplicación del art. 76.2 CP: art. 988 LECR. El CGPJ en informe emitido el 16 de febrero de 1987 entendió en este sentido que la acumulación pertenece a la aplicación de la pena y no a su ejecución.

j) liquidación de condena: art. 990 LECR

l) ejecutar las medidas de seguridad: art. 97 CP

m) conceder la clasificación en tercer grado y la suspensión de la ejecución de la prisión permanente revisable, art. 36 y 92 CP.

La creación en algunas ciudades españolas de Juzgados de ejecutorias ha servido para asignarles la función de la ejecución de las sentencias dictadas por causas por delito, dando lugar a que un Juzgado distinto al que sentenció se ocupe de todos estos aspectos de ejecución.

De entre todas las competencias señaladas, los Jueces de Vigilancia vienen reclamando todas aquellas directamente relacionadas con la ejecución penal como son suspender la ejecución de la pena, ejecutar las medidas de seguridad o aprobar el licenciamiento definitivo, entre otras.

4. PROYECTO DE LEY REGULADORA DEL PROCEDIMIENTO ANTE LOS JUZGADOS DE VIGILANCIA PENITENCIARIA

Con el fin de delimitar claramente las competencias entre Tribunal sentenciador y Jurisdicción penitenciaria, así como de regular de manera unitaria el procedimiento por el que esta última ha de actuar, el Gobierno presentó un Proyecto de Ley Orgánica reguladora del procedimiento ante los Juzgados de Vigilancia Penitenciaria, que se publicó en el Boletín de las Cortes Generales Congreso de los Diputados el 29 de abril de 1997. Tal Proyecto contaba con el preceptivo informe del Consejo General del Poder Judicial aprobado el 5 de marzo de 1997 e inició su tramitación parlamentaria con la presentación de enmiendas, pero sin embargo caducó sin lograr ser aprobado, ni volverse a intentar.

En este Proyecto de Ley se producían algunos cambios importantes, ya que, a partir de la entrada en prisión, la ejecución de todas las incidencias correspondía a los Juzgados de Vigilancia, tales como el límite de cumplimiento en la acumulación de condenas, la aprobación de la liquidación de condena, la libertad definitiva, el abono de la prisión preventiva o la suspensión de la ejecución de la pena por trastorno mental.

Además, se regulaba el procedimiento para la interposición de recursos ante los Juzgados de Vigilancia, unificando plazos y criterios que hubieran evitado las interpretaciones contrapuestas. En este procedimiento también se ampliaban las posibilidades de recurrir para que cualquier acto que perjudicara al interno en sus derechos pudiera ser revisado, fuera clasificación, sanciones, permisos... y se simplificaban los trámites para facilitar su interposición y resolución.

Otras novedades importantes eran la posibilidad de la acción popular para la denuncia de cualquier vulneración de derechos fundamentales de manera que terceras personas sin necesidad de personarse pudieran hacerlo, así como la intervención de la víctima o perjudicado en la ejecución.

5. CRITERIOS DE ACTUACIÓN APROBADOS POR LOS JUECES DE VIGILANCIA

La inexplicable paralización de la norma anteriormente señalada, tan necesaria para el buen funcionamiento de la Jurisdicción de Vigilancia penitenciaria, provoca que los Jueces de Vigilancia no dispongan de criterios legales unificados para el desempeño de sus actuaciones lo que les ha llevado a adoptar una serie de acuerdos que han ido tomando a lo lardo de las reuniones anuales que celebran desde 1981. En cada reunión se elaboran conclusiones o criterios comunes de actuación, que les permiten actuar con cierta homogeneidad en materias no reguladas o reguladas de forma incompleta en la normativa procesal, penal y penitenciaria.

En la XII reunión celebrada en enero de 2003 se refundieron todos los criterios aprobados a lo largo de la existencia de estas Jurisdicción[133] con el fin de sistematizar y ordenar por materias todos los acuerdos alcanzados hasta la fecha. Dichos criterios se revisaron en 2004 tras las XIII reunión con el fin de adaptarlos a las reformas del CP de 2003, dando lugar a los Criterios de actuación, conclusiones y acuerdos aprobados por los Jueces de Vigilancia penitenciarias en sus XIII reuniones celebradas entre 1981 y 2004. Posteriormente ha habido sucesivas actualizaciones de las reuniones que se celebra anualmente y una nueva refundición de los criterios adoptados entre 1981 y 2018 tras la reunión de A Coruña en mayo de 2018.

Estos acuerdos no son vinculantes para los Jueces de Vigilancia, pero tampoco para el resto de Jueces y Tribunales, como recuerda el Auto 19.7.2013 del Juzgado de lo Penal nº 7 de Bilbao que al revocar la libertad condicional de un penado indica el mero interés doctrinal práctico de los Acuerdos, pero su nulo carácter vinculante ante la independencia judicial de la que cada juez es soberano.

Pese al esfuerzo y reconocimiento que supone el interés por los Jueces de Vigilancia de unificar sus criterios para evitar interpretaciones contradictorias de la legislación penitenciaria, la inexistencia de una ley de procedimiento de la Jurisdicción de Vigilancia está permitiendo que más que adoptar criterios de aplicación comunes, en muchos casos ejerzan una competencia cuasilegislativa derivada de la dejadez del legislador en su regulación. Deseable sería que se aprobara de una vez la referida norma asumiendo cada institución las funciones que les corresponden, como reiteradamente desde el año 2000 vienen exigiendo los propios Jueces de Vigilancia.

---

133 Publicados en *Poder Judicial* nº 68.

6. FISCAL DE VIGILANCIA PENITENCIARIA[134]

La Constitución Española encomienda al Ministerio Fiscal la defensa de la legalidad, de los derechos de los ciudadanos y del interés público tutelado por la ley, en este sentido en materia penitenciaria se pueden distinguir dos importantes campos de actuación:

– defensa de la legalidad: se lleva a cabo a través de la interposición de recursos contra las resoluciones de los Jueces de Vigilancia Penitenciaria, y de la emisión de informes de naturaleza consultiva por la necesidad de ser oídos en determinadas materias como beneficios penitenciarios o régimen penitenciario.

– velar por los derechos de los desvalidos (menores, incapaces...): consiste en controlar la situación de determinadas personas sin capacidad para defenderse.

Para poder llevar a cabo estas funciones el art. 4 del Estatuto Orgánico del Ministerio Fiscal le permite visitar en cualquier momento los Establecimientos penitenciarios, examinar los expedientes de los internos y recabar cualquier información.

Aunque hasta fechas muy recientes ha tenido poca representatividad en la ejecución de la pena, tanto el CP 1995 como el RP 1996 han ampliado ésta asignándole nuevas funciones:

a) intervención en la aplicación del art. 78 CP para volver al régimen general

b) conocimiento de las resoluciones sobre clasificación: art. 107 RP

c) conocimiento de la estancia en prisión de hijos menores de tres años que acompañen a sus madres: art. 17 RP

d) conocimiento de la expulsión de extranjeros como sustitución a la pena de prisión, y solicitud de expulsión al acceder al tercer grado: art. 27 RP y art. 89 CP

---

[134] Al respecto vid. distintos trabajos en *Ministerio Fiscal y sistema penitenciario*. (III Jornadas de Fiscales de Vigilancia penitenciara) Centro de estudios judiciales nº9, Madrid 1992. *Fiscales de Vigilancia penitenciaria*. Centro de estudios judiciales. Madrid 1988.

e) conocimiento de los informes emitidos sobre enajenados relativos a su evolución: art. 187 RP

Bibliografía: Alonso Escamilla, M. "El control jurisdiccional de la actividad penitenciaria". *CPC* nº 40, 1990. "Las nuevas competencias del Juez de Vigilancia Penitenciaria" *ADPCP* vol. LXXII, 2019. **Carmena Castrillo, M** "El juez de Vigilancia y la ejecución de las penas". *Cuadernos de Derecho Judicial* 1995. **Criterios de actuación, conclusiones y acuerdos aprobados por los Jueces de Vigilancia penitenciarias en sus XVI reuniones celebradas entre 1981 y 2007.** *RGDP* nº 10, 2008. **De Marcos Madruga, F.** "El Juez de Vigilancia Penitenciaria" *Derecho Penitenciario. Enseñanza y aprendizaje* (Dtora. R. de Vicente) Tirant lo Blanch, Valencia, 2015. **Del Moral García, A.** "Recursos frente a resoluciones de la jurisdicción de vigilancia penitenciaria" *Guía práctica de Derecho Penitenciario (*Dtor. J. León) Wolters Kluwer, Madrid 2022. **Fernández Aparicio, J. M.** "El sistema de recursos en Derecho Penitenciario". *RJCV* nº 22, 2007. **García Castaño, C,** "La defensa letrada en fase penitenciaria, SOJ penitenciario y ley de asistencia jurídica gratuita" *Cuadernos Derecho Judicial* nº 17, 2003. **García Valdés, C.** "Competencias del Juez de Vigilancia. Necesidad de asumir nuevas competencias". CDJ nº 17, 2003. **González Cano, M. I.** *La ejecución de la pena privativa de libertad.* Valencia 1994. **Martín Diz, F.** *El Juez de Vigilancia Penitenciaria: garante de los derechos de los reclusos.* Granada 2002 **Plasencia Domínguez, N.** "Participación de la víctima en la ejecución de las penas privativas de libertad". *Diario La Ley* 8108/2015. **Téllez Aguilera, A.** "Los recursos en la jurisdicción de vigilancia penitenciaria". *La Ley Penal: revista de Derecho penal, procesal y Penitenciario* nº 23, 2006.

Capítulo 8º

RÉGIMEN Y ORGANIZACIÓN INTERNA

1. INGRESOS

1.1. Procedimiento general

Como ya se ha expuesto anteriormente, el ingreso de una persona en un centro penitenciario se produce por orden de detención, mandamiento de prisión, presentación voluntaria o sentencia judicial. Si la detención es policial, ha de ir acompañada de los datos del detenido, delito imputado, plazo máximo de vencimiento de la orden y circunstancia de estar a disposición judicial. Si la presentación es voluntaria, se comunica al Juez inmediatamente.

Tras la identificación correspondiente (filiación y reseña dactilar), se cachea a cada sujeto y registra sus enseres para que no introduzca objetos prohibidos o peligrosos, en cuyo caso le son retirados para su depósito, se les somete a las normas de higiene necesarias y se les proporciona la ropa que necesite. A continuación, se le traslada a una celda en el departamento de ingresos y en las veinticuatro horas siguientes es examinado por un médico y, si se trata de detenidos o presos, les entrevista el trabajador social y el educador con el fin de conocer sus carencias, emitir informe sobre la separación interior más adecuada o traslado a otro centro y proponer una planificación educativa, sociocultural y deportiva. Si se trata de penados, tras el examen médico, la propuesta la realizan, además de los profesionales citados, el jurista y el psicólogo. Con todo ello la Junta de Tratamiento diseñará un modelo de intervención en el caso de detenidos y presos y un programa individualizado de tratamiento si se trata de penados.

El tiempo máximo de permanencia en el departamento de ingresos es de cinco días, salvo que razones sanitarias o de seguridad aconsejen prolongarlo, dando cuenta al Juez de Vigilancia.

En el ingreso, al interno se le entrega un texto escrito informativo de sus derechos y deberes, así como las normas de régimen interior:

- derechos: comunicar inmediatamente con su abogado y familia, que las actividades del centro respeten su intimidad y derechos no afectados por la condena, conservar las prestaciones de seguridad social que se tenían antes del ingreso, continuar los pleitos pendientes y recibir información del exterior a través de medios de comunicación, salvo limitaciones de tratamiento.
- obligaciones: permanecer en el centro, acatar normas de régimen interior, observar conducta correcta, colaborar en la limpieza, higiene y conservación del centro...

Es fundamental que esta información sea completa, es decir, que se faciliten tanto las normas de régimen interior del centro (horario, objetos prohibidos, servicios, peculio...) como la cartilla de derechos y deberes de los internos (disciplina, medios de impugnación como peticiones, quejas y recursos...) lo que de una forma amplia ha sido interpretado no sólo necesario en el ingreso a un centro penitenciario desde la libertad, sino incluso cuando un interno ingrese en un centro procedente de otro por traslado, STS 29.9.2011, sala de lo contencioso-administrativo (R. 7243).

1.2. Supuestos especiales

A) *Incomunicación*: La orden de mandamiento o ingreso en prisión puede disponer la incomunicación del interno, en ese caso sólo puede comunicar con las personas que autorice el Juez. Si el Juez no decreta lo contrario, puede disponer de aparato de radio, TV, prensa escrita y recibir correspondencia. Como regla general la incomunicación no debe durar más de cinco días, art. 506 LECR.

B) *Extranjeros:* Tienen derecho a que se comunique su ingreso a las autoridades diplomáticas o consulares, si lo desean. Se les ha de informar de sus derechos en su propio idioma, si se trata de grupos significativos los folletos se editan en tales idiomas y, de lo contrario, se hace una traducción oral por medio de los funcionarios u otros internos. Entre los derechos que les pueden interesar destacan la información sobre Tratados de extradición, art. 52.2 RP o las posibilidades de sustitución de la pena de prisión. Asimismo, también se ha de notificar a la Comisaría Provincial de Policía los datos de los extranjeros ingresados para la aplicación de la Ley de extranjería.

C) *Madres con hijos menores de tres años*: Para que les puedan acompañar en su ingreso ha de acreditarse su filiación y la ausencia de riesgo para el menor. Se comunica tal situación al Ministerio Fiscal, que ha de actuar conforme a la Instrucción 6/1990 de 5 de diciembre de la FGE sobre menores ingresados en los centros penitenciarios de mujeres con sus madres presas. Si tales extremos se producen, el Consejo de Dirección autoriza esta compañía. Los niños son reconocidos por el médico y ocupan la celda junto a su madre.

D) *Transexuales*: Aunque inicialmente se estableció que las personas cuya apariencia externa no coincidiera con el sexo señalado en documento oficial, se destinarían a los módulos correspondientes con su "identidad sexual aparente" tomando como referencia sus caracteres fisiológicos y su apariencia externa, en la Instrucción DGIP 7/2006 de 9 de marzo se sustituyó por el criterio de la "identidad psicosocial de género" determinada por informes médicos y psicológicos, lo que parece más correcto.

1.3. El expediente penitenciario

A todo interno se le abre un expediente personal, en el que constará su situación penal, procesal y penitenciaria, sobre el que tiene derecho a ser informado, art. 15.2 LOGP, que acompaña al interno en sus traslados, art. 18 RP. Junto a este expediente se forma un protocolo de personalidad con los informes que emiten los profesionales relativos a su tratamiento e intervención.

El derecho a ser informado no siempre ha permitido el derecho a acceder al expediente, que a veces se rechaza por ser contraproducente por motivos de seguridad o terapéuticos, vgr. dejando fuera de este derecho de información al protocolo de personalidad por su estrecha relación con el tratamiento del interno y la seguridad de los profesionales que emiten los informes, así lo manifestaron, entre otros, la SAP Cádiz 24.11.2008, Auto JV Asturias 18.6.2010, Auto AP Sevilla 3.11.2020 en consonancia con los Acuerdos de los Jueces de Vigilancia de 2018 que reconocían el derecho de los internos a ser informados de su situación pernal y penitenciaria, pero no el derecho de acceso directo al expediente penitenciario.

En sentido contrario, el Auto 28.1.2014 AP Alicante admitió el derecho del interno a acceder a los informes técnicos y psicológicos de su expediente personal, por no apreciar razones de peligrosidad o seguridad que indicaran lo contrario, ni para el centro penitenciario ni para los profesionales, y la STSJ Andalucía 69/2015 de 15 de febrero reconoció el derecho a ver la copia de todos los informes.

Algunos pasos se van avanzando hacia la facilitación del acceso a los datos personales, como la Instrucción SGIP 13/2019 de 31 de julio que reconoció el derecho de los internos o sus representantes de acceder a los documentos de su expediente personal siempre que no atente a la seguridad, no ponga en peligro la terapia o tratamiento que esté recibiendo y no se trate de peticiones abusivas en los términos de la Ley de protección de datos. También la reforma del art. 15 bis LOGP por LO 7/2021 de 26 de mayo va en esta misma dirección al recoger el derecho del interno a acceder a su expediente con limitaciones por razones individualizadas de seguridad y tratamiento.

En esta misma línea también puede citarse la STC 164/2021 de 4 de octubre que concedió el amparo a un interno al que se le habían denegado las copias de los informes en los que se había apoyado la Junta de Tratamiento para rechazar un permiso de salida, denegado por el Juez de Vigilancia por vagas razones de confidencialidad, seguridad y tratamiento, obligando a retrotraer el procedimiento para que se motivaran debidamente los acuerdos tomados[135].

---

135 Solar Calvo, P./Lacal Cuenca, P. "La STC de 4 de octubre y el acceso al expediente de los internos en prisión" *Diario La Ley* nº9979, 28 diciembre 2021.

2. LIBERTADES

2.1. Procedimiento general

A) *Detenidos*: Si a las 72 horas desde su ingreso no se ha recibido orden de prisión preventiva, ni de libertad, el Director del Establecimiento debe proceder a su excarcelación.

B) *Penados:* Recibida la orden de libertad definitiva emitida por el Tribunal sentenciador o la aprobación de la libertad condicional por el Juez de Vigilancia, el Director del Establecimiento debe ordenar al Jefe de Servicios para que se proceda a ejecutarla. Se identifica y comprueban los datos del interno y se extiende la diligencia de libertad, remitiendo una copia al Tribunal sentenciador y al Juez de Vigilancia. Si se trata de un indulto el Director debe esperar la orden de excarcelación del Tribunal sentenciador.

2.2. Liquidación de condena[136]

Para aprobarse la libertad ha de haberse efectuado previamente la liquidación de condena con el fin de determinar su fecha de finalización, así como los cómputos de una cuarta parte de la condena para permisos de salida, mitad de la condena para tercer grado, dos tercios de la condena para la libertad condicional anticipada y tres cuartas partes de la condena para la libertad condicional. Se realiza un cálculo de cada condena por días en el que se van enlazando unas con otras para el cumplimiento sucesivo según señala el art. 75 CP, a no ser que se trate de una acumulación de condenas del art. 76.2 CP, en la que se aplica una pena única con las limitaciones penológicas allí previstas hasta un máximo de cuarenta años de duración.

Si el penado al extinguir una condena tiene otra pendiente de cumplimiento se le retiene para que cumpla la siguiente art. 29 RP.

Hay que diferenciar la acumulación de condenas, figura penal regulada en el art. 76.2 CP que hace referencia a la aplicación judicial de una pena única, de la refundición de condenas, figura penitenciaria por la cual en virtud del art. 193.2 RP las distintas condenas de

---

[136] En el capítulo 18 se recoge una explicación más detallada de la elaboración de la liquidación de condena.

privación de libertad se consideran una sola para la aplicación de la libertad condicional.

2.3. *Libertad vigilada*

Como novedad de la LO 5/2010 de 22 de junio de reforma del Código Penal, los arts. 96.3 y 106 incluyeron la libertad vigilada como una medida de seguridad algo atípica ya que se impone en la misma sentencia condenatoria a sujetos imputables condenados por una serie de delitos con el fin de que la cumplan después de terminar de cumplir la pena de prisión impuesta. Responde a un modelo distinto a las medidas terapéuticas, permitiendo una medida asegurativa post-penitenciaria para abordar la peligrosidad que pueda persistir cuando llega la excarcelación después de haber cumplido una pena de prisión.

Inicialmente estaba previsto que se impusiera a los condenados por delitos contra la libertad e indemnidad sexual y por delitos de terrorismo, pero en la reforma de 2015 se amplió a más delitos como homicidio, asesinato, lesiones y violencia doméstica habitual, de esta manera en la mayoría de delitos es opcional para el Tribunal sentenciador su imposición, siendo sólo en los mencionados delitos obligatorio imponerla, pudiendo tener una duración entre uno a diez años que se fijará en la sentencia.

El Tribunal sentenciador en la misma sentencia fija la duración de la libertad vigilada, pero no su contenido, que será propuesto por el Juez de Vigilancia y decidido por el mismo órgano judicial sentenciador al terminar el cumplimiento de la pena de prisión, salvo que se opte por dejarla sin efecto. Este procedimiento le dota de una especial relación con la ejecución penitenciaria por la necesidad de informes penitenciarios que valoren la persistencia de una peligrosidad criminal que se valoró en un momento inadecuado y sin medios apropiados

Para fijar sus contenidos, la Junta de Tratamiento (u órgano autonómico equivalente), al menos dos meses antes de que el penado termine de cumplir la pena impuesta[137], elevará un informe técnico sobre la evolución del penado al Juez de Vigilancia, para que éste proponga

---

137 La Instrucción 19/2011 de 16 de noviembre establece que el informe se realice tres meses antes extinción de la condena.

al Juez o Tribunal sentenciador en función del pronóstico de peligrosidad y de forma motivada, las medidas concretas a imponer recogidas en el art. 106 CP (sometimiento a control electrónico, obligación de presentarse en el lugar establecido judicialmente, comunicar cambios de residencia...). Entre estas medidas sorprende la consistente en la obligación de participar en programas formativos, laborales, culturales, de educación sexual o similares o de seguir tratamiento médico externo, por la contradicción que supone entre la voluntariedad del tratamiento dentro de la prisión y su obligatoriedad en la libertad vigilada subsiguiente a la prisión y preocupa la falta de concreción de las entidades que deben asumir la ejecución de las mismas al no quedar claro si corresponde a las Comunidades Autónomas o a los Servicios de gestión de penas y medidas alternativas[138].

El control y seguimiento de la libertad vigilada lo llevará el Juez de Vigilancia a través de informes anuales que enviará al Juez o Tribunal sentenciador, quien podrá modificar los contenidos, reducir la duración o dejarla sin efecto valorando la existencia o no de un pronóstico positivo de reinserción; además, en caso de incumplimiento podrá cambiar las obligaciones, y de ser reiterado, deducirá testimonio por quebrantamiento de condena.

Su regulación supone un frustrante reconocimiento del fracaso resocializador de la prisión, porque está admitiendo que en los supuestos señalados hay una presunción de no rehabilitación que sólo con unos adecuados informes favorables de reinserción puede admitir prueba en contrario, lo que implicará nuevos cometidos de los órganos penitenciarios que no sólo deberán emitir dichos informes, sino también el diseño de las estrategias a seguir cuando su cumplimiento se entienda necesario.

3. SEPARACIÓN Y CLASIFICACIÓN

Como ya se ha explicado anteriormente, la separación responde a necesidades prácticas de organización interna del centro con el fin de agrupar de forma homogénea y compatible a los internos, a diferencia

---

138 Gómez Escolar, P. "La ejecución de la libertad vigilada postpenal" *Diario La Ley* nº 9527 de 27 noviembre 2019, pág. 13.

de la clasificación que se ha de basar en el análisis de la personalidad teniendo en cuenta lo que más convenga al tratamiento.

La competencia para decidir el módulo asignado a un interno corresponde al Director según el art. 280.2 RP, para ello ha de tener en cuenta los criterios legales y reglamentarios: edad, sexo, antecedentes, situación procesal. En el caso de los enfermos la separación implica su destino al departamento de enfermería, con el grave problema que presentan los trastornos mentales por la falta de asistencia médica adecuada.

Tras esa provisional separación, la clasificación ya se basa en otros criterios, para ello la Junta de Tratamiento tiene dos meses para hacer una propuesta al Centro Directivo, que se puede prolongar, como antes se ha indicado.

4. CONDUCCIONES Y TRASLADOS

Los traslados consisten en cambiar a un interno del centro penitenciario donde se encuentre a otro, y las conducciones es el transporte que se ha de realizar para ello. Cuando la salida es eventual y por tanto con la finalidad de retorno, se trata de un desplazamiento.

Los traslados de centro los aprueba el Centro Directivo a propuesta de las Juntas de Tratamiento, el Director o el Consejo de Dirección. Si se trata de penados se comunica al Juez de Vigilancia y, si son detenidos o presos, a la autoridad judicial de quien dependan. La regla general es que se ingrese en el centro más próximo al domicilio del interno para evitar el desarraigo social, sin embargo, puede haber distintos motivos en los que esto no ocurra y requieran traslado como las necesidades de clasificación o tratamiento, la masificación, los motivos de salud o la práctica de diligencias judiciales. Pese a que deberían ser prioritarios, son escasos los traslados motivados por vínculos familiares y deben ser denunciados ante el Juez de Vigilancia, por su ilegalidad, los que se utilicen como sanción encubierta para reclusos conflictivos, por el abuso de poder que suponen.

Como competencia exclusiva del Centro Directivo, éste puede decidir el destino de los penados sin necesidad de autorización judicial, ya que el Juez de Vigilancia sólo interviene en la clasificación por vía de recurso pero no en la decisión del centro donde vaya a ser destinado el interno, por ello, los recursos contra dicha decisión se deben presentar ante la jurisdicción contencioso-administrativa, ATC 40/2017 de 28 de febrero y no ante el Juez de Vigilancia, salvo que se vulnere un derecho fundamental o se trate de una sanción encubierta.

Dichas conducciones son custodiadas por las Fuerzas y Cuerpos de Seguridad del Estado y se han de hacer por el medio de transporte más idóneo, generalmente por carretera, criterios entre otros que vienen regulados por la Instrucción DGIP 23/1996 de 16 de diciembre (actualizada por la Instrucción DGIP 6/2005 de 23 de mayo), en la que también se disponen formas específicas para las conducciones de los FIES.

Tales traslados han de ser realizados en unas condiciones respetuosas con la dignidad humana por imperativo de los Convenios internacionales correspondientes, entre ellos el Convenio europeo sobre traslados de personas condenadas, aprobado en Estrasburgo el 21 de marzo de 1983, firmado por España el 10 de junio del mismo año y publicado en el BOE de 10 de junio de 1985.

Como supuestos especiales se pueden destacar los siguientes:

a) los penados de tercer grado y de segundo, que disfruten de permisos ordinarios de salida, pueden realizar los traslados por sus propios medios sin vigilancia, si lo autoriza el Centro Directivo.

b) los niños se entregan a los familiares que estén en el exterior para que se encarguen de su traslado, y sólo de no ser posible lo harán con sus madres en vehículos idóneos.

c) los internos incluidos en FIES tienen una regulación específica de sus traslados que refuerzan las medidas de seguridad con cacheos minuciosos, comunicación de peligrosidad, ingreso en celdas previamente cacheadas...

5. RECLAMACIONES DE LOS INTERNOS. PETICIONES Y QUEJAS

Según dispone el art. 49 LOGP los internos, a su ingreso, además de recibir información sobre sus derechos, deberes, el régimen y la disciplina del Establecimiento, también la reciben de los medios que disponen para formular sus peticiones, quejas y recursos. Las peticiones y quejas se pueden presentar sobre cuestiones relativas al régimen y al tratamiento penitenciario, tanto de forma oral como escrita; las resoluciones que las contesten se notifican por escrito a los interesados, informando de los recursos que proceden, plazos y órganos ante los que han de presentarse. Como no se fija legalmente el plazo del que dispone la Administración para resolver, hay que entender uno razonable a la vista del contenido de la petición o queja

Las *peticiones* implican solicitar una prestación o ejercicio de un derecho y las *quejas* suponen una reclamación por una prestación defectuosa o aplicación incorrecta de un derecho[139], ambas se pueden presentar ante el funcionario encargado de la dependencia que corresponda al interno, el Jefe de Servicios o el Director, art. 53.2 RP, siendo este último quien ha de resolverlas o en su defecto hacerlas llegar a su destino correspondiente. Los internos también pueden hacer peticiones y quejas ante el Juez de Vigilancia y el Defensor del Pueblo, lo que, dada la limitación que tienen los internos para interponer recursos, especialmente en apelación, convierte a la queja en un instrumento de gran importancia para impugnar todo tipo de actos de la Administración ante el Juez de Vigilancia, sin embargo, hay que distinguir dos tipos de quejas: aquellas que se refieren a la organización y funcionamiento diario de la prisión (alimentación, horarios, prestaciones...) y aquellas que se refieren a actos frente a los que cabría interponer recurso de alzada (denegación permisos, intervención comunicaciones...) pero que son impugnadas por los internos por esta vía. En estos casos, la interposición de queja, plantea el problema de entender si el conocimiento de la misma por el Juez de Vigilancia, al ser una impugnación contra una resolución administrativa, indica que el Juez de Vigilancia está actuando en segunda instancia y, por tanto, tras el recurso de reforma ya no cabe apelación, como entiende un sector minoritario[140], o bien, como parece más correcto, que es una primera instancia y, por tanto, tras el recurso de reforma, sí que cabe recurso

---

139 Racionero Carmona, F. *Derecho Penitenciario y privación de libertad.* Madrid 1999, pág. 196.

140 Nistal Burón, J. "El recurso de apelación en materia penitenciaria. Su controvertida procedencia contra los autos de los Jueces de Vigilancia desestimatorios de las quejas penitenciarias". *Diario La Ley* nº 6376, 12.12.2005, pág. 5.

de apelación, lo que es defendido por los criterios de actuación de los Jueces de Vigilancia de 1993.

Este derecho de queja no se debe confundir con el recurso de queja en vía judicial por inadmisión del recurso de apelación, se trata de figuras distintas, aunque reciban indebidamente el mismo nombre en la legislación penitenciaria.

6. SEGURIDAD Y VIGILANCIA

6.1. Seguridad exterior

La vigilancia exterior compete a las Fuerzas y Cuerpos de Seguridad del Estado o en su caso Policía Autonómica, quienes, sin perjuicio de estar a órdenes de sus superiores recibirán indicaciones del Director del centro penitenciario, art. 63 RP. La Ley de seguridad privada de 2014 atribuyó la función de vigilancia externa de los centros penitenciarios a empresas de vigilancia privada, lo que supone un supuesto más de la paulatina privatización de servicios penitenciarios que se está produciendo en los últimos años.

6.2. Seguridad interior

La vigilancia y seguridad interior del Establecimiento corresponde a los funcionarios de Instituciones Penitenciarias, salvo, como dispone la Disposición Final Primera de la LOGP, que las situaciones de grave alteración de los centros obliguen a intervenir a los Cuerpos de Seguridad del Estado, art. 64 RP.

Las medidas encaminadas a salvaguardar la seguridad interior consisten en la observación de los internos para conocer su comportamiento, actividades y relaciones con los demás internos. Como medidas específicas de control se destacan los recuentos, registros, cacheos y requisas y en la reforma del RP de 2011 se ha añadido los controles, cambios de celda, asignación adecuada de destinos y las actividades y las cautelas para salidas tanto del módulo como del Establecimiento. Todas estas medidas de control se venían realizando en virtud de las Instrucciones que regulaban las medidas de seguridad del régimen cerrado y los FIES y con este cambio han mejorado la necesaria garantía de legalidad, si bien por vía reglamentaria.

Los *recuentos* de control numérico de la población reclusa se hacen diariamente si son ordinarios, en el horario fijado por el centro, coincidiendo con los cambios de turno del personal de vigilancia; en caso de que las circunstancias lo aconsejen, se pueden hacer extraordinarios cuando lo autorice el Jefe de Servicios dando cuenta al Director. En ambos casos se han de llevar a cabo de una manera rápida y fiable, esto significa que no existen formalidades estrictas como pueda ser situar a los internos de pie, firmes o al fondo de la celda como antaño, basta que sean visibles.

Los *registros* se dirigen a inspeccionar las ropas y enseres de los internos, así como las dependencias (puertas, ventanas, paredes y techos de las celdas y espacios comunes) y sólo han de realizarse de forma excepcional, cuando sea necesario por motivos de seguridad.

En relación al registro de la celda, las STC 89/2006 de 27 de marzo y STC 106/2012 de 21 de mayo establecieron que supone una restricción del derecho a la intimidad que exige ser conocido por el interesado para ser constitucionalmente legítimo, bien permitiendo su presencia durante la práctica del mismo, bien mediante una comunicación posterior que informe de su contenido y eventual incautación de objetos personales, con lo cual no exige la presencia obligatoria del interno, pero sí la obligación de informar al interno de su práctica y del resultado obtenido. Esta misma posición la siguen los Jueces de Vigilancia al aprobar por unanimidad en sus acuerdos de 2018 que la presencia del interno no sea necesaria para llevar a cabo el registro en la celda, siendo suficiente con la notificación posterior.

Pese a ello, existen algunos pronunciamientos judiciales que consideran que, sin ser obligatoria es recomendable, la presencia del interno para evitar discrepancias, debiendo ser la regla general la presencia del interno y la excepción su ausencia justificada, Auto AP Ocaña 23.4.2002, Auto JV Madrid 20.5.2008[141].

---

141 En este último caso, se anuló la sanción por posesión de un teléfono móvil en la celda, declarando nulo de pleno derecho el registro por no estar presente el interno.

Los *cacheos* se realizan sobre el cuerpo de las personas para detectar objetos prohibidos, sólo deben hacerse por razones de seguridad con motivos concretos y fundados, excluyendo los sistemáticos, generales y arbitrarios; pueden ser superficiales de urgencia sobre las extremidades, ordinario mediante palpaciones y extraordinario con desnudo integral. El más importante es el que se realiza con *desnudo integral* (art. 68.2 RP) que sólo debe ser realizado si existen razones contrastadas que hagan pensar que el interno oculta en su cuerpo objetos peligrosos, sustancias susceptibles de causar daño a la salud o integridad física o alterar la seguridad y convivencia del centro, lo que exige cumplir los criterios de necesidad, proporcionalidad y respeto a la dignidad humana. Lo ha de autorizar el Jefe de Servicios y ser realizado por funcionarios del mismo sexo que el interno, preservando en todo momento la intimidad (en lugar cerrado y sin estar delante otros internos). Si da resultado negativo, pero persiste la sospecha, se puede solicitar a la Autoridad Judicial la realización de otros medios como los rayos X o ecografías, se entiende que ha de ser el Juez de Vigilancia si se trata de penados y la autoridad judicial de quien dependan si se trata de preventivos. Los Jueces de Vigilancia insisten reiteradamente que se les debe comunicar la realización de cacheo con desnudo integral por su afección a los derechos fundamentales (aprobado por unanimidad en los Acuerdos 2018).

El Tribunal Constitucional en varias ocasiones ha entendido que ha de justificarse en motivos concretos, sin ser suficiente el riesgo general tras las comunicaciones íntimas como medio para introducir estupefacientes: STC 57/94 de 28 de febrero, STC 218/02 de 25 de noviembre.

El RP de 1996 no señala la frecuencia de los registros y cacheos, salvo en el caso de los departamentos especiales donde establece en el art. 93.2 que han de ser diarios.

La *requisa* viene a ser una revista o inspección que se realiza normalmente sobre objetos materiales: puertas, ventanas, suelos, paredes y techos de las celdas y locales de uso común.

Entre las nuevas medidas, los *cambios de celda* deben hacerse sólo en caso de ser estrictamente necesario y sin que sean debido a medidas represivas, sino preventivas y con plazos razonablemente distanciados.

Otras medidas de seguridad son las dirigidas al registro y control de las personas autorizadas a comunicar con los internos y de quienes acceden al interior para realizar cualquier trabajo o gestión, así como de los vehículos, paquetes y encargos.

El criterio general para todas estas medidas, en virtud del art. 71 RP, es el de necesidad y proporcionalidad en cuanto a la decisión de llevarlas cabo y el de respeto a la intimidad y derechos fundamentales en la forma de realizarlas, esto se debe a que se trata de una actividad lesiva para los derechos de los internos llevada a cabo en el ejercicio legítimo de un deber, por ello la ponderación propia de la justificación penal ha de ser estrictamente respetada, lo que señala acertadamente la STC 57/94 de 28 de febrero antes señalada.

7. PRESTACIONES PENITENCIARIAS[142]

7.1. Prestaciones

Las prestaciones penitenciarias son todas las necesarias para que el interno no vea restringidos aquellos derechos fundamentales que no están limitados por la propia condena. La relación de sujeción especial también obliga a la Administración penitenciaria a proveer a los internos de lo necesario para su vida en prisión.

a) Educación

Entre los derechos enunciados en el texto constitucional aparece el de la educación (art. 27 CE). Por ello, los arts. 4.2 c) y 5.2 g) RP reconocen el derecho del interno a participar en las actividades del centro penitenciario y el deber de participar en las actividades formativas, educativas y laborales definidas en función de sus carencias. Parece deducirse del tenor literal del art. 5.2 g) RP que existe una obligación para el interno de participar en actividades formativas y educativas y, que, como toda obligación no cumplida en el ámbito penitenciario podría suponer una sanción. La controversia al respecto la ofrece el art. 119 RP al establecer estímulos, a través de beneficios penitencia-

---

142 Los epígrafes 7.1 y 7.2.2 ha sido elaborados por el Profesor César Chaves Pedrón.

rios y recompensas, en el aprovechamiento de las referidas actividades. Por lo expuesto, parece colegirse la voluntariedad de participar en estas actividades para todos los internos[143].

En los programas o actividades formativas y educativas se establecerán grupos de alumnos y cada grupo tendrá un profesor tutor que realizará una orientación académica, psicopedagógica y profesional de los alumnos, respecto de las diversas opciones educativas y de transición de la educación a la actividad laboral, art. 120 RP.

La preocupación por el acceso de los internos a la actividad formativa y educativa es tal, que se constata en la legislación penitenciaria, concretamente en el art. 121 RP, al establecerse la posibilidad de traslado a otro centro penitenciario por motivos educativos[144].

Los centros penitenciarios deben estar preparados para facilitar el acceso de los internos a la enseñanza[145], a tal fin deberán disponer de una escuela con la infraestructura adecuada (art. 55 LOGP). La prestación formativa y educativa se hace tan necesaria que, en todo caso, se debe proporcionar instrucción a analfabetos y jóvenes de forma prioritaria (art. 123 RP).

La posibilidad de enseñanza se extiende a la reglada —cualquier nivel— y no reglada. Para conseguir tal finalidad, la Administración penitenciaria realizará acuerdos con instituciones públicas o privadas[146], siempre con el límite de la función del propio centro penitenciario. Si esta actividad supusiera una alteración regimental para llevarse a cabo, se solicitará autorización de la Dirección del centro penitenciario, pudiendo denegarse, únicamente, por motivos de seguridad (art. 124 RP).

---

143 Vid. Rodríguez Alonso, A. y Rodríguez Avilés, J. A. *Lecciones de derecho penitenciario*, 4ª ed. Granada 2011, pág. 92.

144 Lo concederá el Centro Directivo previa petición del interno, informe de la Junta de Tratamiento, y siempre que no lo desaconsejen motivos de seguridad.

145 Incluso para internos en departamentos especiales según AJVP Valladolid de 01-03-2007, aunque el mismo auto pone de manifiesto que deberá proveerse el interno del material a través de la demandaduría si no se trata de una actividad programada según el art. 126.3 RP.

146 La Ley Orgánica 6/2003, de 30 de junio que modifica el art. 56 LOGP, establece que preferentemente la Administración penitenciaria realizará convenios, respecto de universidades públicas, con la Universidad Nacional de Educación a Distancia.

La reforma operada por el Real Decreto 268/2022, de 12 de abril, por el que se modifica el Real Decreto 190/1996, de 9 de febrero que se aprueba el Reglamento Penitenciario, modificó el segundo punto del art. 129 estableciendo la posibilidad no solo del uso de ordenadores y material informático (que ya venía previsto en la anterior regulación), sino al uso de dispositivos externos de almacenamiento de información y la conexión a redes de comunicación, lo que venía vedado antes de la indicada reforma. Esta reforma obedece a la necesaria adaptación de la prisión al cambio experimentado en las nuevas tecnologías e impedir que los internos sufran una brecha tecnológica que dificulte su adaptación a la vida en libertad.

Los estudios cursados en el Establecimiento penitenciario serán acreditados por la propia Administración penitenciaria en el momento de la liberación del interno.

La educación se considera necesaria para contribuir a la reinserción social, tanto es así que la enseñanza reglada y formación constituyen un Programa Individualizado de Tratamiento (PIT).

En cada centro penitenciario habrá una biblioteca que facilite el acceso de los internos a la formación educativa. Para cumplir con tal cometido deberán tener unos medios adecuados, como por ejemplo los libros necesarios para cubrir las necesidades culturales, educativas y profesionales de los internos que tendrán acceso a ella por el sistema de servicio ambulante (arts. 57 LOGP y 127 y ss. RP). Los mismos internos podrán participar en la gestión de la biblioteca y proponer la adquisición de libros con los fondos de la misma, incluso de idiomas extranjeros cuando exista un importante número de internos extranjeros que participan del idioma que se requiere; en este último caso se tratará de buscar la colaboración del Consulado correspondiente. Esta posible participación, activa el proceso motivador en la integración del interno en la cultura, o al menos eso se pretende.

b) Alimentación

La alimentación en el ámbito penitenciario constituye una prestación obligatoria por la Administración para responder al mandato del art. 3.4 LOGP. En el citado artículo se establece la obligación impuesta a la Administración penitenciaria de velar por la vida, integridad y salud de los internos.

Esta prestación debe atenderse a las necesidades de la población reclusa (edad —incluidos los niños de hasta tres años que están con sus madres—, trabajo, salud, convicciones religiosas, filosóficas, etc.)[147].

La cuestión alimenticia ha generado, por el bienestar de los internos, la Instrucción DGIP 10/2000 de 12 de julio sobre conservación, manipulación y preparación de alimentos. Los internos no pueden adquirir alimentos, a través de la demandaduría, que necesiten refrigeración porque carecen de ella en los módulos[148].

c) Higiene

La higiene es otra de las prestaciones a las que viene obligada la Administración penitenciaria, aunque debemos puntualizar que para cumplir con esta prestación la Administración necesita la adopción de medidas que deberán cumplir los internos. Para poder observar este cometido el Centro Directivo establecerá unas normas de limpieza e higiene a cumplir por los internos (arts. 19.3 LOGP y 221 y ss. RP). La Administración está habilitada legalmente para dictar las referidas normas, pero para su efectivo cumplimiento por los internos deberá facilitarles los medios necesarios. En primer lugar, proporcionará a todos los internos, a su entrada y con reposición periódica, un lote de productos higiénicos que constará de lo necesario para el aseo diario personal, ropa de uso personal y cama, así como preservativos[149]. También habrá un servicio de lavandería con posibilidad de acceso para todos los internos. Eso sí, con la frecuencia que se establezca por dicho servicio. El problema surgirá cuando interno pretenda una mayor frecuencia en el lavado de ropa del que determina el servicio de lavandería. En este caso, el AJVP Madrid nº 3 de 19-11-2001 estimó la queja de un interno al que se le prohibía lavar la ropa en su celda, el Juzgado entiende que es un derecho del interno del que no se le puede privar, salvo que interfiera en el orden y seguridad del establecimiento y no perjudique o lesione el derecho de otros internos.

---

147 Vid. Pérez Cepeda, A. I. y Fernández García, J. *Lecciones y materiales para el estudio del Derecho Penal. Tomo IV. Derecho Penitenciario,* Coordinación: Berdugo Gómez de la Torre, I. Madrid 2010, pág. 136.

148 Véase el AJVP Burgos de 30-10-2008.

149 Vid. Instrucción 13/2007 de la DGIP ahora SGIP sobre lotes higiénicos.

La higiene en el Establecimiento requiere su desinfección, desinsectación y desratización con la periodicidad que determine el servicio sanitario de cada centro de acuerdo con las normas establecidas por el Centro Directivo. Tampoco se admitirán, como regla general, la presencia de animales en los Establecimientos y nunca en las celdas.

d) Asistencia religiosa

La asistencia religiosa debe ser atendida por la Administración penitenciaria y respetar la libertad de los internos en este aspecto[150]. Así lo prevé nuestra legislación penitenciaria (art. 54 LOGP y 230 RP). Estos artículos traen causa de las Reglas Penitenciarias Europeas (art. 29)[151]. Por tanto, se facilitará a los internos que puedan ser asistidos por una confesión religiosa registrada y una alimentación y celebración de ritos de acuerdo con su confesión[152]. La Instrucción 4/2019 es la que regula los requisitos para la autorización de acceso de los ministros de culto, así como los requisitos para la prestación de la asistencia religiosa a los internos.

e) Asistencia post penitenciaria

Por último, caber señalar la asistencia social penitenciaria (arts. 227 a 229 RP) para solucionar los problemas de los internos y sus familiares que se producen con el ingreso en prisión, a través de las asistencias sociales y prestaciones públicas.

La asistencia postpenitenciaria (arts. 73 a 75 LOGP) prevé prestaciones sociales a las personas liberadas condicionales o definitivas y a sus familiares[153]. Pensemos en las dificultades para reintegrarse plenamente como ciudadano en libertad después de haber estado privado de la misma. Para ayudar a superar esta situación se prevé la asistencia postpenitenciaria.

---

150 Vid. Rodríguez Alonso, A. y Rodríguez Avilés, J. A. *op. cit.* pág. 103.

151 Vid. Rodríguez Alonso, A. y Rodríguez Avilés, J. A. *op. cit.* pág. 104.

152 La forma de llevar a cabo esta prestación viene en la Instrucción 4/2019.

153 Vid. Juanatey Dorado, C. *Manual de derecho penitenciario*, Madrid 2011, pág. 112.

7.2. Asistencia sanitaria

7.2.1. Tratamiento médico en el medio penitenciario

Todos los internos tienen derecho a la asistencia sanitaria ya que la Administración tiene el deber de velar por la vida, integridad y salud de los internos, art. 3.4 LOGP, por ello a todos sin excepción se les garantizará una atención médico-sanitaria equivalente a la dispensada al conjunto de la población (art. 208.1 RP); tal atención es extensible a la prestación farmacéutica y prestaciones complementarias básicas que se deriven de esta atención. Para ello la Administración penitenciaria formalizará los correspondientes convenios de colaboración con instituciones públicas y privadas.

La atención sanitaria se presta en la propia prisión en lo que respecta a la atención primaria por un equipo formado por un médico general, un diplomado en enfermería, un auxiliar de enfermería y periódicamente un odontólogo y un psiquiatra; en los centros de mujeres prestan servicios también un ginecólogo y un pediatra. La atención especializada se presta a través del sistema nacional de salud, mediante consultas, en las que la demanda sea alta, en el propio Establecimiento o en el exterior, a través de consultas u hospitalización.

El interno puede solicitar permisos extraordinarios para tratamiento médico extrapenitenciario, art. 155 RP; también se puede solicitar traslado a un hospital extrapenitenciario, lo que requiere la autorización del Centro Directivo, art. 35 RP; y es posible asimismo solicitar servicios médicos privados en el interior de la prisión con la autorización del Centro Directivo, art. 212.3 RP.

El tratamiento médico, en general, exige como requisito previo la aprobación del paciente tras recibir una suficiente información, ya que para poder opinar hay que conocer la naturaleza y alcance del tratamiento[154]. La Ley reguladora de la autonomía del paciente y de derechos y obligaciones en materia de información y documentación clínica L. 41/2002 de 14 de noviembre reformó algunos artículos de la Ley General de Sanidad (L. 14/86 de 25 de abril), en virtud de ambas toda actuación en el ámbito de la salud del paciente requiere el consentimiento libre y voluntario del afectado, una vez que haya

---

[154] Romeo Casabona, C. *El médico y el Derecho Penal.* Barcelona 1981 pág. 329.

sido debidamente informado, por ello sólo se permite llevar a cabo intervenciones clínicas sin necesidad de contar con el consentimiento del paciente cuando exista riesgo para la salud pública, cuando exista riesgo inmediato grave para la integridad física o psíquica del enfermo y no sea posible conseguir su autorización; además, se permite el consentimiento por representación cuando el paciente no sea capaz de tomar decisiones por su estado físico o psíquico y en los casos de consentimiento inválido como menores o incapaces. En los casos en los que el paciente rechace el tratamiento prescrito, podrá solicitar el alta voluntaria, lo que obviamente, el recluso no puede llevar a cabo.

En el caso de los internos, frente al silencio de la anterior norma reglamentaria, el art. 210.1 RP exige el consentimiento informado para cualquier tratamiento médico-sanitario que se preste al recluso salvo en peligro inminente para la vida, en cuyo caso se permite la intervención coactiva en los siguientes términos:

> *Sólo cuando exista peligro inminente para la vida de éste se podrá imponer un tratamiento contra la voluntad del interesado, siendo la intervención médica la estrictamente necesaria para intentar salvar la vida del paciente y sin perjuicio de solicitar la autorización judicial correspondiente cuando ello fuese preciso. De estas actuaciones se dará conocimiento a la Autoridad judicial.*

Esta mención del tratamiento médico es necesaria ya que de lo contrario cualquier intervención médica sobre un interno como tratamiento médico arbitrario podría dar lugar a un delito de coacciones[155], justificable tan sólo por la preponderancia de intereses, es decir que la salvaguarda de un bien mayor permita sacrificar uno menor como es la libertad del recluso, sin embargo en ella se detectan los siguientes inconvenientes:

a) Por afectar a la integridad, intimidad y libertad de decisión del interno, debería ser la LOGP y no el RP quien lo regulara.

b) Junto a la referencia al tratamiento médico se podría haber citado la alimentación de los huelguistas, como hacen otros Ordenamientos, por sus características especiales.

---

[155] Cervelló Donderis, V. *El delito de coacciones en el CP de 1995*, pág. 48 y ss. Valencia 1999.

c) Debe tenerse en cuenta la aprobación de la LO 3/2021 de 24 de marzo de regulación de la eutanasia y el derecho a la muerte digna[156].

d) Es inadecuado que si peligra la vida del propio interno se permita la autorización judicial cuando fuese preciso, mientras que, si existe peligro evidente para la vida o salud de terceras personas, sólo exija dar cuenta a la autoridad judicial.

7.2.2. Prevención enfermedades infecto-contagiosas

Una vez ha sido analizada la prestación sanitaria por parte de la Administración penitenciaria a los internos, dentro de la que consideramos la primaria y especializada, queda por atender las relativas a la propagación de enfermedades infecto-contagiosas.

Las enfermedades infecto-contagiosas se dan en un alto porcentaje en las prisiones. En estos casos la atención sanitaria deberá ser la especializada competente en cada caso, además de tomar las medidas oportunas para evitar la propagación de dichas enfermedades. En efecto, a tenor del art. 219.2 RP cuando se detecte un brote de una enfermedad transmisible, se comunicará a la autoridad sanitaria competente y se adoptarán las medidas necesarias para evitar su propagación, así como el tratamiento de los enfermos. Otra consecuencia de las enfermedades infecto-contagiosas es la que señala el art. 219.3 RP, de donde surge la obligación de la Administración penitenciaria de poner en conocimiento de la autoridad sanitaria competente la libertad definitiva de una persona con enfermedad infecto-contagiosa. Si esta obligación se da respecto a un interno con una enfermedad infecto-contagiosa para que la autoridad sanitaria adopte las medidas oportunas, no se entiende muy bien que sea un liberado definitivo y no condicional, pues la situación será la misma en orden a la relación con las demás personas en libertad. La argumentación para tal diferencia

---

156 La primera solicitud de eutanasia formulada por un interno preventivo aquejado de una lesión medular ha sido recurrida por las víctimas que solicitaban que se demorara hasta después de la celebración del juicio oral. Dicha pretensión fue rechazada por el Juzgado de Instrucción y la Audiencia Provincial y al cerrar esta edición se ha conocido que el Tribunal Constitucional ha denegado el recurso de amparo presentado por las víctimas, autorizando su práctica prevista para el 23 de agosto de 2022.

podría consistir en que el liberado condicional mantiene la prestación sanitaria del Establecimiento penitenciario, y que todavía se está bajo la relación de sujeción especial. Por ello, las medidas a adoptar por la sanidad tendrán el mismo fundamento en un caso y en otro, faltando entonces la referencia en el caso de libertad condicional.

La presencia de personas con problemas de drogodependencia, muchos consumidores por vía inyectada o parenteral, es una variable causal para la infección del VIH, VHB y VHC. En el ámbito penitenciario está especialmente presente la primera, es decir, el SIDA[157] Ante esta situación, no debemos olvidar la obligación de la Administración penitenciaria de velar por la vida, integridad y salud de los internos (art. 3 LOGP); por ello, la propia DGIP dictó la Instrucción 5/2001 de 7 de junio sobre programas de intercambio de jeringuillas. No olvidemos que una jeringuilla es un objeto prohibido para los internos, pero no supondrá ninguna sanción si la tienen a la vista de los funcionarios. Este programa de intercambio lo llevan a cabo asociaciones que han hecho un convenio con la Administración penitenciaria.

La situación expuesta requiere algo más que el intercambio de jeringuillas, como es la intervención de la Administración penitenciaria en orden a solucionar el problema; para ello el art. 37 b) LOGP establece como prestación sanitaria la dotación en los Establecimientos penitenciarios de una dependencia destinada a la observación psiquiátrica y a la atención de los toxicómanos. En muchas prisiones existe un módulo específico de deshabituación de drogodependencias, como Valencia (Picassent), Navalcarnero, Villabona, etc.

Además, es uno de los tratamientos específicos al existir una gran incidencia de drogodependientes en las prisiones, con el inconveniente de que la adicción a la droga dificulta enormemente el proceso rehabilitador y de reinserción. Sin olvidar que el consumo de droga en las prisiones trae como consecuencia la alteración del orden regimental. Por ello, en el art. 116 del RP se prevé, como tratamiento penitenciario, la actuación especializada en drogodependencias.

En este apartado no podemos obviar una referencia a la pandemia provocada por el Covid-19. En este sentido cabe señalar resoluciones judiciales que han permitido adoptar medidas para evitar la transmi-

---

157 Vid. Pérez Cepeda, A. I. y Fernández García, J. *op. cit.* pág. 135.

sibilidad del citado virus. Así, el AJVP de Bilbao, 20/05/2020, autorizó el análisis de sangre a un interno, aun en contra de su voluntad para prevenir el contagio de coronavirus entre la población reclusa. Para sustentar su decisión el JVP incidió en el artículo 15 de la Constitución Española (derecho a la vida y a la integridad física) que a partir de la STC 120/1990 de 27 de junio la asistencia médica se impone en el marco de relación de sujeción especial que vincula a un interno con la Administración penitenciaria, y que está en virtud de tal situación especial y viene obligada a velar por la vida y la salud de los internos sometidos a su custodia, deber que le viene impuesto por el artículo 3.4 de la LOGP.

En los supuestos de aislamiento de un interno por estar infectado del Covid-19, el AJVP nº Madrid, 06/05/2020, no admitió a trámite la queja del interno al carecer el Juzgado de Vigilancia Penitenciaria de competencia sobre lo solicitado por exceder de las atribuciones que se le encomiendan en el artículo 76 de la Ley Orgánica General Penitenciaria, que limita las competencias del Juez de Vigilancia en relación con las quejas a aquellas materias que afecten a derechos fundamentales de los internos y a cuestiones referentes a régimen o tratamiento penitenciario, no pudiendo encuadrarse en dichas materias la queja formulada por el interno, pues el aislamiento sanitario se adopta en virtud de normas aplicables a todos los ciudadanos.

7.2.3. La huelga de hambre penitenciaria[158]

La huelga de hambre penitenciaria utilizada como medio de protesta, se diferencia de la huelga de hambre genérica en su carácter político y reivindicativo y en su finalidad de comprometer especialmente a la institución penitenciaria por la falta de libertad del huelguista, ya que, aun poniendo en peligro su vida, la mayoría de presos no tiene la intención de morir[159], sino forzar un cambio de postura en la Administración.

---

158 Más extensamente Cervelló Donderis, V. "La huelga de hambre penitenciaria: fundamento y límites de la alimentación forzosa". *EP y C* XIX 1996.

159 Sobre la voluntad de morir: Díez Ripollés "La huelga de hambre en el ámbito penitenciario", *CPC* nº30 1986 pág. 609.

Pese a no existir una mención específica, en la etapa preconstitucional, uno de los problemas debatidos era la responsabilidad del recluso huelguista ya que al entenderse como comisión de una falta disciplinaria de plante, desorden o insubordinación grave del art. 112 RSP, le correspondía la imposición de una sanción de aislamiento, lo que fue respaldado por el Tribunal Supremo en algunas sentencias como 13.4.1971 (R. 2210), 31.3.1977 (R. 1467) y 23.4.1976 (R. 2385). Posteriormente, las Circulares 13.4.1978 y 31.5.1978 de la DGIP desestimaron tal calificación si la huelga individual o colectiva, se llevaba a cabo de forma pacífica, sin incitación al plante, ni alteración del orden ni acompañada de coacciones o amenazas[160].

El RP 1981 y su posterior reforma de 1984 modificaron la relación de infracciones y con ella la referencia implícita a la huelga de hambre, salvo supuestos extremos en los que se produjeran desordenes colectivos o alteraciones graves del orden, con lo cual la huelga de hambre se consideraba un medio lícito de protesta, que desde 1970 comenzó a utilizarse para reclamar mejoras carcelarias.

En 1989 la huelga de hambre penitenciaria adquirió un destacado protagonismo por la decisión de cuarenta y ocho presos del GRAPO de iniciarla como protesta contra la política de dispersión penitenciaria exigiendo su reagrupamiento en un solo centro. Cuando sus vidas comenzaron a correr serio peligro la Administración penitenciaria tuvo que plantearse la opción entre: alimentar a la fuerza, lo que podría ser constitutivo de delito de coacciones o bien respetar su decisión de no recibir alimento con el riesgo de morir, con posible responsabilidad penal en concepto de homicidio en comisión por omisión, auxilio al suicidio u omisión del deber de socorro.

Los Juzgados de Vigilancia Penitenciaria inicialmente respetaron la voluntad del interno, permitiendo la alimentación forzada cuando se hubiera perdido la consciencia por desconocerse en ese momento la voluntad de seguir en su actitud. La Fiscalía recurrió y las Audiencias Provinciales revocaron tales pronunciamientos, hasta que finalmente se recurrió en amparo ante el Tribunal Constitucional que dictó las

160 García Valdés, C. *Comentarios a la legislación penitenciaria* 2ª Ed. Madrid 1982 pág. 127.

STC 120/1990 de 27 de junio y 137/1990 de 19 de julio, en las que se autorizaba la alimentación en los siguientes términos:

- la limitación de los derechos del recluso se debe a la relación de sujeción especial que vincula al recluso con la Administración Penitenciaria.
- la Administración Penitenciaria tiene el deber de velar por la vida, integridad y salud de los reclusos.
- la privación de la vida es un acto no prohibido por la ley, pero no genera un derecho subjetivo que pueda movilizar el apoyo público.
- la asistencia médica obligatoria, sin vulnerar ningún derecho fundamental, supone una restricción a la libertad física justificada para preservar la vida que es un valor superior.
- la alimentación forzosa sólo se autoriza cuando la vida del recluso corra un serio riesgo y respetando la dignidad humana.

De todo ello se deduce que la alimentación forzosa realizada violentamente (encadenar, atar a la cama, inmovilizar la cabeza...) constituye un delito de coacciones, que sólo si respeta la dignidad del interno, podrá dar lugar a una conducta justificada o inexigible por la preponderancia de la salvaguarda de la vida del recluso.

La solución de permitir la alimentación cuando la vida del recluso corra serio peligro presenta el inconveniente de dejar en manos del personal sanitario la determinación del momento adecuado y de introducir un término vago e inseguro como es el de grave peligro, sin embargo, es preferible, ya que la pérdida de la consciencia en muchos supuestos puede ser ya irreversible, sin servir para los casos en los que la voluntad del recluso sea firme de continuar, incluso llegado ese momento. No obstante, en todo caso hay que tener en cuenta que la necesidad de la intervención varía de un caso a otro en función de las circunstancias patológicas del recluso, sin ser conveniente dictar reglas generales.

El art. 210.1 RP permite la intervención en el momento de peligro inminente para la vida, con un criterio restrictivo ya que el término inminente requiere una muy cercana proximidad de la muerte con exclusiva referencia a la vida y no a la salud. Este restrictivo contenido no va a impedir problemas de interpretación sobre el alcance del término "peligro inminente" para el cual ha de atenderse necesariamente a las circunstancias personales del sujeto ya que el peligro viene referido a la vida del interno y no a la vida en general. El precepto sólo exige dar conocimiento a la autoridad judicial (se entiende que ha de ser el Juez de Vigilancia) limitando la obligación de solicitar su autorización cuando "ello fuese preciso" y cuando se haya de proceder a su hospitalización (art. 210.3), incluyendo de nuevo términos difíciles de concretar.

Bibliografía: Armenta González-Palenzuela, F. *Procedimientos penitenciarios*. Granada 2009. **Benítez Andújar, I.** "La nueva "medida de seguridad" de "libertad vigilada" aplicable al sujeto imputable tras el cumplimiento de la pena privativa de libertad", *CPC* nº 103, 2011. **Bona i Puigvert, R.** "Clasificación y tratamiento penitenciario. Traslados y permisos de salida: su control jurisdiccional"*Cuadernos de Derecho Judicial* nº 33, 1995. **De Vicente Martínez, R.** "Registros y cacheos en el ámbito penitenciario" *Revista de derecho y proceso penal* nº 22, 2009. "La observación de los internos, los recuentos de la población reclusa, los controles e intervenciones como medidas de seguridad interior de los establecimientos penitenciarios". *Diario La ley* nº 7121, 2009. **Fernández Arévalo, J. M. /Mapelli Caffarena, B.** *Práctica forense penitenciaria*. Madrid 1995. **García Albero, R.** "La nueva medida de seguridad de libertad vigilada" *Revista Aranzadi Doctrinal* nº 6, 2010. **Gómez Escolar, P.** "La ejecución de la libertad vigilada postpenal" *Diario La Ley* nº 9527 de 27 noviembre 2019. **Montero Hernández, T.** "Traslados de centro penitenciario y ejecución de condenas" *Diario La Ley* nº 7548, 17.1.2001 **Silva Sánchez, J. M.** "El SIDA en la cárcel: algunos problemas de responsabilidad penal" *La Ley* 1992. **Vida Fernández, J.** "Análisis y propuestas para garantizar el derecho a la asistencia sanitaria de los internos en Instituciones penitenciarias" *La ley penal* nº 62, 2009. **VVAA** *Estudios Jurídicos. Cuerpo de Secretarios Judiciales*, Año 2000, nº 2 dedicado a Régimen Penitenciario del cumplimiento de las penas privativas de libertad.

Capítulo 9º

LA CLASIFICACIÓN PENITENCIARIA

1. CLASIFICACIÓN PENITENCIARIA

En virtud del art. 72 LOGP las penas privativas de libertad se ejecutarán según el sistema de individualización científica separado en grados, el último de los cuales es el de la libertad condicional. De esta manera la pena de prisión se divide en cuatro grados a los que corresponden respectivamente determinados regímenes de vida

- primer grado: régimen cerrado
- segundo grado: régimen ordinario
- tercer grado: régimen abierto
- cuarto grado: libertad condicional

Como consecuencia de ello la clasificación en cualquiera de esos grados va a determinar el destino del interno a los Establecimientos correspondientes y, por tanto, la aplicación de su propio régimen en cuanto a salidas, actividades, horas de patio, permisos y tratamiento que se le vaya a aplicar; por ello, la importancia de la clasificación se encuentra en que de un conjunto de datos psicológicos, sociales, penales y penitenciarios se va a deducir una conclusión con efectos jurídico-penitenciarios[161].

---

[161] Alarcón Bravo, J. "El tratamiento penitenciario en el primer decenio de la LOGP" en *La intervención educativa en el medio penitenciario*. Dtores. Garrido Genovés-Redondo Illescas Madrid 1992, pág. 34.

Este esquema ya clásico en el Derecho Penitenciario español sufrió una importante modificación con la LO 1/2015 de 30 de marzo de reforma del Código Penal ya que la consideración de la libertad condicional como una modalidad de suspensión de la ejecución del resto de la pena le impide seguir siendo el último grado de la pena, de hecho la Instrucción SGIP 4/2015 de 29 de junio así lo entiende al afirmar que la libertad condicional ha dejado de ser una forma específica de cumplimiento de la pena privativa de libertad, para pasar a ser una forma de suspensión de la pena que queda por cumplir por un plazo determinado.

Distinto a la clasificación en grados es la fase que se asigna al interno para su ubicación en el centro penitenciario; dentro de cada grado puede haber varias fases por la conducta del interno o la sumisión a las normas en las que se puede progresar o regresar, lo que tiene efectos de organización interna y cierta trascendencia que se plasma en diferencias en comunicaciones y horarios, pese a estar dentro de un mismo grado penitenciario.

Desde el inicio se puede decretar la clasificación en cualquiera de los grados salvo el de libertad condicional, sin ningún límite de permanencia, sin embargo, la reforma del art. 36 CP por la Ley 7/2003 de 30 de junio exigió un periodo de seguridad en los delitos graves antes de acceder al tercer grado, que fue revisado en la reforma del CP de 2010, para dejar de ser obligatorio como regla general.

Esta clasificación ligada al tratamiento más adecuado para el interno es distinta de la inicial separación interna que se lleva a cabo inmediatamente, desde el ingreso en el centro, que resulta necesaria para no mezclar individuos incompatibles en los términos generales del art. 16 LOGP: hombres separados de mujeres, salvo excepciones; detenidos y presos separados de condenados; primarios separados de reincidentes; jóvenes separados de adultos; enfermos psíquicos o físicos separados de los que no presenten anomalías sanitarias; detenidos y presos por delitos dolosos separados de los que lo estén por imprudencia.

Si se trata de condenados, el art. 63 LOGP declara que tras la oportuna observación, el destino a uno u otro Establecimiento se hará dependiendo de la personalidad, el historial individual, familiar, social y delictivo del interno, la duración de la pena impuesta, el medio al que retornará y los recursos para el buen éxito del tratamiento[162]. Aunque estos criterios deberían responder a un modelo de individualización científica que persiga lo más adecuado para el tratamiento personalizado, uno de ellos es puramente objetivo al referirse a la duración de la condena. Tal objetividad se incrementó con la reforma introducida por la Ley 7/2003 de 30 de junio al incorporar el periodo de seguridad y la responsabilidad civil como nuevos criterios de clasificación para el tercer grado.

1.1. Procedimiento

1.- En el plazo máximo de dos meses desde que se recibe en el Establecimiento penitenciario el testimonio de sentencia, la Junta de Tratamiento ha de realizar la propuesta de clasificación, según modelo contenido en la Instrucción DGIP 9/2007 21 de mayo, modificada parcialmente por la Instrucción SGIP 5/2011 de 31 de mayo, que determinará el destino al Establecimiento más adecuado. Para ello hay un periodo previo de observación en el que se recogen datos que puedan fundamentar la propuesta de grado (penales, penitenciarios, de comportamiento, factores de adaptación...) que unido al programa de tratamiento, forma el protocolo de personalidad que inicia la andadura de la vida penitenciaria.

Si el condenado tiene causas pendientes en situación de preventivo, no se formula propuesta de clasificación inicial, y si recae la prisión preventiva cuando ya ha sido clasificado se deja sin efecto esta clasificación, pasando a estar no clasificado, o lo que es lo mismo, aplicándosele las normas de régimen ordinario (art. 104 1 y 2 RP). Si hay causas pendientes pero sin haberse decretado prisión preventiva, la clasificación no varía[163].

---

162 Sobre los datos que informan acerca de los aspectos relacionados con la actividad delictiva, Leganés Gómez, S. *La evolución de la clasificación penitenciaria* Madrid 2005, pág. 74-75.

163 En sentido contrario Racionero Carmona, F. entiende que también en este caso ha de trascender a la clasificación *Derecho penitenciario y privación de libertad* Madrid 1999, pág. 142.

2.- Tras la propuesta formulada por la Junta de Tratamiento, el Centro Directivo (SGIP) la ha de ratificar en dos meses desde su recepción que pueden ser ampliados dos más.

En las condenas hasta un año, la propuesta de clasificación formulada por la Junta de Tratamiento de forma unánime, no necesitará ser ratificada, salvo que se trate de una clasificación en primer grado, en cuyo caso ha de resolver el Centro Directivo. Además, en la OM 1127/2010 de 19 de abril (BOE 3.5.2010) se delegan en el Director del centro muchas competencias relativas a la ratificación de las propuestas de clasificación como por ejemplo la clasificación inicial en segundo grado de condenas superiores a cinco años de prisión, si el acuerdo de la Junta de Tratamiento se tomó por unanimidad y no se trate de internos vinculados a organizaciones terroristas ni de delitos cometidos en el seno de organizaciones criminales.

Un supuesto específico es el introducido por la Instrucción SGIP 6/2020 de 17 de diciembre que regula el protocolo de ingreso directo en tercer grado para sujetos que reúnan una serie de favorables positivas como son la presentación voluntaria, una condena no superior a cinco años, primariedad delictiva, satisfacción de la responsabilidad civil, actividad laboral, apoyo familiar…

3.- Una vez se ha notificado tal decisión, contra ella cabe recurso de alzada ante el Juez de Vigilancia. Si el Juez de Vigilancia desestima el recurso cabe interponer uno de reforma ante él mismo y, si vuelve a desestimar, se puede interponer recurso de apelación ante el Tribunal sentenciador. Si está cumpliendo varias penas, este último recurso lo ha de resolver el que impuso la pena privativa de libertad más grave y, si son de la misma gravedad, el que la impuso en último lugar (si es unipersonal los Jueces de Vigilancia proponen que sea la Audiencia Provincial para que tenga mayor jerarquía que el Juez de Vigilancia, reunión Madrid 2003). Si no hay recurso ni del interno ni del Ministerio Fiscal, el Juez no la puede modificar. El RP no específica de qué plazo dispone el interno para interponer el primero de estos recursos, con lo cual podría aplicarse el criterio adoptado por los JV en su reunión de 2003 consistente en asumir el plazo general de un mes de la LRJAP y PAC, actualmente sustituida por la Ley 39/2015 de 1 de octubre de Procedimiento Administrativo común de las Administraciones Públicas.

Todas las resoluciones de clasificación o progresiones a tercer grado se han de comunicar al Ministerio Fiscal en tres días desde su adopción, por si considera conveniente recurrir, lo que no parece muy lógico restringir solo al tercer grado sin extenderlo a todo tipo de clasificación. De la misma manera cualquier progresión o clasificación en tercer grado debería notificarse a los Juzgados de Vigilancia.

4.- Cada seis meses como máximo se ha de revisar la clasificación para progresar, mantener o regresar de grado (art. 105 RP), salvo para la modalidad de primer grado que es cada tres (art. 98.2 RP)[164]; además, si se trata de menores de veintiún años toda revisión de primer grado que supere seis meses de permanencia se remite al Centro Directivo, igual que si no se adopta por unanimidad. El art. 65 LOGP y 106 RP señalan los criterios generales a tener en cuenta para la revisión de grado, lo que en la práctica viene a determinar que la progresión de primero a segundo grado se lleve a cabo por la ausencia de incidencias negativas y buen comportamiento, y de segundo a tercero se puedan tener en cuenta además otros criterios, como pueda ser el haber disfrutado de permisos sin incidencias, ausencia de sanciones o la proximidad de las tres cuartas partes de la condena para evitar el riesgo de quebrantamiento. En cuanto a la regresión suele valorarse el incumplimiento de obligaciones, la comisión de nuevos delitos o no reingreso tras un permiso[165] y, en definitiva, todo tipo de comportamientos desfavorables que valoren la conducta penitenciaria globalmente y no en hechos aislados como pueda ser la comisión de una infracción.

Tras una segunda clasificación en primer grado por la misma Junta de Tratamiento se puede solicitar que la próxima lo realice la Central de observación (art. 105.3 RP).

---

164 La Instrucción SGIP 5/2011 de 31 de mayo aclara que la revisión cada tres meses es tanto para el cambio o mantenimiento de grado como para la modalidad o destino.

165 El art. 108.1 RP establece que en estos casos se clasifica provisionalmente en segundo grado hasta que se reclasifique con lo cual está impidiendo la regresión inmediata.

1.2. El principio de flexibilidad

La importancia de la clasificación es que constituye la base del tratamiento que luego se vaya a aplicar al interno, lo que implica la importancia de que se realice una clasificación correcta[166], sin situar al interno en un grado inferior al que le corresponde, y la necesidad de que sea revisada periódicamente para adaptar los cambios que vayan produciéndose en la evolución del tratamiento mediante la progresión o regresión. De esta forma la clasificación adquiere un carácter dinámico que exige ir adaptándose progresivamente a la evolución del penado.

Para adecuar la clasificación al máximo posible de individualización respecto a las características personales del interno, el art. 100.2 RP facilita la flexibilidad del sistema de individualización científica con la posibilidad de que la Junta de Tratamiento, con autorización del Juez de Vigilancia, combine las características de los distintos grados penitenciarios respondiendo a un programa de tratamiento específico, siendo en la actualidad un instrumento adecuado para dar mayor juego a la progresión, ya que las distancias entre unos grados y otros se acortan si hay vías de intersección intermedias. Esta distancia entre grados se aprecia especialmente por la ausencia de modalidades de cumplimiento dentro del segundo grado, a diferencia del primero o tercero que sí que disponen de subtipos diferenciados como son los departamentos especiales en el primer caso y el régimen abierto restringido en el segundo[167].

Entre estas posibilidades una muy adecuada es la transición del primer grado al segundo grado para permitir a los internos, antes de la progresión, que puedan participar en actividades comunes que faciliten la convivencia y la integración, o bien, el paso del segundo grado al tercer grado a través del mantenimiento en segundo grado autorizando ciertas salidas al exterior, lo que permite un tránsito más

---

166 De la Cuesta Arzamendi, J. L. "Le système pénitentiaire espagnol" *Les systèmes pénitentiaires dans le monde*. Dirección J. P. Céré et CE A-Japiassú 2ª Ed. París 2011 pág. 135.

167 Rodríguez Puerta, Mª J, "El art. 100.2 RP como expresión del sistema de individualización científica y del principio de flexibilidad: algunos datos sobre su aplicación" *EPyC* vol. XLI (2021), pág. 665.

paulatino a la libertad que facilite la consolidación de factores positivos, como hace la SAP Madrid 2.6.2009 o Auto JV Villena 17.9.2009.

El acuerdo de aplicación del art. 100.2 RP de la Junta de tratamiento, a propuesta del Equipo Técnico, debe cumplir los siguientes requisitos legales: a) fundamentarse en un programa específico de tratamiento que recoja los distintos elementos de los que va a estar formado; b) que dicho programa de tratamiento sea imposible ejecutarlo de otro modo y c) que sea una medida excepcional, lo cual debe interpretarse como exigencia de motivación, no de aplicación discrecional o minoritaria. Entre las causas más frecuentes de denegación se puede citar la inexistencia de un programa de tratamiento específico, la falta de concreción de los elementos de cada grado que lo componen, la utilización de un concepto restrictivo de tratamiento o la ausencia de justificación[168].

Dicho acuerdo se comunica al Juez de Vigilancia para su aprobación, pese a lo cual es de aplicación inmediata, algo rechazado por unanimidad en la reunión de Jueces de Vigilancia de junio de 2006, ratificada en 2009[169], al entender que este régimen excepcional no debería ser provisionalmente ejecutivo hasta que no se aprobara judicialmente por los Juzgados de Vigilancia.

En su regulación no se requiere de la aprobación por el Centro Directivo, por eso sorprende que en ocasiones se reclame como parte del acuerdo de clasificación[170], pese a que la exigencia de un programa específico de tratamiento se debe a que forma parte de un programa de tratamiento en el que se manifiesta la preferencia tratamental sobre la regimental[171] .

---

168 Cervelló Donderis, V. "El principio de flexibilidad penitenciaria" *RGDP* nº 36, 2021, pág. 12-14.

169 Criterios de actuación, conclusiones y acuerdos aprobados por los Jueces de Vigilancia penitenciaria en sus XVIII reuniones celebradas entre 1981 y 2009 (texto refundido y depurado actualizado a junio de 2009)

170 Fernández Arévalo, L./Nistal Burón, J. *Derecho Penitenciario*, Cizur Menor Navarra, Thomson-Aranzadi, 2016, versión electrónica, capítulo 17 epígrafe 4.1.2. Armenta González-Palenzuela, F. J./Rodríguez Ramírez, V. *Reglamento penitenciario. Análisis sistemático, comentarios, jurisprudencia*, Madrid, Colex, 1ª Ed. 2009 pág. 284.

171 Rodríguez Yagüe, C. *La pena de prisión en medio abierto: un recorrido por el régimen abierto, las salidas tratamentales y el principio de flexibilidad.*

Como ya aclaró el Auto TS de 22 de julio de 2020 al tratarse de un tema de ejecución el Tribunal sentenciador es el competente para resolver los recursos de apelación.

Sus mayores críticas se asientan en la efectividad inmediata, que no requiere de autorización judicial previa, y su inadecuada regulación, no solo por recogerse en sede reglamentaria y no en la LOGP, sino por la poca claridad de sus requisitos legales, pese a que con esta figura se puedan modificar las condiciones de cumplimiento de los distintos grados, con sus correspondientes cuestiones regimentales y de tratamiento.

1.3. Criterios generales de clasificación penitenciaria

a) *primer grado*: penados calificados de peligrosidad extrema o inadaptación a los grados ordinario y abierto, art. 10 LOGP, que se concreta en el art. 102.5 RP como inadaptación manifiesta y grave a las normas generales de convivencia ordenada. Se trata de una clasificación excepcional o de intervención mínima, transitoria para que dure los estrictamente necesario y subsidiaria, para que se aplique solo en caso de que no sean otras las causas de la agresividad[172], como pueda ser la presencia de una patología psiquiátrica. Con el fin de restringir al máximo su utilización, se ha de tener en cuenta que la peligrosidad es criminal y, por tanto, probabilidad de cometer delitos y la inadaptación exige ser grave, permanente y manifiesta, sin limitarse sólo a la comisión de faltas disciplinarias, como señala el Auto JV Zaragoza 3.9.2010 que revocó una regresión a primer grado por una pelea con otro interno con un pincho al entender que por dichos hechos ya habían recibido su sanción y no revestían la gravedad suficiente para la regresión por el carácter excepcional del primer grado. La duda sobre

Ed. Reus Madrid 2021, pág. 464. Fernández Arévalo, L./Nistal Burón, J. *Derecho Penitenciario*, Cizur Menor Navarra, Thomson-Aranzadi, 2016, versión electrónica, capítulo 17 epígrafe 4.1.2. destacan precisamente esta vinculación exclusiva a los factores de tratamiento penitenciario como una de las características que le diferencian de otras figuras como las restricciones regimentales del art. 75 RP.

172 Ha sido muy positivo que la propia Instrucción DGIP 9/2007 de 21 de mayo recogiera este carácter excepcional del primer grado.

si se trata o no de peligrosidad penitenciaria[173] se resuelve teniendo en cuenta que la clasificación es parte del tratamiento y, por tanto, no debe regirse por criterios de orden, régimen y disciplina, sino de reinserción social.

b) *segundo grado*: penados en quienes concurran circunstancias personales y penitenciarias de normal convivencia, pero sin capacidad para vivir en semilibertad, art. 102.3 RP

c) *tercer grado*: penados que por sus circunstancias personales y penitenciarias estén capacitados para vivir en semilibertad, art. 102.4 RP[174], lo que exige unas expectativas de comportamiento correcto que permitan disminuir las medidas de vigilancia.

Como se puede observar todos los criterios adolecen de ambigüedad ya que determinar la peligrosidad o la capacidad de vivir en semilibertad es sumamente difícil por su indeterminación, lo que obliga a acudir a los criterios más específicos que se recogen en el RP.

2. PRIMER GRADO

Lo primero que hay que destacar es que los factores concretos a tener en cuenta para la clasificación en primer grado se encuentran en el art. 102.5 RP, lugar inadecuado para una materia tan relacionada con los derechos fundamentales y que se refieren a datos objetivos, datos relacionados con la personalidad del interno y datos que se desprenden de la valoración que puedan hacer los Equipos Técnicos.

Tras la mención de los criterios generales antes señalados se indica que hay que ponderar una serie de factores que se citan a continuación, es decir no son de aplicación automática, sino que han de ser valorados:

---

173 Arribas López, *El régimen cerrado en el sistema penitenciario español*. Madrid 2009 pág. 108.

174 Un análisis más detallado de los criterios para la clasificación en tercer grado en Cervelló Donderis, V "La clasificación en tercer grado como instrumento de resocialización" en El Juez de Vigilancia penitenciaria y el tratamiento penitenciario. *Estudios de Derecho Judicial* nº84, 2005 (Dir. J. L. Castro Antonio/ J. L. Segovia Bernabé) Ed. Consejo General del Poder Judicial, Madrid 2006, págs. 157-204.

– naturaleza de los delitos cometidos a lo largo de su historial delictivo que denoten personalidad agresiva, violenta o antisocial. Hay que observar que no se ciñe al delito por el que se está cumpliendo condena sino a los cometidos a lo largo de su vida delictiva, por eso la peligrosidad de este factor se debe reflejar en su inadaptación al centro y no sólo en los hechos delictivos cometidos.

– comisión violenta de actos contra la vida, integridad física, libertad sexual o propiedad. En este caso es una variable absolutamente objetiva que afecta a las conductas realizadas, siendo relevante que el término acto no exija que haya sido necesariamente una conducta delictiva, ni que haya sido juzgado o condenado por ello.

– pertenencia a organizaciones delictivas o bandas armadas, mientras no muestren signos inequívocos de haberse sustraído a la disciplina interna de dichas organizaciones o bandas. La matización final permite que no sea de aplicación automática.

– participación activa en motines, plantes, agresiones físicas, amenazas o coacciones. Obsérvese que por cualquiera de estas conductas además se puede sancionar al interno.

– comisión de infracciones disciplinarias muy graves o graves de manera reiterada y sostenida en el tiempo. Es junto a la anterior la que más refleja el comportamiento penitenciario del interno y debe evidenciar una especial agresividad.

– introducción o posesión en el Establecimiento penitenciario de armas de fuego o drogas tóxicas estupefacientes y sustancias psicotrópicas en cantidad importante que haga presumir su destino al tráfico. La mención a las sustancias tóxicas se ha de interpretar de forma restrictiva en el sentido del texto.

Como agravación de este grado están los departamentos especiales (art. 91.3 RP) donde se destina a quienes protagonicen o induzcan alteraciones regimentales muy graves que hayan puesto en peligro la vida o integridad de personas y en las que se evidencie una peligrosidad extrema.

Las causas más frecuentes que motivan la clasificación en primer grado son las agresiones y enfrentamientos con funcionaros e internos y la acumulación de sanciones disciplinarias.

3. SEGUNDO GRADO

Al ser el grado con menos circunstancias específicas de convivencia no hay más concreción que los criterios generales del art. 102.3 RP. Por lo tanto, su aplicación se reduce a la selección por exclusión en los casos en los que el interno no presente circunstancias de primer grado, ni de tercer grado.

Como forma de vida es el más generalizado al comprender los que reúnen sus requisitos propiamente dichos, los preventivos que al no ser clasificados se les aplica el régimen ordinario (art. 96.1. RP), los no clasificados todavía pese a estar penados, vgr. por no haberse recibido el testimonio de sentencia, y los penados que tienen otras causas como preventivos (art. 104.2 RP).

4. TERCER GRADO

Hasta no hace mucho tiempo lo habitual es que se clasificara en este grado a quienes hubieran cumplido al menos una cuarta parte de la condena, aunque legalmente era posible sin necesidad de ello tras un tiempo de estudio suficiente para conocer al interno, siempre que fueran favorables las variables del artículo 102.2 RP, especialmente el historial delictivo y la integración social del penado. Esto permitía concederlo como clasificación inicial a primarios que no tuvieran condenas altas, y como progresión por la evolución positiva y participación activa en actividades de tratamiento.

Tras la reforma de la Ley 7/2003 de 30 de junio, la clasificación en tercer grado pasó a ser mucho más difícil por la incorporación de nuevos y estrictos requisitos como el periodo de seguridad y el pago de la responsabilidad civil[175] , que se añadieron tanto en el Código Penal como en la LOGP, lo que tiene una gran trascendencia ya que se trata del paso necesario para acceder a la libertad condicional. La LO 5/2010 de 22 de junio de modificación del CP suavizó la rigidez inicial del periodo de seguridad, estableciendo dos modelos: uno general para todo tipo de delitos en el que pasa a ser facultativo, cuando

175 Con mayor extensión "Los nuevos criterios de clasificación penitenciaria" Cervelló Donderis, V. *La ley Penal* nº 8 septiembre 2004.

antes era imperativo, y otro específico para una relación de delitos en los que sigue siendo imperativo.

Al margen de estos requisitos específicos, en relación a la necesidad de haber disfrutado previamente de permisos para poder acceder al tercer grado, en general, aunque sea sumamente conveniente para facilitar el tránsito a la libertad y facilitar la reinserción, no debe ser un requisito indispensable para la progresión, sin embargo, otros criterios que pueden ser valorados son el ingreso voluntario, condenas inferiores a cinco años, primariedad delictiva, baja prisionización, apoyo familiar o asunción del delito.

Además, como antes se ha señalado, en los casos en los que se quiera estimular la progresión, manteniendo el efecto intimidatorio de la pena, el art. 100.2 RP permite combinar características de segundo y tercer grado, lo que cada vez está siendo más utilizado como instrumento de individualización penitenciaria, vgr. salida diaria para trabajar con permiso los fines de semana alternos, pero con los treinta y seis días de permiso anuales propios del segundo grado y sin dar lugar a la libertad condicional (Auto JV Madrid 2.3.2004).

4.1. Periodo de seguridad

Este requisito se regula en el art. 36.2 CP, siendo criticable que, además de dispersar los requisitos necesarios para el tercer grado, de lugar a que el Código penal invada una materia penitenciaria en el seno de un precepto relativo a la duración de la pena de prisión.

> *"Cuando la duración de la pena de prisión impuesta sea superior a cinco años, el Juez o Tribunal podrá ordenar que la clasificación del condenado en el tercer grado de tratamiento no se efectúe hasta el cumplimiento de la mitad de la pena impuesta".*

La necesidad de cumplir un mínimo de estancia en prisión para la clasificación en tercer grado, se inició en la reforma de la LO 7/2003 de 30 de junio retrocediendo a los inicios del sistema progresivo, que ya desde la reforma de 1968 estaba en decadencia; con ello se debilitaba el sistema de individualización científica, al permitir el desplazamiento de las variables individuales por la preferencia objetiva de la duración de la condena. Este cumplimiento del periodo de seguridad que en 2003 era obligatorio para todas las penas superiores a cinco años, pasó a ser opcional en la reforma de 2010 dejando de ser imperativa en todo caso (a salvo de un listado de delitos), lo que supone una novedad positiva por su mayor coherencia con el sistema de individualización científica.

La duración de cinco años debe entenderse de cada pena individual, no de la suma de varias penas por las siguientes razones: En otros casos como el art. 80 CP que regula la suspensión de la ejecución el CP utiliza la expresión "pena o suma de las impuestas"; además, el RP en su art. 193.2 sólo menciona la unidad de ejecución a efectos de libertad condicional; y, finalmente, el sentido del requisito parece ser endurecer las condiciones penitenciarias de los delitos más graves, no de la suma de los menos graves.

Esta no fue la primera interpretación que se hizo del precepto ya que las Instrucciones SGIP 9/2003 y SGIP 2/2004 entendieron que se debía aplicar el periodo de seguridad a los casos en que se cumpliera una pena de más de cinco años o varias que sumadas aritméticamente o refundidas excedieran de esta duración, aunque hubieran sido impuestas en procedimientos diferentes. De forma totalmente diferente, la Circular 1/2004 de 8 de junio de la Secretaría de Serveis Penitenciaris, Rehabilitació y Justicia Penal de la Generalidad de Cataluña realizó una interpretación más favorable, ya que para el periodo de seguridad exigía penas que consideradas individualmente superaran cinco años de prisión, lo que comporta una aplicación mucho más favorable del tercer grado, a lo que luego se sumó la Instrucción DGIP 2/2005 de 15 de marzo, aceptando la aplicación del periodo de seguridad exclusivamente a penas individuales superiores a cinco años y sigue contemplando la Instrucción DGIP 7/2010 de 14 de diciembre.

Para superar los problemas de confrontación con el principio resocializador, el segundo párrafo permite que en los supuestos en los que se hubiera impuesto por el Tribunal sentenciador, podrá ser revocado posteriormente por el Juez de Vigilancia (oyendo al Ministerio Fiscal, Instituciones Penitenciarias y demás partes) aplicando el régimen general, sin necesidad de exigir este periodo de seguridad. Para ello debe realizarse un pronóstico individualizado y favorable de reinserción social, valorando las circunstancias personales del reo y la evolución del tratamiento reeducador. El procedimiento que se ha se seguir en estos casos es el siguiente: la Junta de Tratamiento lo solicita al Juez de Vigilancia valorando como criterios favorables la asunción del delito, la actitud de respeto a la víctima, la conducta en libertad antes del ingreso en prisión y la participación en programas de tratamiento; este mismo procedimiento se seguirá cuando un interno clasificado en tercer grado por un nueva causa pase a no tener cumplido el periodo de seguridad y se considere que debe continuar en esta clasificación.

Este periodo de seguridad, sin embargo, es obligatorio, sin excepción, para los internos condenados por delitos de terrorismo o cometidos en el seno de organizaciones o grupos criminales, delitos del art. 183 CP y delitos del capítulo V de los delitos contra la libertad sexual cuando la víctima sea menor de trece años, lo que supone una excepción injustificada del principio de reinserción social y el de individualización científica, ya que una aplicación rigurosa de los preceptos de la legislación penitenciaria es garantía suficiente de una clasificación adecuada a la peligrosidad de los internos, como lo demuestran los criterios reglamentarios para la clasificación en primer grado.

4.2. Responsabilidad civil

El art. 72.5 LOGP añade para la progresión o clasificación en tercer grado la necesidad de haber satisfecho la responsabilidad civil derivada del delito, lo que resulta un tanto sorprendente ya que no se trata de un artículo que regule los requisitos específicos de otros grados, sino la individualización científica y la movilidad entre sus grados; posiblemente la ausencia de un precepto específico en la LOGP dedicado al tercer grado es la causa de esta inadecuada ubicación.

Como el sistema de individualización científica se regula en términos de flexibilidad y reinserción, en función de cómo se interprete la satisfacción de la responsabilidad civil, se mantendrá dicha orientación resocializadora, o bien, se le dará un carácter más retributivo de compensación a las víctimas, por ello, si lo que prima es el pago efectivo, sin valorar siquiera las posibilidades de reparación, estaremos ante un requisito meramente compensatorio, sin embargo, si se valora el esfuerzo del interno en reparar los daños causados se estará valorando un indicativo de reinserción social.

Para valorar la satisfacción de la responsabilidad se indica un listado variado de conductas como la conducta efectivamente observada para restituir, reparar o indemnizar; las condiciones personales y patrimoniales para valorar su capacidad real presente y futura de pago; garantías de satisfacción futura y estimación del enriquecimiento derivado del delito y daño o entorpecimiento producido al servicio público, naturaleza, daños y número de perjudicados.

Aunque la LOGP señale que se aplicará "singularmente" esta norma a un listado de delitos que incorpora a continuación (los que afectan a la colectividad como patrimonio y orden socioeconómico que haya revestido notoria gravedad y hubiera perjudicado a una generalidad de personas, derechos de los trabajadores, Hacienda Pública y Seguridad Social y Administración Pública), tal afirmación no debe entenderse como una limitación de la exigencia de la responsabilidad civil exclusivamente a estos delitos[176], sino como una llamada de atención a delitos en los que tiene una relevancia especial.

Pese a la amplitud con la que el art. 72.5 LOGP considera a la satisfacción de la responsabilidad civil, la DGIP estableció como criterios, uno objetivo representado por el pago efectivo y otros valorativos estimatorios de la voluntad y capacidad de pago del sujeto, con la particularidad de que en el listado de delitos en los que se señala que se aplicará singularmente, la Instrucción DGIP 9/2003 de 25 de julio exigía en todo caso el pago efectivo, lo que fue modificado por la Instrucción DGIP 2/2005 de 15 de marzo que excluyó cualquier diferencia de tratamiento entre estos delitos y los demás. Es importante resaltar que la severidad inicial de estos requisitos se reflejó en una reducción del 40% de las progresiones a tercer grado en julio de 2003, que comenzó a recuperarse a partir de mayo de 2004[177].

El sentido del precepto penal se dirige claramente a valorar el esfuerzo en la reparación, el compromiso futuro y no sólo el pago efectivo, por eso el órgano que ha de evaluar los criterios valorativos ya no va a ser el Juez de Vigilancia, como señalaba la Instrucción DGIP 9/2003, sino las Juntas de Tratamiento lo que parece mucho más correcto. El primero de los criterios y único objetivo, se puede constatar

---

176 García Albero, R.-Tamarit Sumalla, J. M. *La reforma de la ejecución penal*. Valencia 2004 pág. 123.

177 Valero García, V. Política criminal en España (1979-2005) Actas Congreso penitenciario internacional Barcelona 2006.

por la notificación por el Tribunal sentenciador, con una copia de la pieza de responsabilidad civil, del pago de ésta o del auto de insolvencia del condenado. Los demás criterios postdelictuales han de ser valorados por la Junta de Tratamiento con criterios de individualización penitenciaria teniendo en cuenta la voluntad de reparación y el esfuerzo dentro de sus posibilidades, por ello, si no se paga no se ha de proceder a la regresión automáticamente, sino analizar las variables globalmente, entre las que destaca la normativa laboral referente a la inembargabilidad del salario mínimo profesional.

Varios son los inconvenientes que presenta este requisito necesario para acceder al tercer grado penitenciario: en primer lugar, puede chocar con el principio de igualdad en relación a la reinserción social si perjudica a quienes carecen de recursos económicos pudiendo dar lugar a una especie de prisión por deudas, en segundo lugar refleja un sentido reduccionista de la reparación a la víctima[178], enfocado exclusivamente a la responsabilidad civil como pago económico, sin valorar otros aspectos más positivos desde el punto de vista penitenciario como la conciliación o mediación entre agresor y víctima y, en tercer lugar, ignora los limitados ingresos derivados del trabajo penitenciario y las dificultades para encontrar una ocupación laboral en el exterior; todo ello provoca que sean varios los pronunciamientos judiciales que valoran como cumplimiento de tal requisito el compromiso de pago futuro desde SAP Madrid 27.2.2004 o más recientemente Auto JV Madrid 14.09.2009.

Para evitar estos inconvenientes la no exigencia de la responsabilidad civil a los internos cuyos ingresos sean inferiores al salario mínimo interprofesional, establecido por la STS 59/2018 de 2 de febrero de casación por unificación de doctrina para la libertad condicional, debería ser extensible también para la clasificación en tercer grado[179].

---

178 Tamarit Sumalla, JM *Curso de Derecho Penitenciario*. 2ª Ed Valencia 2005 pág. 281.

179 A favor Solar Calvo, P. "La exigencia de la RC en el medio penitenciario. la necesaria aplicación de la STS 59/2018 de 2 de febrero de unificación de doctrina. *Diario La Ley* nº 9347 de 29 de enero de 2019, pág. 5. En contra, salvo que soporten cargas familiares, Arribas López, E. "Pago de la responsabilidad civil

4.3. Supuestos especiales

a) *terroristas y delitos cometidos en el seno de organizaciones criminales*: en este caso los dos requisitos anteriores se exigen de una manera mucho más rígida e inflexible ya que el periodo de seguridad para las penas de más de cinco años se exige siempre, sin que quepa ninguna excepción y la responsabilidad civil enfatiza que se ha de satisfacer con las rentas y patrimonio presentes y futuros.

Además, como requisito específico se exige que muestren:

a) signos inequívocos de abandono de fines y medios terroristas y

b) colaboración activa con las autoridades para:

– impedir la producción de otros delitos por parte de la banda armada, organización o grupo terrorista

– atenuar los efectos de su delito

– identificar, capturar y procesar a los responsables de delitos terroristas

– obtener pruebas

– impedir la actuación o desarrollo de la organización o asociación a las que hayan pertenecido o con las que hayan colaborado.

Así como los apartados a) y b) son acumulativos, los distintos contenidos de la colaboración no lo son por lo tanto con la presencia de uno de ellos es suficiente para estar completo el requisito.

El abandono de los fines y medios terroristas se podrá acreditar con una declaración expresa de repudio de sus actividades delictivas y abandono de la violencia o con la solicitud de perdón expreso a las víctimas o con los informes técnicos de la prisión que acrediten su desvinculación de la organización terroristas y su entorno y su colaboración con las autoridades, lo que resulta complejo ya que la declaración de repudio supone un arrepentimiento moral y no jurídico, para el perdón expreso a las víctimas resulta necesario la labor de mediadores y, en lo que respecta a la desvinculación de la organización terrorista, los mecanismos de prueba son muy reducidos (distanciamiento físico de otros miembros de la organización, control de

---

derivada del delito, libertad condicional y régimen penitenciario" *Diario La ley* nº 9378 de 15 de marzo de 2019, pág. 8.

sus comunicaciones, visitas o remotos permisos de salida)...[180], lo que deja al interno en un problemático aislamiento carcelario.

Por todo ello este requisito resulta desproporcionado (por entrar en aspectos morales), injusto (forzar a una situación de riesgo personal jurídicamente inexigible) e innecesario (el art. 102.5 RP cumple la misma función)[181], siendo preferible que hubiera quedado en términos más objetivos similares a los del art. 579.bis 3 CP que permite rebajar la pena en los delitos de terrorismo por el abandono voluntario de las actividades delictivas y la colaboración activa con las autoridades.

b) *enfermos muy graves con padecimientos incurables*: Un supuesto nuevo de la reforma de 2015 es la posibilidad del art. 36.3 CP de la clasificación directa en tercer grado por motivos humanitarios y de dignidad personal a enfermos muy graves con padecimientos incurables y septuagenarios que puede alcanzar a toda pena de prisión y a la prisión permanente revisable.

Este supuesto ya viene recogido en el art. 104.4 RP, si bien allí, además de ser competencia del Centro Directivo, exige informe médico, escasa peligrosidad y dificultad para delinquir, mientras que en el Código Penal lo concede el Tribunal o Juez de Vigilancia, según corresponda, y solo atiende a la peligrosidad. Ya anteriormente se discutió si en estos casos se requería el periodo de seguridad lo que aclaró la Instrucción DGIP 2/2005 de 15 de marzo para entender que no era necesario dado que el art. 92 CP eximía de los requisitos temporales en el mismo supuesto para la libertad condicional, por eso en este caso debe utilizarse el mismo criterio ya que su justificación es el principio de humanidad.

Las razones de humanidad y dignidad personal que permiten este tratamiento especial, como recuerda la STC 48/1996 de 25 de marzo, no exigen que la estancia en prisión suponga un riesgo seguro, sino permitir una evolución más lenta de la dolencia.

c) *acceso directo a tercer grado en penas de menos de cinco años*

Se trata de una novedad recogida en la Instrucción SGIP 6/2020 de 17 de diciembre que permite el acceso directo a tercer grado en

---

180 Renart García, F. *La libertad condicional*... pág. 166-167.

181 Téllez Aguilera, A. "La ley de cumplimiento íntegro y efectivo de las penas: una nota de urgencia" *La ley 14.8.2003*, pág. 4.

personas con condenas no superiores a cinco años valorando como circunstancias positivas la presentación voluntaria, la primariedad delictiva, el pago de la responsabilidad civil, una antigüedad del delito superior a tres años con adaptación social desde entonces, actividad laboral, red de apoyo familiar y social y el tratamiento de adicciones, si las hubiera.

El Equipo Técnico del CIS o centro penitenciario de la sección abierta donde se vaya a cumplir la condena, citará al penado para entrevistarle y decidir si se puede acoger a esta modalidad de acceso directo al tercer grado o si se clasifica en segundo grado.

4.4. Tercer grado en la prisión permanente revisable

Siguiendo la tendencia reduccionista iniciada en 2003 con la reforma del art. 36 CP al endurecer el acceso al tercer grado con el periodo de seguridad y el pago de la responsabilidad civil, en la reforma de 2015, este mismo artículo establece que en el caso de la prisión permanente revisable no podrá efectuarse la progresión a tercer grado hasta que no pasen quince años de cumplimiento efectivo, salvo en el caso de delitos referentes a organizaciones y grupos terroristas y delitos de terrorismo del capítulo VII del Título XXII del Libro II del Código Penal, donde se eleva a veinte años y, en todo caso, condicionada a la existencia de pronóstico individualizado y favorable de reinserción social oídos el Ministerio Fiscal e Instituciones Penitenciarias. Esto supone un tratamiento específico al periodo de seguridad en penas de más de cinco años y una excepción a la flexibilidad propia del sistema penitenciario de individualización científica.

La posibilidad de que un condenado a prisión permanente revisable pueda acceder al régimen abierto está sometida a un elemento objetivo y a otro valorativo. El primer requisito es cronológico consistente en haber cumplido quince años de condena, lo que supone equiparar el periodo de seguridad de la pena máxima general que permite el Código Penal que, al ser de treinta años, sería de quince y para organizaciones y grupos terroristas y delitos de terrorismo la mitad de la pena máxima excepcional de cuarenta años de prisión, que sería veinte años. El primer texto del Anteproyecto de julio de 2012 era mucho más restrictivo ya que exigía el cumplimiento de treinta y dos años para acceder al tercer grado lo que lo equiparaba al periodo de seguridad del art. 78.3 a) para los condenados a 40 años de prisión. Esta exigencia sigue la tónica de distinguir en las figuras penitenciarias a los delitos de terrorismo con unos plazos más amplios, ignorando la evolución personal del sujeto y priorizando la tipología delictiva en el régimen penitenciario a seguir. Por ello, y dado el carácter excepcional del art. 36 CP, al recoger los plazos para acceder al tercer grado de los supuestos de prisión permanente revisable, ya no se deberían incluir más distinciones relacionadas con las tipologías delictivas.

El segundo requisito es que el Tribunal, se entiende sentenciador, antes de autorizar en su caso el tercer grado, se sirva de un *pronóstico individualizado y favorable de reinserción social* oídos el Ministerio Fiscal e Instituciones Penitenciarias, lo que reproduce los criterios a tener en cuenta por el Juez de Vigilancia para revocar el periodo de seguridad impuesto por el Tribunal sentenciador conforme al art. 36 CP. Dada esta similitud se podrían valorar los mismos criterios favorables utilizados para el levantamiento del periodo de seguridad como son la asunción del delito, la actitud de respeto a la víctima, la conducta en libertad después de la comisión del delito y antes de entrar en prisión y la participación en programas de tratamiento, según se recoge en la Instrucción SGIP 7/2010 de 14 de diciembre.

La clasificación en tercer grado de los condenados a prisión permanente revisable presenta un problema técnico y otro material. El técnico es la distancia entre el Tribunal sentenciador y la Junta de tratamiento, por ello hubiera sido aconsejable dejar su concesión en manos del Juez de Vigilancia por su mayor especialización y proximidad al centro penitenciario, y el material es que es difícil pensar que los condenados a pena de prisión permanente revisable puedan obtener el pronóstico favorable de reinserción social que les permita acceder al tercer grado, especialmente si no se les ofrece un programa de tratamiento adecuado e individualizado.

El resto de requisitos contemplados en la LOGP se entiende que se mantienen, por lo tanto, a esto hay que sumar como criterio general la capacidad de vivir en semilibertad, propia de toda progresión a régimen abierto y, como específico, el pago de la responsabilidad civil recogido en su art. 72.5 LOGP y, en caso de terrorismo, los requisitos recogidos en el art. 72.6 LOGP, que tras veinte años de condena son mucho más difíciles de cumplir.

Cabe recordar, como supuesto excepcional del que no están excluidos los condenados a prisión permanente revisable, según señala el art. 36.3 CP, que el Tribunal sentenciador puede autorizar el tercer grado de los condenados a prisión permanente revisable por motivos humanitarios y de dignidad personal de los penados enfermos muy graves con padecimientos incurables y de los septuagenarios, valorando, como se ha indicado anteriormente.

Si como es previsible, la revisión de la pena de prisión permanente revisable acaba prolongándose, no será difícil que la salud de los penados se deteriore gravemente o presenten edades avanzadas, para lo cual cabe recordar que el art. 36.3 CP no excluye a la prisión permanente revisable de la posibilidad de acceder al tercer grado por motivos humanitarios y de dignidad personal, valorando especialmente su escasa peligrosidad

Además de ello, en el supuesto de concurso de delitos con alguna pena de prisión permanente revisable las excepciones se multiplican con una compleja variedad en función de la coincidencia de la prisión permanente revisable con otras penas de distinta gravedad y con la posibilidad de que se trate de delitos referentes a organizaciones y grupos terroristas y delitos de terrorismo y, en este caso, también incluidos los cometidos en el seno de organizaciones criminales. Para ello, y haciendo uso de una nueva remisión que dispersa la regulación completa de esta pena, el art. 78 bis incluye plazos más amplios de acceso al tercer grado que por su variedad, se recogen en el siguiente cuadro:

3º grado	Tiempo mínimo
Supuesto general, art. 36.1 CP	15 años
Terrorismo, art. 36.1 CP	20 años
Concurso general, art. 78 bis 1 a) b) y c)	a) 18 años (ppr + pena que exceda de 5 años) b) 20 años (ppr + pena que exceda de 15 años) c) 22 años (2 ppr ó 1 ppr + pena que exceda de 25 años)
Concurso terrorismo y organizaciones criminales, art. 78 bis.3 CP	24 años en supuestos a y b) 32 años en supuesto c)
Enfermos y mayores 70 años, art. 36.3 CP	Sin plazo

Bibliografía: Alarcón Bravo, J. "La clasificación penitenciaria de los internos". *PJ* nº especial III, 1988. **Alonso Escamilla, A.** "Jurisprudencia aplicada a la práctica: clasificación de interno en tercer grado de cumplimiento por razones humanitarias (comentario al Auto de 19.4.2004 del Juzgado Central de Vigilancia Penitenciaria)" *La Ley penal* nº 8, 2004. **Aranda Carbonell, Mª. J.** "Una aproximación práctica a la clasificación penitenciaria" *REP* nº 252, 2006. **Cervelló Donderis, V.** "Los nuevos criterios de clasificación penitenciaria" *La ley Penal* nº 8 septiembre 2004. "La clasificación en tercer grado como instrumento de resocialización". El Juez de Vigilancia penitenciaria y el tratamiento penitenciario *EDJ* nº 84 Madrid 2006. "Responsabilidad civil y tratamiento penitenciario". Derecho penitenciario: incidencia de las nuevas modificaciones. *CDJ* XXII 2006 **Fuentes Osorio, J. L.** "Sistema de clasificación penitenciaria y el periodo de seguridad del art. 36.2 CP *Indret* nº 1, 2011. **García Valdés, C.** "El artículo 10 de la LOGP: su discusión parlamentaria y puesta en funcionamiento". *REP* 1989 extra 1 monográfico LOGP. **González Campo, E.** "El principio de flexibilidad en la ejecución penal". *Estudios Jurídicos Ministerio Fiscal* Año 2003, nº 4. **Leganés Gómez, S.** *Clasificación penitenciaria, permisos de salida y extranjeros en prisión*. Madrid 2009. **Mapelli Caffarena, B.** "La clasificación de los internos" *REP* nº 236, 1986. **Nieto García, A. J.** "La doble instancia administrativa en la clasificación penitenciaria" *La Ley* nº 7341 2010. **Rodríguez Puerta, Mº J.** "El art. 100.2 RP como expresión del sistema de individualización científica y del principio de flexibilidad: algunos datos sobre su aplicación" *EPyC* vol. XLI (2021). **Rodríguez Yagüe, C.** *La pena de prisión en medio abierto: un recorrido por el régimen abierto, las salidas tratamentales y el principio de flexibilidad*. Ed. Reus Madrid 2021.

Capítulo 10º

LOS ESTABLECIMIENTOS PENITENCIARIOS

1. CLASES DE ESTABLECIMIENTOS

En 1977 se diseñó un plan de inversiones para aumentar las plazas penitenciarias y mejorar las instalaciones. El modelo radial iba quedando en desuso, primando la construcción horizontal dividida en módulos que disponen de comedor, escuela y patio propios junto a otros espacios comunes compartidos como cocina, enfermería o salón de actos. El art. 10 RP define a los Establecimientos como aquellas entidades arquitectónicas, administrativas y funcionales con organización propia formados por unidades, módulos y departamentos para facilitar la distribución y separación de los internos.

El art. 7 LOGP distingue tres tipos de Establecimientos:

– preventivos: para la retención y custodia de presos y detenidos.

– cumplimiento: para la ejecución de la pena privativa de libertad. Entre ellos hay específicos para jóvenes.

– especiales: con fin prioritariamente asistencial, pudiendo ser hospitalarios, psiquiátricos y de rehabilitación social.

Los grandes complejos penitenciarios que disponen de todos estos Establecimientos se denominan polivalentes por el RP, sin embargo, en la actualidad los centros de inserción social suelen ser independientes arquitectónicamente. El art. 12 LOGP establece el compromiso de evitar el desarraigo de los internos, a través de traslados innecesarios, ya que el distanciamiento obstaculiza la realización de permisos, visitas o comunicaciones.

Los Establecimientos penitenciarios según el art. 12.2 LOGP no deben acoger más de 350 internos por unidad, cifra que no siempre se respeta, como tampoco se respeta el alojamiento en celda individual que garantiza el art. 19 LOGP, a salvo de necesidades provisionales, ya que normalmente la media de internos suele ser de dos internos por celda; la STC 195/1995 de 19 de diciembre rechazó la existencia de un derecho subjetivo a celda individual, entendiendo que una celda puede ser ocupada por más de un interno cuando la población reclusa supere el número de celdas individuales.

2. CENTROS DE PREVENTIVOS

Su finalidad es retener a detenidos y presos y cumplir penas privativas de libertad hasta seis meses, lo que ahora es más fácil con el regreso de la pena de tres meses.

La regla general es que haya Establecimientos preventivos separados de hombres, mujeres y jóvenes, sin embargo, el escaso porcentaje de los dos últimos provoca que más que de Establecimientos, se trate sólo de módulos distintos que no permiten una subdivisión completa. El régimen general que se cumple en estos centros es similar al ordinario de los Establecimientos de cumplimiento: orden, disciplina y seguridad para conseguir una convivencia ordenada y trabajo y formación como actividades básicas.

La única diferencia es que en estos Establecimientos la presunción de inocencia preside todas las actividades de régimen (art. 5 LOGP). El art. 3.4 RP incluyó la novedad de permitirles el acceso a actividades educativas, formativas, deportivas y culturales lo que supone evitar la ociosidad mejorando la vida carcelaria, posibilidad antes vedada por los roces entre tratamiento y presunción de inocencia; la nueva consideración de tratamiento como medio para evitar la nocividad de la prisión y el mencionado límite del respeto a la presunción de inocencia han permitido esta mejora.

Los internos preventivos pueden disfrutar de los mismos permisos de salida que los condenados siempre que lo autorice la autoridad judicial de quien dependan (art. 48 LOGP), lo que suscita cierta controversia ya que no tiene mucho sentido que la misma autoridad judicial que ha decidido imponer la prisión preventiva la entienda compatible con una salida del centro, por ello, parece más lógico pensar que se refiere a los permisos extraordinarios, pese a que la Ley no distingue y permite ambos.

Excepcionalmente se les podrá imponer el régimen cerrado (art. 10.2 LOGP) siempre que no se adapten a los Establecimientos de preventivos o demuestren peligrosidad extrema; en estos casos lo cumplirán separados de los condenados, ya que no hay que olvidar que no es una clasificación sino la aplicación de un régimen penitenciario.

Las diferencias con los centros de cumplimiento que más contribuyen a los problemas de convivencia en estos centros son las siguientes: desconocimiento de la condena, ausencia de permisos, falta de clasificación, escasez de tratamiento y no dependencia del Juez de Vigilancia.

3. CENTROS DE CUMPLIMIENTO

Los establecimientos penitenciarios pueden ser de tres tipos: establecimientos cerrados, establecimientos ordinarios y establecimientos abiertos, con independencia de que la legislación en ocasiones también les denomine centros, departamentos o módulos. Cada uno de estos centros corresponde al cumplimiento de un régimen diferente según la clasificación en primero, segundo o tercer grado respectivamente, aunque el art. 75 RP[182] permite limitaciones regimentales adicionales un tanto discutibles, al estar basadas en el aseguramiento de los presos, la seguridad y el buen orden del Establecimiento y requerir tan solo acuerdo motivado del Director, según se recoge entre sus competencias del art. 280.2.5 RP

4. CENTROS DE RÉGIMEN CERRADO

En primer lugar hay que diferenciar los centros cerrados para los internos clasificados en primer grado, los departamentos especiales

---

182 El respeto a los criterios de necesidad, idoneidad, proporcionalidad y control judicial son los que pueden garantizar su correcta aplicación, Fernández Arévalo, L./Nistal Burón, J. *Derecho Penitenciario*, Navarra 2016, pág. 601.

que suponen una modalidad más severa en el régimen de vida del primer grado y el régimen FIES, que en su origen provocó una serie de importantes restricciones regimentales, y que en la actualidad ha pasado a ser un fichero de datos específicos de determinados internos, pese a lo cual su exposición debe ser conjunta porque han compartido largo tiempo una normativa y una aplicación práctica común.

4.1. Centros cerrados

Señala el art. 10.3 LOGP que en los establecimientos cerrados el régimen se caracterizará por unas actividades en común más limitadas y por mayores medidas de control y vigilancia, sin que en ningún caso pueda haber en el régimen de vida de estos internos restricciones iguales o mayores que en la sanción de aislamiento, para que no se trate de una sanción encubierta (art. 90.2 RP).

Las características más importantes del régimen cerrado las regula el RP y son las siguientes:

a) Se cumple en celda individual.

b) Disponen los internos de cuatro horas diarias de vida en común que pueden ampliarse a tres más de actividades programadas. En las actividades en grupo debe haber un mínimo de cinco internos (art. 90.2 y 94.2 RP).

c) Sólo están previstos los permisos extraordinarios con autorización del Juez de Vigilancia.

d) Disponen de las mismas visitas y comunicaciones que el resto de internos, pueden disponer de radio, TV, prensa o revistas.

e) El acuerdo del Centro Directivo de traslado a este tipo de Establecimiento se notifica en 72 horas desde su adopción al Juez de Vigilancia y al interno para que pueda recurrir. La notificación al Juez de Vigilancia es obligatoria, siendo necesario entenderla en el sentido del término "conocer" previamente expuesto en el análisis de sus competencias, por su parte, si sólo interviniera por vía de recurso se dejaría sin vigencia tal notificación (STC 54/1992 de 8 de abril).

Las características de cumplimiento del régimen cerrado siempre han sido polémicas por dos motivos: en primer lugar, porque las Circulares e Instrucciones que las han regulado han ido más allá de las restricciones permitidas por la LOGP y el RP y, en segundo, lugar por mantener excesivas coincidencias entre las dos modalidades de régimen cerrado y los ficheros FIES, con lo cual por mucho que se quisieran defender sus distancias, la regulación legal no demostraba que fueran figuras diferentes. La Instrucción DGIP 21/96 de 16 de diciembre quiso superar estos problemas distinguiendo entre régimen cerrado, departamentos especiales y ficheros de especial seguimiento, pero en lugar de acomodarse al texto reglamentario siguió permitiendo restricciones no recogidas legalmente, razón que provocó no sólo la nulidad de uno de sus apartados relativo a las visitas del régimen cerrado por sentencia 1.3.2004 de la Audiencia Nacional (sala de lo contencioso-administrativo), sino la aprobación de la nueva Instrucción 6/2006 de 22 de febrero, modificada después por la Instrucción 17/2011 de 8 de noviembre. Finalmente, la decisiva STS 17.3.2009 (R. 3085)[183] al anular todo el apartado primero de la Instrucción 21/1996 de 16 de diciembre referido a normas de control y seguridad del régimen cerrado, departamentos especiales y los ficheros FIES, supuso un refuerzo a la necesaria garantía de legalidad en la ejecución al entender que todo lo relativo a clasificación y tratamiento está reservado a la LOGP y al RP, especialmente toda restricción de derechos, y anular todos los aspectos de la Instrucción de 1996 que se excedían de las previsiones reglamentarias, lo que mejoró la cobertura normativa, pero no consiguió disminuir las excesivas similitudes entre las figuras mencionadas.

La última Instrucción SGIP que lo regula, la 17/2011 de 8 de noviembre, intentó corregir estos errores recogiendo en primer lugar las normas comunes de régimen cerrado y departamentos especiales y, en segundo lugar, las normas específicas de régimen cerrado, manteniéndose todavía como normas comunes a las dos modalidades, entre otras:

- cacheo a la entrada y salida de su celda y requisa y cacheo de la celda diario (el RP sólo lo exige para departamentos especiales).
- obligación de colocarse al fondo de la celda con las manos visibles cuando se acerque el funcionario.

---

[183] Con mayor extensión sobre la relevancia de esta sentencia en la regulación del régimen cerrado en Cervelló Donderis, V. "Revisión de legalidad penitenciaria en la regulación del régimen cerrado y los FIES". *La Ley Penal* nº 72, junio 2010.

• entrega de la comida por un interno auxiliar a través del pasabandejas.

• ropa y enseres mínimos.

El Defensor del Pueblo en su informe de 1998[184] sobre la situación penitenciaria española, advertía que la ausencia de actividades programadas para este tipo de internos aumenta el deterioro psíquico que acarrea el largo tiempo de soledad e inactividad hasta el punto de que la propia permanencia en primer grado genera agresividad y desarreglos de conducta y que al provocar la imposición de sanciones, imposibilitan la progresión, originando un círculo cerrado del que es complicado salir. Tales consecuencias no es difícil pensar que deriven del régimen de vida descrito en 2002 por Ríos Martín[185]: veinte horas en sus celdas, cacheos y registros diarios o semanales, varios recuentos diarios y uno de madrugada, traslados con grilletes dentro de la prisión, ausencia de actividades de tratamiento, tres horas de paseo en patios pequeños y cambios constantes de celda y de prisión.

Estos graves inconvenientes para alcanzar la reinserción social pueden cambiar progresivamente con la inclusión de programas de tratamiento específicos para régimen cerrado, obligatorios desde la reforma del art. 90.3 RP por RD 419/2011 de 25 de marzo que estableció que en los centros o módulos cerrados se diseñará un programa de intervención específico que garantice la atención personalizada a los internos que se encuentren en dicho régimen. Para ello se prevé la creación de Equipos Técnicos especializados y estables, lo que significa un compromiso de la Administración de formar profesionales especializados y la necesidad de permanencia de los miembros de los equipos, al menos un periodo de dos años, para garantizar la implantación de los programas.

---

184 Defensor del Pueblo. *Estudio sobre la situación penitenciaria y los depósitos municipales de detenidos* 1988-1996, pág. 43.

185 Ríos Martín, J. C. *Mirando el abismo. El régimen cerrado*. Madrid 2002 pág. 26. Lamentablemente diez años después no ha cambiado mucho la situación, en este sentido Gallego Díaz, M. /Cabrera Cabrera P. J./ Ríos Martín, J. C./Segovia Bernabé, J. L. *Andar 1 Km en línea recta. La cárcel del siglo XXI que vive el preso*. Publicaciones de la Universidad de Comillas Derecho O3. Madrid 2010 pág. 159.

4.2. *Departamentos especiales*

El art. 10 LOGP, junto a los establecimientos de régimen cerrado menciona los departamentos especiales para aquellos penados clasificados en primer grado que hayan sido protagonistas o inductores de alteraciones regimentales muy graves que hayan puesto en peligro la vida o integridad de otras personas y en los que se evidencie una peligrosidad extrema. Ante las vagas referencias reglamentarias, las características de esta forma más severa de cumplimiento se fueron desarrollando en diversas Circulares e Instrucciones, creando un régimen nuevo sin la debida cobertura normativa y confundiendo esta modalidad de cumplimiento con ficheros de datos que, con pretensiones informativas y de seguridad, estaban creando también un nuevo régimen de vida.

En una primera etapa se confundieron los departamentos especiales con los ficheros FIES por configurarlos como una modalidad de cumplimiento de régimen cerrado; a continuación, el Reglamento Penitenciario de 1996 los diferencia, aunque siguen aprobándose Instrucciones que los confunden con limitaciones más allá de lo permitido reglamentariamente; finalmente, a partir de la STS 17.3.2009 (R. 3085), que deroga todo el apartado de la Instrucción 21/1996 que adolecía de los problemas anteriormente citados, se aprueban nuevas Instrucciones que van progresivamente distanciando estas figuras, si bien, no tanto como sería deseable.

En la primera etapa señalada se aprobaron una serie de Circulares para regular los ficheros de internos de especial seguimiento (FIES) que produjeron gran inquietud doctrinal por las graves restricciones de derechos que permitían, fuera del marco legal, y porque confundían criterios de clasificación con criterios de control de datos de internos.

Entre ellas se puede citar: *Instrucción de 6 de marzo de 1991* sobre creación de FIES-RE y NA que regulaba la toma de datos de reclusos muy peligrosos, régimen especial y narcotraficantes y la intervención de comunicaciones de los clasificados en primer grado o art. 10 LOGP. *Instrucción 28 de mayo de 1991 sobre medidas de vigilancia y seguridad especiales para internos FIES* e *Instrucción 13 de septiembre de 1991 sobre normas de aplicación a internos FIES-RE cuando sean trasladados por razones judiciales, cumplimiento de condena, regimentales, etc* que extremaban las medidas de seguridad de los FIES para evitar evasiones o *la Instrucción 2 de agosto de 1992 sobre normas comunes tipo para internos clasificados en primer grado de tratamiento con aplicación del artículo 10 de la LOGP* que desdobló el régimen cerrado en dos fases.

En todas estas Instrucciones o Circulares, lo que había comenzado siendo un marco de seguimiento especial de internos peligrosos para registrar todas las incidencias que protagonizaran (tales como traslados, nuevas causas, clasificación, sanciones, comunicaciones...), se convirtió en una desorbitada restricción de derechos que desarrollaba las condiciones del primer grado en una Circular, de manera mucho más restrictiva de lo permitido por la LOGP y el RP.

La aplicación de esta última Circular llevo al enjuiciamiento y posterior absolución de varios funcionarios del centro Penitenciario de Sevilla II en SAP Sevilla 16.6.1996 y STS 2.3.1998 (R. 1759) por las medidas restrictivas que adoptaron en agosto de 1991 para contener a un grupo de internos conflictivos procedentes de un traslado que llegaron a la prisión con actitud violenta y agresiva.

Por otro lado, el Auto TC 241/1994 de 15 de septiembre que suspendió un acuerdo de aplicación de esta Circular a dos internos del centro penitenciario de Logroño y la STC 119/96 de 18 de julio en la que hubo un voto particular en el que se destacaba que la restricción de libertad permitida por el primer grado no estaba expresamente recogida en la Ley, llevaron a la SGIP a aprobar la *Circular de 28 de febrero de 1995* para regular las normas de los departamentos especiales y de régimen cerrado de manera separada y claramente diferenciada y al Reglamento Penitenciario de 1996 a diferenciar las dos modalidades de vida: régimen cerrado (art. 91) para quienes muestren inadaptación a los otros dos grados y departamento especiales (art. 93) para quienes protagonicen alteraciones regimentales muy graves que pongan de manifiesto peligrosidad extrema de los ficheros de datos personales.

Las diferencias de cumplimiento se centraban en las horas de patio y de actividades, el número de internos que podían estar juntos y las medidas de seguridad, como registros o cacheos.

A pesar de la claridad con la que el RP diferenciaba la clasificación en primer grado y los ficheros de datos personales, de nuevo se vuelve a aprobar una Circular, en este caso la *Instrucción 21/96 de 16 de diciembre,* que mantenía demasiadas coincidencias entre el régimen cerrado, los departamentos especiales y las normas relativas a los ficheros. Esta Circular fue anulada en su subapartado B1 A13 por la SAN 1.3.2004 por contemplar restricciones a las visitas de convivencia de los internos de régimen cerrado no recogidas por la ley y la STS de 17.3.2009 (R. 3085) anuló todo el apartado primero de dicha Instrucción.

Solventadas estas disparidades entre la LOGP y el RP y las Instrucciones y Circulares, la reforma del Reglamento Penitenciario (RD 419/2011 de 25 de marzo) se centró en la obligación de diseñar tratamientos específicos que garantizaran una atención individualizada a los internos de primer grado por equipos técnicos especializados.

La dureza de estos departamentos, como cualquiera de régimen cerrado o de máxima seguridad, presentan graves problemas de legitimidad al chocar abiertamente con la finalidad resocializadora, si a eso se le suma la ausencia de limitación temporal de permanencia en estos centros no es difícil compartir las afirmaciones de Clemmer que en 1940 en su famosa obra "*The prison comunity*" señalaba que en este tipo de cárceles la adaptación al sistema carcelario[186] va inverso a la resocialización, puesto que se aprenden las normas de la prisión y no las de la vida libre (se pierde el control, la iniciativa, y la autorresponsabilidad y se gana inseguridad, desconfianza y agresividad).

4.3. Ficheros de internos de especial seguimiento (FIES)

Delimitado con claridad que los departamentos especiales son una modalidad de cumplimiento del régimen cerrado cuyas características las desarrolla la Instrucción SGIP 17/2011 de 8 de noviembre, a continuación, procede analizar la regulación de los ficheros de internos de especial seguimiento.

Estos ficheros fueron creados por la *Circular de 28 de febrero de 1995* para el seguimiento de determinados grupos de internos al margen de la clasificación, con la finalidad de disponer de suficiente información para crear una base de datos que permitiera un mejor conoci-

186 Vid. Capítulo 19.

miento de aspectos con relevancia penal, procesal y penitenciaria, sin necesidad de suponer ningún tipo de prejuicio para la clasificación. Su finalidad era obtener mayor información de internos de alta peligrosidad por su historial delictivo o trayectoria penitenciaria y de internos necesitados de protección especial.

Tras la aprobación del RP de 1996 y la necesidad de refundir y armonizar la normativa administrativa la ya mencionada *Instrucción 21/96 de 16 de diciembre* modificó de nuevo los ficheros de internos de especial seguimiento siendo muy criticada por doctrina y jurisprudencia[187], diez años después la *Instrucción 6/2006 de 22 de febrero* los volvió a restructurar incorporando aspectos criminológicos de gran importancia en el ámbito penitenciario como el fanatismo religioso o el racismo, cambiando la mención específica de delitos contra la libertad sexual por delitos muy graves y suprimiendo menciones ya no vigentes como la de los insumisos.

Finalmente, el verdadero cambio se produjo con la reforma del RP por RD 419/2011 de 25 de marzo que dotó de cobertura reglamentaria por primera vez a los FIES al disponer en el art. 6.4 RP que la Administración Penitenciaria "*podrá establecer ficheros de internos para garantizar la seguridad, buen orden del establecimiento e integridad de los internos, sin que en ningún caso determine un régimen de vida distinto al que corresponda al interno*" y que dichas medidas de seguridad se intensificarían en función de la peligrosidad de los internos, art. 65.2 RP. Estas novedades fueron bien recibidas, pero de nuevo el legislador se quedó corto en la protección de las garantías, ya que en el aspecto formal tal regulación podía haber sido recogida en la ley y, en el aspecto material, el abuso de expresiones indeterminadas[188] como potencial peligrosidad, extrema, intensidad de las medidas o extrema peligrosidad, dejan un margen amplísimo a la Administración para la decisión de medidas restrictivas de derechos.

---

[187] Algunos pronunciamientos consideraban ilegales los ficheros como el Auto AP Madrid 58/1999 de 20 enero que critica el sometimiento del interno a un régimen especial no recogido por la Ley ni por el Reglamento, y otros criticaban sus consecuencias regimentales como el Auto 271/2001 de 9 de febrero AP Madrid.

[188] En este sentido se manifestaba el Informe del CGPJ al Proyecto de reforma del RP de 23 de septiembre de 2010, pág. 22.

Con la actual regulación por la Instrucción SGIP 12/2011 de 29 de julio, los grupos de internos son los siguientes:

FIES 1 CD: control directo (máxima conflictividad y peligrosidad) sus requisitos coinciden casi literalmente con los que el art. 92.3 RP exige para los departamentos especiales (protagonistas e inductores de alteraciones regimentales muy graves en los que hayan puesto en peligro la vida o integridad de funcionarios, autoridades, internos...) lo que puede crear confusión.

FIES 2 DO: delincuencia organizada: internos ingresados por delitos cometidos en el seno de organizaciones o grupos criminales e internos con alto potencial de peligrosidad ingresados por su vinculación a asociaciones ilícitas.

FIES 3 BA: bandas armadas: ingresados por vinculación a bandas armadas o grupos terroristas, o considerados por informes policiales que colaboran o apoyan a estos grupos.

FIES 4 FS: Fuerzas y Cuerpos de Seguridad del Estado y Funcionarios de IIPP: los que pertenecen o han pertenecido a estos colectivos.

FIES 5 CE: seguimiento especial por sus características criminológicas o penitenciarias, como historial penitenciario especialmente conflictivo, evasiones o violencia grave; autores de delitos graves contra las personas, libertad sexual o corrupción que hayan generado alarma social; pertenecientes o vinculados a grupos violentos; internos que destaquen por su fanatismo radical, afinidad al ideario terrorista o por liderar grupos de presión o captación en el centro penitenciario; condenados por el Tribunal Penal Internacional; colaboradores de la Justicia contra bandas terroristas u otras organizaciones criminales.

La inclusión en estos ficheros supone el almacenamiento de datos personales de tipo penal, procesal y penitenciario, por ello el art. 6.2 RP exige que su recogida, tratamiento y cesión respete la legislación de protección de datos de carácter personal, lo que implica que se informe al interno de su inclusión en un fichero y de la posibilidad de ejercer el derecho de rectificación y queja ante el Juez de Vigilancia, lo que ha sido objeto de una de las últimas reformas, RD 268/2022 de 12 de abril que modifica el art. 7 RP.

La falta de motivación de la inclusión en el fichero FIES-5 y el silencio sobre el grupo al que se refería provocó su anulación por el Auto AP Alicante 22.8.2013. Respecto a los internos incluidos en cualquiera de estos grupos, los centros penitenciarios deberán informar al Centro Directivo de los ingresos, propuestas de excarcelación, cambios de clasificación, permisos, sanciones, intervención de comunicaciones, comunicaciones con letrados, incidentes, traslados, participación en actividades...

Para internos vinculados a grupos terroristas o delincuencia organizada, se recogen una serie de medidas de seguridad excepcionales, como los cambios de celdas periódicos o las rondas nocturnas que siempre se han criticado por su extrema dureza. Por todo ello, aunque actualmente ya no se trate de una clasificación (de hecho puede ser FIES quien no está en primer grado y viceversa), sino de una base de datos para disponer de mayor información sobre las circunstancias penales, procesales y penitenciarias de determinados grupos de reclusos, son frecuentes las denuncias sobre su improcedencia e ilegalidad[189] por ser un régimen encubierto sin la debida autorización judicial que permite un endurecimiento similar al régimen cerrado. Además, preocupa la utilización que se puede hacer de estos datos para la posterior denegación de permisos o comunicaciones y que, en definitiva, suponga una restricción de derechos sin la debida cobertura legal, aunque al menos ahora el RP ya los regule.

Sobre la dureza o no de las condiciones tanto del régimen cerrado o departamentos especiales como de los FIES-CD es ilustrativa la realidad que plasmó el informe de la Asociación Pro Derechos Humanos de 1999[190] donde se denunciaron privaciones tales como: mobiliario sujeto al suelo, ventanas tapadas con chapas metálicas agujereadas que obligan a la necesidad de iluminación eléctrica continua, patios cubiertos incluso a techo con una valla metálica, ausencia de talleres o de uso del polideportivo, práctica exclusión de las organizaciones de voluntariado, etc... Todo ello ha provocado diversos pronunciamientos judiciales críticos con este régimen de vida como el Auto AP Sevilla 392/2005 de 3 de octubre o el Auto AP Ciudad Real 43/2005 de 7 de marzo, que permiten cuestionar las posibilidades de reinser-

---

189 Ampliamente Ríos Martín, J. C. "Los ficheros de internos de especial seguimiento". *Cuadernos de Derecho Penitenciario* nº 3 mayo 1998. Colegio de abogados de Madrid.

190 Asociación Pro Derechos Humanos de España, *Informe sobre la situación de las prisiones en España,* Madrid 1999 pág. 436-439.

ción del aislamiento diario durante 21 horas e instar a interpretar el art. 93 RP en sus máximos para permitir más horas de patio con programación de actividades y deporte diario, con el fin de abogar por un cumplimiento penitenciario humanizado, incluso en los internos de mayor peligrosidad.

5. CENTROS DE RÉGIMEN ORDINARIO

En ellos la seguridad y el orden son los adecuados para la convivencia ordenada. Actividades básicas son el trabajo y la formación, teniendo los internos unas actividades obligatorias (higiene, limpieza...) y otras de libre elección (participación en actividades). En todo caso como señala el art. 77 RP se garantiza un mínimo de ocho horas de descanso nocturno, dos horas de descanso en la celda y el suficiente para actividades y contactos con el exterior. Cumpliendo los requisitos legales se puede acceder a permisos de salida ordinarios, hasta un máximo de 36 días al año.

El Consejo de Dirección aprueba mensualmente el calendario y horario de actividades previsto para el mes siguiente y establece si todos o parte de los internos pueden participar en las mismas, siendo muy importante su difusión entre los internos para lo cual los educadores pueden cumplir una importante función de orientación y estímulo.

6. CENTROS DE RÉGIMEN ABIERTO

La característica principal de estos centros es que en ellos el recluso sale al exterior a trabajar y acude a prisión a pernoctar. En general, el tiempo de estancia mínimo en el Establecimiento es de ocho horas, salvo que el interno se someta voluntariamente a medidas de control fuera del centro, como los dispositivos telemáticos regulados en el art. 86.4 RP.

Como regla general los internos pueden disfrutar de permisos de salida todos los fines de semana desde las dieciséis horas del viernes hasta las ocho horas del lunes, así como de los días festivos de la localidad donde esté el Establecimiento, con lo cual permanecen en el centro cinco días a la semana. Además, pueden disfrutar de hasta cuarenta y ocho días anuales de permiso ordinario de salida.

La semejanza de estos centros con la sociedad libre hace que no haya controles rígidos como cacheos o registros, que los internos tengan libertad de movimientos por el interior del centro, o que por ejemplo se autorice el uso de dinero de curso legal, art. 301 RP ya que se basan en la autorresponsabilidad del interno[191].

6.1. Clases de centros abiertos

Según dispone el art. 80 RP puede haber tres tipos de Establecimientos de régimen abierto:

• *centro abierto o de inserción social (CIS)*: es un Establecimiento penitenciario en el que además del cumplimiento del tercer grado, se lleva el seguimiento de las penas no privativas de libertad cuya ejecución corresponda como es el caso del trabajo en beneficio de la comunidad, y se controla a los liberados condicionales, art. 163 RP.

El art. 164 RP señala los centros de inserción social como formas especiales de ejecución, estableciendo como principios rectores en ellos los de integración social y coordinación con las entidades gestoras de recursos sociales.

• *sección abierta*: se trata de dependencias que administrativamente dependen de un Establecimiento penitenciario polivalente, pueden ser unidades, módulos o departamentos destinados al cumplimiento del tercer grado.

• *unidades dependientes*: son instalaciones situadas fuera de los centros penitenciarios e integradas en los núcleos urbanos en las que colaboran tanto las instituciones públicas como privadas. Administrativamente dependen del centro penitenciario, aunque la gestión sea preferentemente llevada a cabo por asociaciones y organismos no penitenciarios, pese a reflejar un cumplimiento muy adecuado, son varias las unidades dependientes que se han suprimido en los últimos años. En los últimos años se han clausurado algunas de ellas con una importante disminución de plazas, ya que, las nueve existentes en

---

191 Ampliamente *Régimen abierto en prisiones*. VVAA Coord. A. Asúa Battarita. Vitoria-Gasteiz 1992.

2014, se han reducido a siete a 31 de diciembre de 2020 (Informe General IIIP 2020, pág. 138), dos de ellas de madres, cuatro de hombres y una de hombres y mujeres que alojan a cuarenta y un residentes.

La selección de internos para poder ingresar en estos centros la realiza la Junta de Tratamiento y lo comunica al Juez de Vigilancia, para ello deberán estar clasificados en tercer grado, adecuarse a los objetivos del programa y aceptar las normas de funcionamiento

Una modalidad de vida específica es el *régimen abierto restringido*, art. 82 RP, en el que, por la peculiar trayectoria delictiva, personalidad anómala u otras condiciones personales como pueda ser la falta de trabajo en el exterior, se limitan las salidas, por ejemplo, sin tener permisos de fin de semana. Viene a ser una especie de régimen ordinario en el que cada quince días los internos pueden disfrutar de permisos de salida. Hay una mención a la equiparación del trabajo doméstico como ocupación laboral que solo alcanza a las mujeres presas, que no debería discriminar a los hombres para no resultar contradictorio con el principio constitucional de igualdad, así lo entendió el Auto AP Madrid de 14 de noviembre de 2014 que concedió el tercer grado a un penado que debía cuidar a su esposa gravemente enferma con base a este precepto reglamentario.

6.2. El control telemático

La posibilidad de que el interno se someta a un control telemático comenzó como una mera excepción de la obligación de permanencia en el centro penitenciario durante ocho horas, pero ha acabado adquiriendo tal importancia que en la actualidad su uso se ha generalizado hasta el punto de que la excepción acaba siendo permanecer en el centro porque la gran mayoría de internos cumplen este grado de clasificación en el exterior del centro penitenciario[192].

Se regula en art, 86.4 RP que permite a los penados no tener la obligación de pernoctar en el centro penitenciario si se someten voluntariamente al control de un dispositivo telemático y se desarrolla en la Instrucción SGIP 8/2019 de 23 de abril que derogó a la anterior (Instrucción 13/2006 de 23 de agosto). Ambas normas son insuficien-

---

192 Rodríguez Yagüe, C. *La pena de prisión...* cit. pág. 271.

tes por afectar a la forma de cumplimiento, lo que justifica que se reclame su regulación en la LOGP.

Como supuestos que pueden optar a esta modalidad de cumplimento se menciona expresamente el cuidado de los hijos menores por parte de sus progenitores y los tratamientos o convalecencias médicas, así como otros supuestos más genéricos consistentes en circunstancias de índole personal, familiar, sanitaria, laboral, tratamental u otras análogas, que requieran modificar los horarios (horas de descanso en periodo no nocturno, disminución de las horas de permanencia) o permitan la exención de permanencia en el centro en horario nocturno.

Requiere el consentimiento y compromiso del interno, siendo lo más generalizado la instalación de una pulsera en el tobillo o muñeca y su control mediante la instalación de un dispositivo en su domicilio con el fin de comprobar las horas de permanencia en el mismo. Otros medios de control pueden ser las visitas de profesionales, la presentación del interno en dependencias oficiales, las comunicaciones telefónicas u otras. La nueva Instrucción SGIP 8/2019 de 23 de abril adopta una tecnología menos invasiva que la anterior porque los dispositivos ahora se limitan a informar de la presencia en el domicilio, pero no de los movimientos del interno.

Su crecimiento ha sido ascendente desde los 18 que se instalaron en 2001 tras un período de prueba, hasta los más de 4.400 en 2021 (68% de los internos en tercer grado) en cuya evolución sin ninguna duda ha influido las medidas adoptadas con ocasión del confinamiento provocado por la pandemia del covid-19[193].

7. ESTABLECIMIENTOS ESPECIALES

Son los señalados en el art. 11 LOGP en los que como característica principal prevalece el carácter asistencial ya que se trata de centros hospitalarios, psiquiátricos y de rehabilitación social.

---

193 Arribas López, E. "El régimen abierto penitenciario con control telemático durante la pandemia o hacer de la necesidad una virtud" *Diario La Ley* nº9862, 2 de junio de 2021.

Hospitalarios: En cada centro ha de haber una enfermería con camas, material clínico y productos farmacéuticos atendida por un médico y un ATS (diplomado/graduado en enfermería); además ha de haber una dependencia para la observación psiquiátrica y atención a toxicómanos y una unidad para enfermos contagiosos (art. 37 RP). Algún centro dispone de hospital penitenciario y, cuando sea necesario, se puede ordenar por el Centro Directivo el traslado a uno de ellos, o incluso a centros hospitalarios no penitenciarios, art. 36.2 LOGP.

Psiquiátricos: Según el art. 184 RP son los Establecimientos destinados al cumplimiento de medidas de seguridad privativas de libertad por aplicación de una eximente del Código Penal por patologías psiquiátricas, para los casos de enfermedad mental sobrevenida y para detenidos o presos con patologías psiquiátricas. Hay que destacar la contradicción de este precepto con el anterior art. 60 CP que disponía la suspensión de la pena para los casos de enfermedad sobrevenida, que con la actual redacción se salva al permitir la imposición de una medida de seguridad[194].

El art. 37 LOGP indica que todos los Establecimientos han de tener unas dependencias destinadas a la observación psiquiátrica, lo que no sólo no existe en la práctica, sino que supone uno de los mayores problemas de la ejecución penitenciaria por la desatención en la que están sumidos los enfermos mentales.

En estos centros no rige el régimen disciplinario y las comunicaciones se adaptan a las necesidades del tratamiento, art. 188.4 y 190 RP.

Rehabilitación social: Curiosamente no son desarrollados por el RP, de manera que como se refieren a la ejecución general de medidas de seguridad, actúan como tales los psiquiátricos o las unidades extrapenitenciarias para el tratamiento de deshabituación.

El problema es la falta de coordinación legal ya que mientras la LOGP utiliza la terminología ya citada, el art. 96 CP menciona como lugares de cumplimiento de las medidas de seguridad los centros psiquiátricos (eximente 20.1) centros de deshabituación (eximente 20,2) y centro educativo especial (eximente 20.3). Evidentemente esta dis-

---

194 Vid. Capítulo 17, epígrafe 2.2.1

paridad terminológica no es de recibo que se mantenga ya que vgr. para la ejecución de la eximente de alteraciones en la percepción se está refiriendo a un centro inexistente para la legislación penitenciaria.

Finalmente, aunque el RP los clasifique en el art. 163 como formas especiales de ejecución por su relación con el tratamiento que se lleva a cabo en ellos, hay una serie de supuestos que también implican diferencias, separaciones o características específicas en los establecimientos de cumplimiento, como son las unidades de madres, los departamentos mixtos y los departamentos de jóvenes. Todos ellos son explicados en el capítulo 12 correspondiente al tratamiento.

8. PRISIONES DE MUJERES[195]

El papel de la mujer en los establecimientos penitenciarios ha sido cambiante, históricamente se dieron algunas diferencias en los lugares de reclusión, el régimen y el tratamiento, mientras que la legislación actual defiende la igualdad de todos los internos para evitar cualquier diferencia que pueda suponer discriminación o desigualdad alguna, más allá de la separación general por sexos (art. 3 LOGP). De esta forma, las mujeres pueden estar ingresadas en módulos o departamentos situados dentro de los centros de hombres, en establecimientos exclusivamente femeninos, en unidades dependientes, pero también en departamentos mixtos.

Como consecuencia de ello, las excepciones para las mujeres en el ámbito penitenciario, son casi todas por su papel de madre, ya que el art. 38.2 LOGP permite que los niños hasta tres años puedan estar con ella, con lo cual son más bien medidas de protección a los niños, o bien, se derivan de los cuidados necesarios en el embarazo con trascendencia en la salud, el trabajo y el cumplimiento de sanciones.

En el ámbito de la salud, los departamentos de mujeres disponen de servicios periódicos de un ginecólogo, art. 209 1.1.2. RP, cuando convivan con niños habrá un pediatra, y además debe haber una dependencia con instrumental de obstetricia para atender excepcional-

---

195 Un completo estudio sobre la situación de las mujeres en prisión en Rodríguez Yagüe, C./Pascual Rodríguez, E. *Las mujeres en prisión: la voz que nadie escucha* Ed. Fundación Gabeiras, 2022.

mente a las mujeres en los supuestos de parto, art. 38 LOGP, 213.1 RP. La razón de su excepcionalidad, es evitar en la medida de lo posible que los niños nazcan en prisión por el estigma que puede producir.

En relación al trabajo penitenciario las previsiones laborales relativas a las mujeres embarazadas se han ido incorporando a las internas, por eso en virtud del RD 782/2001 de 6 de julio, que regula la relación laboral penitenciaria, les excluye de la obligación de trabajar (133.c RP) y garantiza unas causas específicas de suspensión de la relación laboral especial (dieciséis semanas por parto, si es múltiple dos más), les reconoce prestaciones de la seguridad social por maternidad...

También en el ámbito disciplinario hay una previsión específica de no cumplimiento de la sanción de aislamiento en las gestantes, seis meses después de embarazo, en las lactantes y las que tienen hijos consigo. 254.3 RP. Se trata de una excepción temporal mientras duran estas circunstancias, por ello, cuando desaparezcan, la sanción de aislamiento se podrá ejecutar salvo que haya prescrito.

Todas estas previsiones se derivan de las Reglas Mínimas para el tratamiento de los reclusos de la ONU de 1975, de las Reglas penitenciarias europeas de 2006 y de otros Tratados Internacionales, siendo especialmente importantes las Reglas de Naciones Unidas para el tratamiento de las reclusas y medidas no privativas de la libertad para las mujeres delincuentes (Reglas de Bangkok) de 21 de diciembre de 2010. En estas últimas, además de proponer la obligación de cubrir estas necesidades específicas de las mujeres, se hace hincapié en la necesidad de evitar la discriminación de la mujer reclusa por razón de género, lo que supone admitir que la aplicación de la normativa penitenciaria puede crear discriminaciones por el hecho de ser mujer y valorar la procedencia de realizar una lectura de género de la ejecución penitenciaria que permita intervenir para evitar desigualdades

Con este objetivo se propone aplicar métodos de clasificación centrados en las necesidades propias del género; facilitar a las mujeres el destino a centros cercanos a su hogar, especialmente si tiene personas a su cuidado; tener en cuenta la menor peligrosidad de las mujeres y con ello la innecesariedad de medidas de alta seguridad; conocer las situaciones anteriores de violencia que pudiera haber sufrido; y cuidar con esmero la realización de programas que satisfagan las necesidades de género.

Ejemplos de áreas de trabajo para la no discriminación de las reclusas son numerosos como puedan ser las deficientes instalaciones de las prisiones de mujeres y su repercusión en la clasificación y tratamiento, las dificultades de acceso al trabajo y su habitual contenido sexista, el menor número de actividades y programas o la necesidad de programas específicos contra la violencia de género.

Bibliografía: Almeda Samaranch, E. *Mujeres encarceladas* Barcelona 2003. **Aguilera Delgado, A.** "Formas especiales de ejecución" *PJ* 1996 (1). **Arribas López, E.** *El régimen cerrado en el sistema penitenciario español.* Madrid 2010. **Asúa Batarrita, A.** (coord.) *Régimen abierto en las prisiones.* Bilbao 1992. **Brandariz García, J. A.** "Notas sobre el régimen penitenciario para penados considerados extremadamente peligrosos: departamentos especiales y FIES-1 (CD) *EPyC* nº 23, 2001-2002. **Cervelló Donderis, V.** "Las prisiones de mujeres desde una perspectiva de género" *Revista General de Derecho Penal,* nº 5, 2006. **Cervelló Donderis, V.** "Prisión, mujer y no discriminación: del legado de Concepción Arenal a las reglas de Bangkok" *EPyC* vol. XII (2021). **García Valdés, C.** *Los presos jóvenes.* Ministerio de Justicia. Madrid 1991. **Mapelli Caffarena, B.** "Los establecimientos de máxima seguridad en la legislación penitenciaria". *Eguzkilore* Nº extraordinario enero 1988. "Consideraciones en torno al artículo 10 de la LOGP". *REP* 1989 extra 1 monográfico LOGP. "El régimen penitenciario abierto". *CPC* 1979 nº 7. **Nistal Burón, J.** "Vicisitudes penitenciarias de la prisión preventiva: régimen penitenciario y principio constitucional de presunción de inocencia" *La Ley* nº 7282, 2009. **Otero González, P.** *Control telemático de penados.* 2008. **Ríos Martín, J. C.** *Mirando el abismo. El régimen cerrado.* Madrid 2002. **Rodríguez Yagüe, C./Pascual Rodríguez, E.** *Las mujeres en prisión: la voz que nadie escucha* Ed. Fundación Gabeiras, 2022. **VVAA** *El Tratamiento penitenciario: posibilidades de intervención.* 1ª Jornadas de ATIIPP Málaga 2001. **Yague, C.** *Madres en prisión.* Granada 2007.

Capítulo 11º

EL TRATAMIENTO PENITENCIARIO

1. CONSIDERACIONES GENERALES

1.1. Concepto y características

Según el art. 59 LOGP el tratamiento es el conjunto de actividades dirigidas a conseguir la reeducación y reinserción social, materia que, recibe en la LOGP y el RP, respectivamente, un título independiente.

Esas actividades pueden consistir en cualquier ayuda de tipo médico, psiquiátrico, psicológico, pedagógico, laboral o social siendo su límite el respeto a los derechos constitucionales no afectados por la condena, art. 60.2 LOGP, con lo cual quedarían proscritos aquellos que anulan la personalidad (vgr. el conductismo más agresivo) o los que puedan suponer una agresión física (vgr. la castración).

Su finalidad consiste en lograr que el interno sea una persona con la intención y capacidad de vivir respetando la ley y subvenir a sus necesidades, referencia que aun teniendo el sentido de llevar una vida alejada del delito, ha sido criticada por la mención a la intención como elemento subjetivo y personal del interno, en el que no se debe intervenir, salvo que se quiera confundir Derecho con Moral[196].

Esta concepción del tratamiento ha sido tachada por la doctrina como excesivamente clínica al pretender la cura patológica del delincuente modificando su conducta delictiva, lo que le ha llevado

---

[196] Cobo, M.-Vives, T. *Derecho Penal Parte General.* 5ª Ed. Valencia 1999 pág. 48 nota 14.

a evolucionar en los últimos años hacia una concepción más social en la que la pretensión resocializadora se dirige a las interrelaciones sociales del interno a través de la formación, la cultura, el deporte y el trabajo, e incluso hacia la propia institución con la mejora de sus medios materiales y humanos. Prueba de ello es el giro que tomaron los criterios generales del tratamiento en el Reglamento Penitenciario de 1996, que se apartan sustancialmente de la concepción tradicional de la LOGP, abogando por los siguientes objetivos en su art. 110:

a) *diseñar programas formativos para desarrollar las aptitudes de los internos*: con ello se pretende enriquecer sus conocimientos, mejorar su capacidad profesional y compensar sus carencias, con el fin de mejorar la preparación cultural y profesional de los internos.

b) *utilizar técnicas psicosociales para mejorar la capacidad de los internos trabajando sobre los problemas que hubieran podido influir en la conducta delictiva*: se trata de una actuación sobre las carencias concretas que tenga el interno en el plano personal como pueda ser una personalidad agresiva, o intervenciones sociales para el entrenamiento en habilidades sociales.

c) *potenciar los contactos del interno con el exterior*: aquí es donde se recoge verdaderamente la finalidad actual del tratamiento ya que se trata de acercar al recluso al mundo exterior implicando directamente a la sociedad en la acogida y aceptación de éste.

La importancia del tratamiento en la vida carcelaria depende en gran medida de su relación con el régimen, en este sentido la LOGP se encuentra en un punto medio, ya que, aunque regula el tratamiento y el régimen en títulos separados, subordina las funciones regimentales a las exigencias de tratamiento. Esto se debe a la declaración de la reeducación y reinserción social como fines primordiales a través del tratamiento, lo que convierte al régimen en un medio y no un fin en sí mismo (art. 71.1 LOGP) exigiéndose para ello una debida coordinación (art. 73.3 RP). El cumplimiento de tal propósito se debería reflejar en ejemplos concretos como pueda ser permitir el aplazamiento de un traslado para no interrumpir una actividad de tratamiento o, incluso, suspender el cumplimiento de una sanción por los mismos motivos, sin embargo, si en tales casos el orden y la seguridad se priorizan, ni el traslado ni la sanción anterior serían evitables si son necesarios para dichos fines.

La característica más importante del tratamiento penitenciario es la de su *voluntariedad*, ya que se trata de un derecho y en ningún caso de una obligación. Esto da lugar a que la Ley Penitenciaria declare que "se *fomentará* que el interno participe en la planificación y ejecución de su tratamiento..." (art. 61.1 LOGP) y el Reglamento que "se *estimulará* la participación..." (art. 112 RP), declarando a continuación en el nº 3 del mismo artículo que el interno podrá rechazar libremente o no colaborar en la realización de cualquier técnica de estudio de su personalidad, sin que tenga consecuencias disciplinarias ni regimentales. Quizá en esta afirmación falta una referencia más explícita al rechazo a cualquier método de tratamiento como se hacía en el anterior Reglamento[197].

La única excepción a la voluntariedad es el supuesto de la enseñanza obligatoria de los estudios básicos (art. 122.2 RP) lo que no ha de entenderse como una concesión al empleo de medios coactivos para conseguir dicho propósito, sino a la motivación y el estímulo para la participación del interno.

Esto significa que su rechazo no puede provocar la imposición de sanciones, ni la regresión de grado, ni el uso de medios coercitivos, sin embargo, el hecho de que su aceptación y colaboración activa sí tenga efectos positivos como el acceso a los beneficios penitenciarios, puede hacer pensar que no es tan voluntario como la propia legislación expresa.

Otra característica es su *generalización* a todos los reclusos, lo que significa que ningún interno queda excluido de ser admitido en tareas de tratamiento, ya que en la consideración actual no se trata de actuar sobre el responsable de un delito, lo que limitaba antes su actuación a los condenados, sino de ofrecer a todos ellos una estancia en prisión más humana, menos ociosa y más resocializadora, dando lugar a que se haya ampliado el ámbito de actuación también a los preventivos. Tal novedad la incluye el art. 3.4 RP al permitir la compatibilidad entre presunción de inocencia y el acceso a actividades educativas, formativas, deportivas y culturales, ya no se trata como antes de ex-

---

[197] Racionero Carmona, F. *Derecho penitenciario y privación de libertad* cit. pág. 244.

cluir a los preventivos de estas actividades, sino sólo de limitarlas a su compatibilidad con su situación procesal.

Finalmente, también se puede citar como característica que el tratamiento se ha *abierto al exterior*, lo que permite no reducirlo a los limitados medios de los que dispone la propia institución carcelaria, sino aceptar la colaboración de entidades públicas y privadas que desde el exterior van a acceder al recinto penitenciario para contribuir en la ejecución de actividades resocializadoras, según señala el art. 111.3 RP, y, por otro lado, que se contemple también la posibilidad de realizar las actividades de tratamiento fuera de la prisión con lo cual se permite aprovechar los recursos sociales disponibles en el exterior, art. 113 RP. Este es uno de los grandes logros de la ejecución penitenciaria moderna ya que ha logrado sensibilizar a la sociedad y hacerla participe en las tareas resocializadoras, así como flexibilizar la ejecución sacándola de los muros de la prisión.

1.2. Principios

El art. 62 LOGP establece los principios que lo han de inspirar:

a) *estudio científico de la personalidad del interno*: se ha de analizar el temperamento, carácter, aptitudes y actitudes o las motivaciones para poder enjuiciar globalmente la personalidad del interno y recoger tales datos en el protocolo.

b) *diagnóstico de personalidad criminal y juicio pronóstico*: consiste en emitir un informe en el que para calificar la criminalidad del sujeto y los pronósticos de futuro se tengan en cuenta datos de su actividad delictiva y del entorno familiar o social que le rodea. Los criterios del informe que se ha de formular con diagnóstico criminal no se fijan en la LOGP, a diferencia de los del pronóstico final que se emite una vez concluye el tratamiento y está próxima la libertad, que recogerán los datos relativos a los resultados del tratamiento y la probabilidad de delinquir.

c) *individualizado*: tal principio se está refiriendo al carácter subjetivo y personal del tratamiento en función de las características personales del interno, lo que está reñido con los parámetros generales que se basan en tipos de delito o características objetivas que habitualmente se utilizan en las prisiones españolas. Para poder desarrollar esta individualización, el art. 63 LOGP indica que se ha de observar a los internos para clasificarlos y destinarlos al centro y sección más adecuado con el tratamiento señalado.

d) *complejo*: supone apostar por la integración de varios métodos coordinados y evitar por tanto su simplificación.

e) *programado*: la programación implica que se atienda a un plan general en el que se fije la graduación de su aplicación y la distribución entre los distintos métodos intervinientes.

f) *continuo y dinámico*: su adaptación a la evolución del interno exige que el tratamiento se revise durante la condena, para evitar una aplicación estática e inalterable de espaldas a la evolución que vaya sufriendo el interno. En este sentido la progresión positiva ha de determinar una nueva clasificación del interno, según dispone el art. 65 LOGP, y su correspondiente destino al centro y sección más adecuado.

Todos estos principios han de inspirar el tratamiento para dirigir su actuación al logro de los objetivos que marca el art. 110 RP.

2. MODALIDADES[198]

En la enumeración de las modalidades que puede revestir el tratamiento reina un auténtico desorden y falta de sistematización ya que la LOGP no indica los posibles métodos de tratamiento, limitándose a hacer una somera mención en el art. 66 de la posibilidad de organizar psicoterapia de grupo, asesoramiento psicopedagógico y terapia de comportamiento.

El Reglamento tampoco ha sido muy explícito, al destinar a los programas, solo un capítulo en el Título que dedica a su regulación, en el que incluye las salidas programadas, los grupos de comunidad terapéutica, los programas de actuación especializada para drogodependientes y la atención especializada en el exterior, a continuación, se dedican tres capítulos independientes respectivamente, de un lado, a la formación, cultura y deporte de un lado y a las actividades laborales y ocupacionales, de otro.

---

198 Extensamente VVAA *El Tratamiento penitenciario: posibilidades de intervención*. 1ª Jornadas de ATIIPP Málaga 2001.

El silencio de la LOGP sobre el contenido de las modalidades de tratamiento que menciona, y la amplitud con que lo recoge el RP ha permitido el desarrollo de variados programas de tratamiento que admiten diversas agrupaciones como por ejemplo: a) *por sus destinatarios*: generales para todo tipo de internos (prevención del suicidio, Justicia restaurativa, seguridad vial), específicos para colectivos determinados como las mujeres (madres, prevención de la violencia de género) los jóvenes (información juvenil), los extranjeros (integración, idioma) o los drogodependientes, b) *por tipo de delito*: programas para agresores sexuales, para condenados por violencia de género, radicalismo violento[199]... c) *por módulos de tratamiento*: programas que se dirigen a determinados módulos como los de régimen cerrado o los módulos de educación y respeto. Además de ello, actividades como el trabajo, el deporte, la educación, la cultura, el ocio... son instrumentos que facilitan la reinserción social y por tanto también medios de tratamiento.

A continuación, se exponen los citados expresamente por el Reglamento y los de mayor relevancia en la actualidad.

2.1. Salidas programadas

Se crearon en 1990, se trata de una ubicación un tanto confusa ya que es una figura estrechamente vinculada a los permisos de salida por ser comunes los requisitos de concesión y la finalidad resocializadora de contacto con el exterior. No obstante, su naturaleza expresa de medio de tratamiento exige una mínima explicación de su contenido y características.

El art. 114 RP define como salidas programadas las salidas al exterior de grupos de internos acompañados por personal del centro penitenciario o de otras instituciones o voluntarios acreditados para realizar actividades específicas de tratamiento.

---

199 Colomer Bea, D. "Medidas de desvinculación de la violencia frente a medidas contra la radicalización: el manual de la UNODC para la gestión de reclusos extremistas violentos y la prevención de la radicalización conducente a la violencia en las prisiones (I) *La Ley Penal* nº 154, enero-febrero 2022, pág. 3.

La regla general es que no dure más de dos días, pero excepcionalmente pueden tener una duración superior. Para su concesión el Equipo Técnico debe realizar un informe en el que consten los internos seleccionados y las personas que van a actuar de acompañantes. La Junta de Tratamiento formula la propuesta, y en su caso, el Centro Directivo la aprueba. Si se trata de internos de segundo grado y la salida va a durar más de dos días, se necesita la autorización del Juez de Vigilancia.

Los requisitos para conceder las salidas programadas a los internos son los mismos que los de los permisos de salida del art. 154 RP:

- penados clasificados en segundo o tercer grado.
- haber extinguido una cuarta parte de la condena.
- no observar mala conducta.

Suelen utilizarse para acudir a acontecimientos deportivos (competiciones entre centros), actividades culturales (teatro, cine, exposiciones...) o excursiones al aire libre, entre otras, debiendo estar relacionadas con los programas de tratamiento que siga el interno bien sea la práctica del deporte, talleres de teatro o participación en cursos.

2.2. Grupos en comunidad terapéutica

El art. 115 RP menciona someramente esta modalidad dirigida a tratar a grupos determinados de internos, pero sin especificar de cuáles se trata.

El grupo de internos se forma con autorización del Centro Directivo, y aunque no lo dice, se entiende que a propuesta de la Junta de Tratamiento. Al frente del grupo estará la Junta de Tratamiento asumiendo todas las funciones que corresponden al Consejo de Dirección y a la Comisión disciplinaria, salvo las de contenido económico.

Se trata de la formación de una pequeña comunidad dentro de la prisión y por tanto asumiendo todas las competencias de régimen y tratamiento con plena autonomía, siendo especialmente aconsejable para internos de tercer grado y departamentos mixtos (art. 70 RP).

Un supuesto de comunidades terapéuticas son las creadas para deshabituación de la drogodependencia con la colaboración de entidades públicas y privadas que aportan los medios económicos y personales necesarios para ello; la finalidad que persiguen es crear para el interno un ambiente propicio para la deshabituación a través del cambio de los hábitos que le han llevado a la drogadicción y dotarle de propuestas educativas y formativas para acceder en mejores condiciones a la reinserción social. Los medios para ello son el abandono del consumo, actividad laboral y formativa, ocio y tiempo libre alejado del consumo, integración familiar. Para que tales pretensiones puedan ser alcanzadas es necesaria la selección de un reducido número de internos y el trabajo de suficientes profesionales.

2.3. Programas de actuación especializada: drogodependientes y libertad sexual

El art. 116 RP señala expresamente dos tipos de programas, el primero va dirigido al tratamiento para la deshabituación de todos los internos con dependencia a sustancias psicoactivas, sin que haya limitación alguna por motivos procesales o penitenciarios, ya que se extiende a todo tipo de reclusos, siempre que voluntariamente lo soliciten, si bien se suelen utilizar criterios de prioridad como pueda ser ausencia de sanciones.

Son los más extendidos en los centros penitenciarios por seguir siendo las drogodependencias uno de los mayores problemas de la vida penitenciaria; para su desarrollo la Administración se coordina con otras Administraciones públicas y privadas debidamente acreditadas, en el marco del Plan Nacional sobre drogas.

La Instrucción 3/2011 de 2 de marzo sigue dando prioridad al tratamiento, la prevención, la asistencia y la educación para la salud, pero con una expresa actuación para evitar la introducción y el tráfico de sustancias estupefacientes en los establecimientos penitenciarios con campañas dirigidas a profesionales, internos y familiares.

La actuación se diversifica en distintos programas como el intercambio de jeringuillas, tratamiento con metadona o deshabituación para internos con problemas de drogodependencias en los que el objetivo es la desintoxicación y la integración social. Uno de los más adecuados son las comunidades terapéuticas, ya mencionadas, que se recogen en el art. 115 RP y que permiten la desintoxicación como objetivo tratamental en un ambiente más humano e individualizado.

Especial mención merece por su novedad el programa simbiosis en el que conviven drogodependientes y narcotraficantes con la finalidad de beneficiarse mutuamente ya que los segundos tutorizan a los primeros en la normalización de su conducta a modo de reparación del daño y, los primeros, se benefician de este apoyo[200].

El segundo es un programa dirigido a los condenados por delitos contra la libertad sexual, siempre que el diagnóstico previo así lo aconseje[201]. Se trata de un programa voluntario, limitado lógicamente a los condenados, porque en los preventivos rige la presunción de inocencia, y que ha de evitar cualquier tipo de marginación de estos internos respecto a los demás. En este sentido se ejecuta desde 1998 un programa de intervención con delincuentes contra la libertad sexual dirigido a la prevención de la recaída, con los objetivos de reforzar la asunción de responsabilidad (conciencia emocional), aprender estrategias de superación de riesgos, contener el impuso sexual (educación sexual), fomentar la empatía hacia la víctima y prevenir la reincidencia. Hay que tener en cuenta que, aunque estos delincuentes son minoritarios en comparación al resto de la población penitenciaria, producen una gran alarma social que reclama actuaciones más directas sobre su tratamiento. La SAP Madrid 22.7.2003 aceptó la progresión a tercer grado acompañada de la participación en un programa de tratamiento específico para mejorar la educación sentimental y sexual del interno con una detallada reflexión sobre su virtualidad.

El problema de estos programas es la falta de apoyo institucional cuando se van superando, debido a la falta de una política abierta de permisos de salida y progresión en la clasificación si su evolución es favorable, lo que puede llevar a perder los objetivos logrados.

Otros programas de tratamiento de gran importancia son la prevención de suicidios, los programas de integración para extranjeros o la atención a discapacitados.

---

200 Cendón Silvan, J. M./Belinchón Calleja, E./García Casado, H. *Módulos de respeto. Manual de aplicación*. Ministerio del interior. Secretaría General Técnica. Madrid 2011, pág. 165.

201 Sobre la necesidad de reforzar el tratamiento de los delincuentes sexuales, Rodríguez Yagüe, C. "Algunas consideraciones sobre el régimen de ejecución de las penas privativas de libertad de los delincuentes sexuales" *RGDP* nº 4 noviembre 2004 pág 19.

2.4. Atención especializada en el exterior

El art. 117 RP establece para los internos de segundo grado con baja peligrosidad social que no presenten riego de quebrantamiento de condena, la posibilidad de acudir a programas de atención especializada en instituciones del exterior, siempre que el Juez de Vigilancia lo autorice. Lo planifica la Junta de Tratamiento con el interno, que lo ha de aceptar, comprometiéndose a cumplir las normas de régimen interno de la institución, excluyéndose expresamente la vigilancia policial en el control del seguimiento del programa. La duración de cada salida no puede exceder de ocho horas diarias, siendo autorizadas por el Centro Directivo, sin necesidad de autorización judicial, si son puntuales o irregulares.

3. OTROS PROGRAMAS ESPECÍFICOS

Siguiendo la iniciativa que deja abierta el art. 114.2 RP de realizar otros programas específicos que se considere oportuno establecer, la Administración Penitenciaria en los últimos años ha impulsado algunos de gran interés y que están teniendo muy buenos resultados. Entre ellos se destacan los de mayor relevancia.

3.1. Violencia de género

El programa para agresores de violencia de género se creó en el año 2001, a diferencia del de libertad sexual basta con la existencia de malos tratos, aunque la condena no haya sido por ello (vgr. violación); su finalidad general es la intervención psicológica y educativa a través de los siguientes objetivos: solucionar problemas del agresor (elevar la autoestima, control de la ira, evitar situaciones de riesgo, relajación…), despertar la responsabilidad del maltrato (reconocimiento del delito, empatía) y educación social (reelaboración de estructuras de roles sexuales). La Ley 1/2004 de 28 de diciembre de medidas de protección integral contra la violencia de género en su art. 42, no sólo recoge un compromiso de la Administración Penitenciaria de ofrecer estos programas, sino que establece que se valorará su aprovechamiento y seguimiento para la concesión de permisos de salida, progresiones de grado y libertad condicional[202]. En la actualidad está en marcha en más de 50 centros penitenciarios.

3.2. *Módulos de respeto*

Supone una concepción menos punitiva y más educativa de la prisión, basada en el compromiso voluntario de los internos de cumplir las normas y pautas de conductas propias de la convivencia, no tanto en el sentido de disciplina, sino de potenciar las relaciones sociales con los demás internos y los hábitos personales de higiene o no consumo de drogas. Se iniciaron en la prisión de León y se han extendido por todo el territorio nacional, siendo positiva su contribución a la reinserción social, pero preocupante que su generalización desvirtúe su espíritu inicial y acabe convirtiéndoles en un modelo mixto entre el tradicional y el de respeto propiamente dicho. Para que no acabe perjudicando a los genuinos, conviene no mezclarlos para evaluar de forma separada sus respectivos resultados.

En el modelo genuino el interno que va a ser destinado a un módulo de respeto debe responder a unas condiciones personales que le permitan colaborar en el funcionamiento del módulo con una participación activa y directa en las comisiones y asambleas que lo organizan, lo que es muy positivo porque desarrolla el sentido de la responsabilidad y de la convivencia en grupo. Además, como efectos colaterales, tal sistema participativo reduce sustancialmente las infracciones y sanciones, mejora el clima penitenciario y facilita las relaciones entre funcionarios e internos, lo que en definitiva acerca más la prisión al mundo exterior.

3.3. *Intervención en módulos o departamentos cerrados*

Estos programas de tratamiento están previstos para internos a quienes se haya aplicado el art. 91.2 y 91.3 RP y art. 10 LOGP, y como todos los programas de tratamiento, exigen la voluntariedad del interno. Los problemas fundamentales del régimen cerrado siem-

---

[202] Cervelló Donderis, V. "Presupuestos y efectos jurídicos de los programas de tratamiento en los delitos de violencia de género". *RGDP* nº 17, mayo 2012.

pre han sido que la ausencia de actividades, junto al aislamiento casi absoluto, fomentaban la agresividad del interno, lo que unido al automatismo de las revisiones hacían muy difícil la salida del mismo y muy fácil el enquistamiento en este régimen, teniendo en cuenta que las mayores limitaciones regimentales dificultan la realización de dichas actividades.

Desde la reforma del RP de 2011, el art. 90 RP establece que en todos los módulos o departamentos cerrados se diseñará un programa de intervención específico que garantice la atención especializada con los internos que se encuentren en dicho régimen. Para tal cometido en cada módulo o departamento cerrado habrá un Equipo Técnico especializado y estable, cuyos miembros que lo compongan deberán tener al menos una continuidad de dos años, y estar compuesto obligatoriamente por un psicólogo, un jurista, un médico, un educador, un trabajador social y un representante del área de vigilancia.

Al ingreso de un interno en un módulo o departamento cerrado se elabora un programa individualizado de ejecución que debe ser aprobado por la Junta de Tratamiento y planificar el tiempo estimado en ese grado, prestando especial atención a la asistencia psicológica y médica por ser muy frecuentes los problemas psíquicos y de drogodependencia. En dicho programa de intervención se debe hacer una planificación de actividades diarias que combinen el aspecto tratamental con el necesario de vigilancia con los objetivos de superar la autoestima, minimizar los efectos del aislamiento, potenciar la convivencia y el respeto, entrenar el autocontrol y la resolución de conflictos o educar en valores y actitudes prosociales. También es fundamental humanizar los espacios físicos, permitir las actividades de los internos tanto de ejercicio físico, como culturales y terapéuticas y que los programas de intervención iniciados tengan continuidad, por eso no deberían interrumpirse con el cumplimiento de sanciones, ni al inicio de su progresión al régimen ordinario.

Para proponer el cambio de modalidad se tendrá en cuenta la participación en actividades, la actitud del interno a las normas de respeto y convivencia, y la ausencia de comisión de faltas graves o muy graves, siendo un instrumento muy útil para la progresión la utilización del art. 100.2 RP que permite combinar características de dos regímenes penitenciaros, ya que el principal y prioritario objetivo del tratamiento en régimen cerrado es facilitar la progresión, al menos, a régimen ordinario. La Instrucción SGIP 9/2007 de 21 de mayo considera en este sentido que el art. 100.2 RP es una herramienta útil antes de proceder a la progresión de primero a segundo grado a través del paso a otros módulos en los que los internos puedan disfrutar de mayor espacio de convivencia con la participación en actividades comunes, especialmente los internos clasificados en primer grado con perfil bajo y estancia previsiblemente breve.

3.4. Programas restaurativos

Una novedad tratamental que despierta grandes expectativas y que ha generado muy buenos resultados es la aplicación de la Justicia restaurativa en la solución de conflictos generados en la convivencia penitenciaria[203]. En las prisiones se producen a diario numerosos conflictos derivados de peleas, reyertas, discusiones y desencuentros que en función de su gravedad dan lugar a situaciones de incompatibilidad, partes disciplinarios, imposición de sanciones, e incluso en el peor de los casos, remisión al Juzgado por la posible comisión de delito.

La mediación, como medio alternativo de resolución de conflictos, ayuda a través del diálogo a superarlos y contribuye a pacificar la convivencia a través de un encuentro voluntario de las dos partes enfrentadas guiadas por un mediador/facilitador imparcial[204]. Sus ventajas son muy relevantes al ayudar a las partes a encontrar espacios de acuerdo y normalizar la convivencia, lo que repercute en la reducción de la conflictividad y el fomento del diálogo como solución a los conflictos.

Un uso más amplio de la Justicia restaurativa es el que se está utilizando con los talleres enfocados a despertar en el penado la responsabilidad por sus actos y la reparación del daño causado a la víc-

---

203 Fueron pioneros los trabajos de Ríos Martín en la incorporación de la mediación al ámbito penitenciario, Ríos Martín, J. C./Pascual Rodríguez, E./Bibiano Guillén, A./Segovia Bernabé, J. L. *La mediación penal y penitenciaria*. 2ª Ed. Madrid 2008.

204 La neutralidad del mediador se garantiza mediante la colaboración de entidades externas que desarrollan estos programas en los centros penitenciarios.

tima. Desde 2016 Instituciones Penitenciarias viene realizando prácticas restaurativas en las alternativas penológicas que quedan bajo su competencia, tales como los trabajos en beneficio de la comunidad y la suspensión de la ejecución de la pena de prisión, que desde 2019 se extienden a internos clasificados en segundo y tercer grado de tratamiento en delitos tan dispares como delitos de odio, violencia familiar, delitos económicos, delitos contra la seguridad vial o delitos contra la salud pública[205]. Si bien en la mayoría de ocasiones se trata de reuniones de trabajo con los internos, se está ya avanzando hacia la organización de encuentros restaurativos con las víctimas[206].

4. FORMAS ESPECIALES DE EJECUCIÓN

Con esta denominación los arts. 163 y ss. RP han reunido una serie de supuestos que se pueden entender como formas de tratamiento específicas ya que, bien por su contenido o por su lugar de cumplimiento, se apartan de la ejecución común:

a.- centro de inserción social: para cumplimiento de tercer grado, seguimiento de penas no privativas de libertad y de los liberados condicionales.

b.- unidades dependientes: creadas en 1995 para cumplir el tercer grado fuera del recinto penitenciario.

c.- departamentos mixtos: haciendo uso de la posibilidad que deja abierta el art. 16 LOGP a que reglamentariamente se pueda excluir la separación de hombres y mujeres, los arts. 99.3 y 168 y ss. RP permi-

---

205 Tapia Ortiz, M. "La mediación en fase de ejecución y cumplimiento" Conferencia pronunciada en la III semana de la mediación en la Comunidad Valenciana. Noviembre 2020.

206 Taller de diálogos restaurativos. Responsabilización y reparación del daño. Secretaría General de Instituciones Penitenciarias. Ministerio del Interior. Madrid 2020. Disponible en *Documentos Penitenciarios 23. Taller de Diálogos Restaurativos: Responsabilización y reparación del daño (institucionpenitenciaria.es)*. Intervención en Justicia restaurativa. Encuentros restaurativos penitenciarios. Secretaría General de Instituciones Penitenciarias. Ministerio del Interior. Madrid 2020. Disponible en *Documentos Penitenciarios 24 Intervención en Justicia Restaurativa: Encuentros restaurativos penitenciarios (institucionpenitenciaria.es)*

ten que compartan un mismo departamento siempre que consientan los internos, se valore su capacidad de autocontrol y no estén condenados por delitos contra la libertad sexual. Su finalidad es ejecutar programas específicos de tratamiento o evitar la desestructuración familiar para fomentar la plena convivencia entre cónyuges. El régimen cerrado está excluido, no así el ordinario y el abierto[207].

d.- departamentos de jóvenes: a estos módulos o departamentos se destina a los jóvenes de hasta veintiún años y excepcionalmente veinticinco, edad penitenciaria fijada por el art. 9.2 LOGP. Su particularidad es la educación con métodos pedagógicos con unos programas específicos de tratamiento dirigidos a la formación laboral, formación para el ocio y la cultura, educación física y deporte, intervención en drogodependencias... Cabe la clasificación en primero, segundo y tercer grado, si bien hay una especial atención a la clasificación en primer grado ya que se exige que siempre que se mantenga más de seis meses, la revisión sea realizada por el Centro Directivo.

e.- unidades de madres: estos departamentos se destinan a las madres acompañadas de sus hijos menores de tres años. El impedimento legal de que pueda alcanzar a los padres, no sólo vulnera el principio de igualdad, sino que puede llegar a ser un grave perjuicio para el menor, en los casos de ingreso en prisión de un padre que conviva con el menor ostentando la patria potestad por abandono de la madre o fallecimiento.

La edad de tres años viene indicada en el art. 38.2 LOGP modificado por la LO 13/ 1995 de 18 de diciembre ya que anteriormente podían estar hasta los seis años. Las razones que motivaron tal cambio fueron el incremento casi en un 800% de mujeres presas desde 1980, que la edad más frecuente de internas quedara dentro del periodo de fertilidad (entre 20 y 30 años) y, por encima de todo, la finalidad de preservar al niño de alteraciones psicológicas que pudieran afectar negativamente a su desarrollo formativo, por ello y dado que la escolarización comienza a los tres años, se entendió que esta era una edad adecuada para separarlo de la madre e integrarlo en un ambiente más

---

207 Cervelló Donderis, V. "El origen de los módulos penitenciarios de convivencia mixta durante la transición española" *Las prisiones españolas durante la transición* (Dtor. R. Mata), Comares, Granada, 2022, pág. 250.

adecuado. En ellos se prevé la existencia de una guardería infantil atendida por un especialista en educación infantil, asistencia sanitaria atendida por un pediatra, así como lo necesario para el cuidado de quienes carezcan de recursos.

Para compensar esta separación en dicha reforma se dispuso en el art. 38.3 LOGP el desarrollo reglamentario de un régimen especial de visitas para los menores de diez años que no convivan con la madre, que luego ha regulado el art. 45.6 RP con gran flexibilidad.

f.-. unidades extrapenitenciarias: junto a las unidades dependientes es uno de los grandes logros de la ejecución penitenciaria actual, ya que permite el tratamiento de desintoxicación de penados en tercer grado en Establecimientos ajenos a la prisión, art. 182 RP, siempre que lo autorice el Centro Directivo y se informe al Juez de Vigilancia. Para ello se exige el compromiso de la institución de acogida, el consentimiento del interno de someterse a tratamiento, y un seguimiento por la entidad de acogida y la Administración penitenciaria. Para llevar a cabo tal cometido está prevista la colaboración de entidades públicas y privadas a través de los correspondientes convenios.

g.- unidades psiquiátricas penitenciarias: para el cumplimiento de medidas de seguridad con autorización judicial sin bastar la decisión de las autoridades penitenciarias, art. 183 RP.

5. PROBLEMAS DE APLICACIÓN

Las grandes dificultades para la puesta en marcha del tratamiento se deben fundamentalmente a la escasez de medios materiales y humanos. Las mayores críticas que se formulan al tratamiento son las siguientes[208]:

– se realizan más tareas ocupacionales que formativas o laborales.

– tienen una duración temporal ya que en los meses estivales suele interrumpirse.

– al ser escasos los medios económicos, en ocasiones han de paralizarse sin haber alcanzado sus objetivos.

---

208 Ríos Martín, J. C. *Manual de ejecución penitenciaria*… cit. pág. 123.

– se condicionan demasiado al régimen en cuestión de horarios, visitas, cacheos o disciplina.

– el entorno penitenciario no es el más adecuado para el desarrollo del tratamiento.

– en las condenas largas el tratamiento encuentra muchas dificultades por la subcultura carcelaria y la asunción de códigos y valores carcelarios que trae la prisionización.

– los Equipos Técnicos se ven desbordados por la excesiva burocratización de las tareas de gestión penitenciaria con la emisión de constantes informes y formulación de protocolos, lo que les impide prestar más dedicación a la ejecución y seguimiento de los programas de tratamiento propiamente dichos.

Como actividades de tratamiento hay que destacar también la participación en cursos educativos y formación profesional, el trabajo productivo, la participación en actividades deportivas, y toda salida al exterior que favorezca la reinserción social. Además, hay que añadir programas específicos de tratamiento psicológico sobre grupos reducidos de internos para potenciar la motivación, favorecer la relajación y control de impulsos o desarrollar las habilidades sociales o la intervención sociológica para mejorar las condiciones familiares, sociales y laborales.

En su eficacia tiene una gran importancia que se haya abierto al exterior permitiendo su desarrollo fuera de la prisión, ya que uno de sus mayores inconvenientes es su baja operatividad dentro del recinto penitenciario. Sin embargo, quedan todavía muchos temas pendientes:

– es escaso el número de funcionarios frente al número de reclusos lo que dificulta la puesta en marcha de cualquier actividad tratamental[209].

– aunque progresivamente se va mejorando, el cuerpo de ayudantes debe implicarse más en actividades de tratamiento y no limitarse a las funciones de vigilancia, ya que su cercanía con los internos puede

---

[209] Extensamente sobre las carencias materiales y humanas de los centros penitenciarios, Gallego Díaz, M. y otros *Andar 1 Km en línea recta,* Ed. Universidad de Comillas, 2010, págs. 94-95.

ser muy positiva para los objetivos tratamentales y de reinserción social.

– son insuficientes los programas para tratar las drogodependencias.

– las distintas Administraciones Públicas deben implicarse más con una adecuada coordinación.

– se debe concienciar a la sociedad de que la prisión no es más eficaz cuanto más duro es su cumplimiento, sino cuanto más se asemejan sus condiciones a las del mundo exterior.

Entre las mejoras en relación a etapas anteriores hay que mencionar la implantación de programas específicos para internos de primer grado, programas específicos para grupos delictivos, como los de violencia de género o delincuencia económica, y la ampliación de los módulos de respeto como una fórmula prisional más humana, siendo en todo caso uno de los mayores retos conquistar la motivación del interno para despertarle el interés en su participación y mantener la permanencia de los programas para que puedan ser estables y continuos.

Bibliografía: Alarcón Bravo, J. "El tratamiento penitenciario en el primer decenio de la LOGP". *REP* 1989 extra 1 Monográfico LOGP. **Ayuso, A** *Visión crítica de la reeducación penitenciaria en España*. Valencia 2003. **Caballero Romero, J. J.** "La prisión orientada hacia el tratamiento: algunos de sus problemas". *CPC* Nº 29, 1986. **Clemente Díaz, M./ Sancha Mata, V.** *Psicología social y penitenciaria*. Madrid 1989. **Echeburúa, R./Corral, P.** "El tratamiento psicológico en las instituciones penitenciarias: alcance y limitaciones" *Eguzkilore* extra enero 1988. **Gallego Díaz, M.** "Tratamiento penitenciario y voluntariedad". *REP* Extra 2013. **García Valdés, C.** "Reflexiones sobre el tratamiento penitenciario". *Estudios Derecho Penitenciario*. Madrid 1982 **Garrido Genovés, V** *Psicología y tratamiento penitenciario: una aproximación*. Madrid 1992. **Garrido Genovés, V.- Redondo Illescas, S.(Directores)** *La intervención educativa en el medio penitenciario. Una década de reflexión*. 1ª Ed. Madrid 1992. **Guisasola Lerma, C.** "Los programas de tratamiento en el medio penitenciario: una perspectiva actual" *Guía práctica de Derecho Penitenciario* (Dtor. J. León), Wolters Kluwer, Madrid, 2022. **Téllez Aguilera, A.** "El toxicómano y su rehabilitación en prisión: un estudio de derecho comparado". *REP* nº 246, 1995. **VVAA** *Tratamiento penitenciario y derechos fundamentales*. Barcelona 1994.

Capítulo 12º

EL TRABAJO PENITENCIARIO

1. CONSIDERACIONES GENERALES

1.1. Concepto, naturaleza y condiciones

Trabajo penitenciario es el que realizan los internos en el ámbito penitenciario, teniendo en cuenta que al tratarse de sujetos privados de libertad es indiferente que lo realicen dentro o fuera del recinto carcelario[210].

La concepción de trabajo penitenciario ha variado sustancialmente ya que ha pasado de ser a lo largo de los siglos XVIII y XIX una prolongación aflictiva de la pena privativa de libertad, a ser un elemento reformador que forma parte del tratamiento resocializador.

El art. 27 LOGP contiene un concepto muy amplio[211] de trabajo que comprende tanto actividades productivas como otras que no lo son:

– actividades de formación profesional.

– dedicación al estudio y formación académica.

– producción de régimen laboral, cooperativas o similares.

---

[210] Según definición dada por De la Cuesta Arzamendi, J. L. "Trabajo. Introducción al capítulo II" en *Comentarios a la legislación penitenciaria...* cit. Tomo VI Vol. I pág. 402.

[211] Esta amplitud, al incluir modalidades que difícilmente caben dentro de un concepto estricto de trabajo, le aleja de la equiparación con el trabajo en libertad pese a ser uno de los objetivos de la LOGP, Fernández Artiach, P. *El trabajo de los internos en los establecimientos penitenciarios*, Valencia 2006 pág. 116.

– actividades ocupacionales que formen parte de un tratamiento.

– prestaciones personales en servicios auxiliares comunes del Establecimiento.

– actividades artesanales, intelectuales y artísticas.

El art. 26 LOGP considera el trabajo como un derecho y un deber del interno, siendo un elemento fundamental del tratamiento.

En su sentido de *derecho* es un mandato más concreto que el dado en el art. 35 CE para todos los españoles, ya que en la LOGP se determina que es la Administración quién lo ha de proporcionar así como las condiciones que ha de reunir; por eso De la Cuesta[212], entre otros, entiende que es un derecho subjetivo exigible ante los Tribunales y no un mero principio programático.

Tal consideración de derecho subjetivo ha sido rechazada por la STC 172/1989 de 19 de octubre y otras muchas anteriores, negando el amparo bajo la consideración de que la Administración solo está obligada cuando puede ofrecer un puesto de trabajo y no lo hace, no en todo caso, por tratarse de un derecho de "aplicación progresiva y no un auténtico derecho subjetivo".

Como *deber*, sin embargo, se dice que no es estricto ya que, al formar parte del tratamiento, ha de ser voluntario.

El art. 29 LOGP y 133.1 RP declaran que los penados tienen la obligación de trabajar, frente al art. 133.3 RP que respecto a los preventivos solo habla de la posibilidad de trabajar. Su consideración de obligación específica frente a la genérica de los ciudadanos libres no casa demasiado bien con la finalidad resocializadora que exige la libre aceptación, ya que en su calidad de parte del tratamiento se dirige a cubrir las carencias laborales y a favorecer la integración social. Lo que sí es obligatorio es la contribución al buen orden, limpieza e higiene del Establecimiento tanto para penados como para preventivos (art. 29.2 LOGP y 5.2.f RP). La STC 116/2002 de 20 de mayo rechaza el amparo reclamado por un interno ante la negativa a la limpieza de su celda y demás lugares comunes, por su consideración

212 De la Cuesta Arzamendi, J. L. "El trabajo. Derecho y deber del interno y medio de tratamiento. Características" en *Comentarios a la legislación penitenciaria…* cit. Tomo VI Vol. I pág. 422.

del trabajo como un derecho y no una obligación, argumentando que tales actividades no son un trabajo a los efectos del art. 26 LOGP sino una prestación personal obligatoria derivada de la relación de sujeción especial[213].

De la obligación de trabajar exceptúan los arts. 29 LOGP y 133 RP a los siguientes individuos:

– los sometidos a tratamiento médico por accidente o enfermedad hasta que sean dados de alta.

– quienes padezcan incapacidad permanente para cualquier tipo de trabajo.

– los mayores de sesenta y cinco años.

– quienes perciban prestaciones por jubilación.

– las mujeres embarazadas durante dieciséis semanas ininterrumpidas ampliables hasta dieciocho en partos múltiples.

– quienes no puedan trabajar por fuerza mayor (puede ser una sanción de aislamiento, inexistencia de puesto de trabajo...).

En todos estos casos sí que podrán disfrutar en su caso de beneficios penitenciarios, aunque en la actualidad se exige que la actividad laboral sea continuada.

Las condiciones del trabajo penitenciario las regula el art. 26 LOGP como marco jurídico que debe ser siempre garantizado:

a) no tendrá carácter aflictivo, ni será aplicado como medio de corrección: su consideración actual como medio de tratamiento es incompatible con su aplicación sancionadora o correctiva.

b) no atentará a la dignidad humana: con ello se descarta cualquier tarea humillante o degradante.

c) ha de tener carácter formativo, creador o conservador de hábitos laborales, productivo o terapéutico: todo ello es consecuencia de su misión de preparación a la vida en libertad.

---

213 Escribano Gutierrez, A. "El trabajo en beneficio de la comunidad. Perspectivas jurídico-laborales". *Revista española de Derecho del Trabajo* nº 121 enero-marzo 2004 pág. 51.

d) será adecuado a las aptitudes y cualificaciones profesionales del interno: es una exigencia de la individualización del tratamiento en que se ve inmerso.

e) será facilitado por la Administración: lo que no excluye la colaboración de las empresas privadas.

f) está protegido por la Seguridad Social: la cotización del interno trabajador le cubre no solo durante el desarrollo de la actividad laboral, sino incluso después por desempleo, siempre que el interno se inscriba en la oficina de empleo en los quince días siguientes a la excarcelación, art. 35 LOGP. La cobertura alcanza al interno y sus familiares beneficiarios en asistencia sanitaria, incapacidad e invalidez, jubilación, accidente de trabajo...[214].

g) no se supeditará al logro de beneficios económicos por la Administración: ya que su finalidad es el tratamiento y no la obtención de lucro.

2. MODALIDADES

Existen tres formas de desempeñar la actividad laboral en el ámbito penitenciario que se describen a continuación:

2.1. Trabajo productivo por cuenta ajena

Tiene como fin preparar el acceso de los internos al mundo laboral. Esta relación laboral viene establecida por el organismo autónomo Trabajo Penitenciario y Formación para el empleo u órgano autonómico competente y el interno trabajador.

Esta modalidad de trabajo la regula el Reglamento Penitenciario y el RD 782/2001 de 6 de julio bajo la denominación de relación laboral especial penitenciaria, que más adelante se desarrolla.

---

214 Sobre el alcance de la protección de la seguridad social: Blanco Arce, F. J. y otros "Seguridad social y salud en el ámbito penitenciario" *Cuadernos de Derecho Penitenciario* nº10. Colegio de abogados de Madrid, pág. 8 y ss.

2.2. *Trabajo en el exterior*

Lo llevan a cabo quienes están clasificados en régimen abierto y por tanto lo desempeñan en el exterior mediante contratación directa. Lo regula la legislación laboral común por la remisión que hace el art. 134.2 RP con la supervisión en su ejecución de las autoridades penitenciarias.

2.3. *Trabajo ocupacional no productivo*

Su finalidad es principalmente cubrir las horas de inactividad con tareas que contribuyen al entretenimiento y a la formación personal. Lo regula el art. 153 RP, se desarrolla dentro del Establecimiento como medio de tratamiento, pudiendo consistir en:

– formación profesional.

– estudio y formación académica.

– prestaciones personales en servicio auxiliares de enfermería, cocina, economato, peluquería...

– tareas artesanales (cerámica, cuero, esmalte...), intelectuales y artísticas y todo lo que no tenga naturaleza productiva.

Las Juntas de Tratamiento pueden proponer la creación de estos talleres ocupacionales de acuerdo con los programas que se hayan establecido.

Por la realización de estas tareas los internos pueden recibir incentivos, recompensas o beneficios penitenciarios. Los beneficios que pudiera haber de la venta de los productos elaborados en talleres ocupacionales se invierten en la reposición de material.

Los trabajadores en estos servicios auxiliares comunes están dados de alta en la seguridad social, ya que hay que tener en cuenta que muchos de ellos tienen la categoría profesional correspondiente y un horario laboral fijo, por eso no asimilarlo a la relación laboral especial puede suponer una negación de los derechos legalmente reconocidos por la Constitución y la LOGP[215].

---

[215] Ríos Martín, J. C. *Manual*... cit. pág. 350.

3. LA RELACIÓN LABORAL ESPECIAL PENITENCIARIA[216]

Es la forma más importante de llevar a cabo el trabajo penitenciario ya que se trata de un auténtico trabajo productivo, pero con la característica especifica de desempeñarse dentro del recinto carcelario. Se desarrolla en el Reglamento Penitenciario de 1996, modificado en este aspecto por el Real Decreto 782/2001 de 6 de julio, que derogó los arts. 134 a 152 del Reglamento anterior.

El art. 33 LOGP recoge unas características generales del trabajo productivo tales como la garantía del descanso semanal, la duración legal de la jornada de trabajo, retribución adecuada, distribución de la remuneración para cargas familiares y demás obligaciones... que han sido desarrollados en el Reglamento Penitenciario dentro del Título dedicado al tratamiento, en el seno de un capítulo independiente denominado "relación laboral especial penitenciaria".

Se entiende como tal la relación jurídica laboral establecida entre el Organismo autónomo Trabajo Penitenciario y Formación para el empleo u órgano autonómico competente y los internos trabajadores, para el desarrollo de actividades laborales de producción por cuenta ajena, excluidas las cooperativas o similares.

3.1. Derechos y deberes laborales

Los derechos laborales básicos se regulan en el art. 5 del RD 782/2001 de 6 de julio, mientras que la legislación laboral común solo tiene vigencia por vía de remisión, y no de forma general como norma subsidiaria.

Los derechos reconocidos son los siguientes:

– no discriminación por motivos de nacionalidad, sexo, estado civil, edad, raza...

– integridad física y prevención de riesgos laborales.

– trabajo productivo y remunerado.

---

216 Extensamente sobre el contenido laboral de esta figura penitenciaria Fernández Artiach, P. "*El trabajo de los internos...*" cit. pág. 259 y ss.

– respeto a la intimidad.

– participación en la planificación y organización.

– promoción y formación profesional.

– valoración de su laboriosidad en el régimen, tratamiento y beneficios penitenciarios.

En cuanto a los deberes se regulan en el art. 6 RD 782/2001 de 6 de julio y son los siguientes:

– cumplir con las obligaciones concretas de su puesto de trabajo.

– observar las medidas de prevención de riesgos laborales.

– cumplir las órdenes e instrucciones de los responsables de los talleres.

– contribuir a conseguir los objetivos del trabajo y a preparar para la inserción laboral; antes se hacía una mención a la productividad que se ha suprimido.

3.2. Organización

La relación laboral especial penitenciaria se prolongará mientras dure la obra o servicio de que se trate, bajo la dirección y control del Organismo Autónomo Trabajo penitenciario y Formación para el empleo u órgano autonómico equivalente, aunque pueden colaborar personas físicas o jurídicas del exterior. Esta duración determinada es producto de su necesaria adaptación con la ejecución penitenciaria.

Los talleres productivos se han de organizar por sectores laborales para lo cual la Administración Penitenciaria ha de habilitar los espacios adecuados; en muchos centros penitenciarios los talleres producen objetos de consumo de uso común con el fin de tender hacia el autoabastecimiento.

La adjudicación de puestos de trabajo se realiza teniendo en cuenta las carencias y necesidades de los internos, con la prelación siguiente, art. 3 RD 782/2001 de 6 de julio:

– internos cuyo programa individualizado de tratamiento contemple el desarrollo de una actividad laboral normal.

– penados sobre preventivos.

– aptitud laboral del interno en relación al puesto de trabajo.

– conducta penitenciaria.

– antigüedad en el centro.

– tener cargas familiares.

– en los traslados por arraigo familiar u otra favorable, si se ha trabajado en el centro de procedencia.

Los reclusos trabajadores, por sus conocimientos, capacidad laboral y funciones, serán clasificados conforme a las categorías que recoge el art. 8 RD 782/2001 de 6 de julio como operarios base u operarios superiores, diferenciándose éstos últimos en que además de realizar tareas para el funcionamiento de los talleres colaboran en la organización y desarrollo. Cuando hay vacantes en las categorías se va ascendiendo a la superior mediante una prueba de aptitud.

Las retribuciones que se ingresan mensualmente en la cuenta de peculio, toman como referencia el salario mínimo interprofesional en proporción al número de horas realmente trabajadas y rendimiento conseguido, incluyendo la parte proporcional de los días de descanso, vacaciones anuales y gratificaciones extraordinarias. El salario mínimo interprofesional es inembargable según establece el art. 27.2 del Estatuto de los Trabajadores.

Todos los internos sujetos a la relación laboral especial penitenciaria quedarán incluidos en el Régimen General de la Seguridad Social y gozarán de asistencia sanitaria, demás prestaciones, así como desempleo cuando sean liberados, art. 19 RD 782/2001 de 6 de julio.

El calendario y horario laboral lo fija el Director del centro penitenciario en el que se han de respetar los descansos semanales, las vacaciones anuales y las fiestas locales. Un problema destacado es compatibilizar los horarios laborales, normalmente de mañanas, con los de otras actividades de tratamiento ya que los terapeutas también suelen tener este mismo horario.

La regulación de las infracciones y sanciones se rigen por el Estatuto de Trabajadores que las regula en el art. 58 de forma genérica.

3.3. Suspensión y extinción

Durante la suspensión, el trabajador no tiene obligación de trabajar ni tampoco la hay de remunerar su trabajo. Las causas de suspensión se regulan en el art. 9 RD 782/2001 de 6 de julio:

– mutuo acuerdo de las partes.

– incapacidad temporal del trabajador.

-maternidad y riesgo de la mujer trabajadora durante dieciséis semanas ininterrumpidas ampliables por parto múltiple.

– fuerza mayor temporal.

– suspensión de empleo y sueldo por cumplimiento de sanción de aislamiento.

– razones de tratamiento apreciadas por la Junta de Tratamiento.

– traslado del interno no superior a dos meses y permisos de salida o salidas autorizadas.

– disciplina y seguridad penitenciaria.

En la extinción, la relación laboral termina por cualquiera de los motivos que señala el art. 10 RD 782/2001 de 6 de julio:

– mutuo acuerdo de las partes.

– terminación de la obra o servicio.

– ineptitud del interno trabajador.

– muerte, gran invalidez o invalidez permanente total o absoluta del trabajador.

– jubilación del interno trabajador.

– fuerza mayor que imposibilite definitivamente la prestación del trabajo.

– renuncia del interno trabajador.

– falta de adaptación a las modificaciones técnicas del puesto de trabajo tras dos meses de incorporarlas.

– excarcelación del trabajador.

– contratación por empresas del exterior para penados de tercer grado.

– razones de tratamiento por la Junta de Tratamiento.

– traslado del interno a otro Establecimiento por más de dos meses.

– razones de disciplina y seguridad penitenciaria.

– incumplimiento de los deberes laborales básicos.

4. EFECTOS PENITENCIARIOS

4.1. Conforme al CP de 1973 y legislación penitenciaria correspondiente

En el Código Penal anterior la regulación de la redención de penas por el trabajo en el art. 100 permitía el acortamiento de la condena por el abono que se hacía de un día de prisión por cada dos días de trabajo del interno. El Código Penal limitaba tal beneficio a los condenados con sentencia firme a las penas de Reclusión, Prisión y Arresto Mayor, aunque luego se amplió a los presos preventivos; de esta manera se excluía solamente su concesión a los que quebrantaren o intentaren quebrantar su condena, y a los que reiteradamente observaran mala conducta.

Tal mención legal se desarrollaba en los arts. 65 a 73 RSP de 1956, que tras la aprobación del Reglamento de 1981 siguieron vigentes mediante la Disposición Transitoria segunda que fue modificada en la reforma de 1984. En tal regulación se permitía redimir condena en cualquier grado de clasificación (incluyendo por tanto primer grado o libertad condicional); se recogía un concepto de trabajo muy amplio que comprendía el remunerado, gratuito, intelectual (entendiendo como tal cursar y aprobar enseñanzas organizadas por el centro, pertenecer a agrupaciones artísticas, literarias o científicas del Establecimiento, desempeñar destinos intelectuales o realizar producciones artísticas, literarias o científicas), manual, dentro o fuera del Establecimiento, pero siempre de naturaleza útil, y se reconocía el mantenimiento del beneficio en supuestos de enfermedad, maternidad o días festivos.

Con esta figura la actividad laboral suponía un acortamiento real sobre la condena que podía alcanzar desde un tercio hasta la mitad de su duración, si se sumaban tanto las redenciones ordinarias como extraordinarias. Su vinculación histórica con los presos políticos tras la guerra civil española, la intromisión administrativa en la duración de la condena establecida judicialmente y su concesión generalizada que le alejaba del carácter premial inicial, empujaron a su derogación en el CP de 1995.

4.2. *Conforme al CP de 1995 y RP de 1996*

Desaparecida en el Código Penal de 1995 la figura de la redención de penas por el trabajo, el desempeño de la actividad laboral sigue teniendo efectos positivos en la ejecución penitenciaria, tanto para el logro de beneficios penitenciarios, como para otras figuras penitenciarias de distinto alcance:

– adelantamiento de la libertad condicional: art. 90.2 CP y art. 205 RP exigen para disfrutar de la libertad condicional, después de cumplir dos tercios de la condena, que el condenado haya desarrollado continuadamente o con aprovechamiento actividades laborales, culturales u ocupacionales. A esto hay que añadir el adelantamiento cualificado de hasta 90 días por año efectivo de cumplimiento, una vez se cumpla la mitad de la condena, para lo cual se exige desarrollar continuadamente actividades laborales, culturales u ocupacionales entre otros requisitos.

– solicitud de indulto por la Junta de Tratamiento: art. 206 RP para este beneficio penitenciario se exige entre otros requisitos que el penado haya desempeñado durante al menos dos años de forma continuada y extraordinaria una actividad laboral normal en el Establecimiento o fuera de él que se considere útil para su preparación a la libertad.

– en el art. 195 h) RP se valora para la formulación del expediente de libertad condicional el interés en el trabajo que se vaya a desempeñar en el exterior o las posibilidades de tenerlo.

– el art. 263 RP valora el espíritu de trabajo para la concesión de las recompensas.

– la inexistencia de trabajo no debe impedir la clasificación de tercer grado, dada la modalidad de tercer grado restringido que regula el art. 82 RP.

Bibliografía: Bartolome Cenzano, JC. *El marco constitucional del trabajo penitenciario*. Valencia 2002. **De la Cuesta Arzamendi, J. L.** *El trabajo penitenciario resocializador: teoría y regulación positiva*. San Sebastián 1982. "El trabajo de los internos en el Derecho Penitenciario español" *Cuadernos Derecho Judicial* nº 33, 1995. **Fernández Artiach, P.** *El trabajo de los internos en los establecimientos penitenciarios*, Valencia 2006. **Juanatey Dorado,** "La redención de penas por el trabajo. Una propuesta de reforma de los artículos 65 a 73 del Reglamento de los

Servicios de Prisiones". *ADPCP* Tomo XLIII 1990. **Palomeque López, M.** "El derecho al trabajo de los penados y la efectividad de los derechos fundamentales". *Revista española de Derecho del Trabajo*, 42, abril-junio 1990. **Rilova Pérez, I.** "Aproximación histórica al estudio del trabajo penitenciario en España". *REP* nº 248, 2000. **Sanz Delgado, E.** "El trabajo penitenciario y el principio de flexibilidad" *Estudios penales en homenaje a Enrique Gimbernat,* Vol 2, Madrid 2008.

Capítulo 13º
RELACIONES CON EL EXTERIOR

1. COMUNICACIONES Y VISITAS

1.1. Consideraciones generales

Las Reglas mínimas para el Tratamiento de los reclusos establecen la necesidad de evitar el aislamiento de los internos de su entorno familiar y social, por eso como criterio general se establecen procedimientos para que periódicamente puedan comunicar por escrito u oralmente con familiares, amigos y algunas instituciones, salvo en casos de incomunicación judicial.

En todas estas comunicaciones es necesario que se garantice el respeto a la intimidad, sin más restricciones que las motivadas por razones de seguridad, interés del tratamiento o buen orden del Establecimiento, art. 51.1 LOGP, lo que es consecuencia directa del art. 25.2 CE que garantiza que los condenados a pena de prisión gozarán de todos los derechos fundamentales no afectados por el fallo condenatorio, el sentido de la pena y la ley penitenciaria.

Las clases de comunicaciones y visitas son las siguientes: comunicaciones escritas; comunicaciones orales; comunicaciones telefónicas; comunicaciones íntimas, familiares o de convivencia; comunicaciones con Abogados y Procuradores; comunicaciones con profesionales acreditados (art. 51 LOGP, art. 41 y ss. RP).

Al margen de estas comunicaciones regladas, desde su detención todo interno tiene derecho a comunicar inmediatamente con su familia y Abogado, así como a notificar cualquier traslado de Establecimiento. Además, en los casos de defunción, enfermedad o accidente grave del interno se ha de informar al familiar más próximo o persona que designe y, si fuera un pariente próximo o persona íntimamente vinculada la que falleciera o padeciera enfermedad grave, se le comunica al interno.

Todas las comunicaciones y visitas se anotan en un libro registro en el que consta el día y hora de la comunicación, el nombre del interno y del comunicante, domicilio, documento nacional de identidad y relación con el interno.

Todos los reclusos tienen derecho a comunicar, art. 51.1 LOGP, cualquiera que sea el grado en el que estén clasificados e incluso si están sancionados, con la única excepción de la incomunicación judicial prevista en el art. 506 y ss LECR. Sin embargo, este derecho general a comunicar presenta dos excepciones:

a) en los departamentos especiales o supuestos de sanción de aislamiento las comunicaciones se pueden adaptar a la situación del recluso.

a) entre las sanciones del art. 42.2 LOGP se contempla la privación de permisos de salida por un tiempo no superior a dos meses y la limitación de comunicaciones orales al mínimo de tiempo previsto reglamentariamente, durante un mes como máximo.

1.2. Clases de comunicaciones

1.2.1. Comunicaciones orales

Se realizan en los locutorios, dotados de cristal y rejas, por tanto, sin contacto físico, durante al menos dos veces a la semana y cuantas veces permita el horario de trabajo en los de tercer grado. La Instrucción DGIP 4/2005 de 16 de mayo establece que se celebrarán los sábados y domingos y, sólo si fuera necesario, los viernes.

Las personas que quieren comunicar con el interno lo pueden solicitar por teléfono o personalmente, de lo contrario se incluyen en el turno de comunicaciones del módulo. Todos los visitantes han de pasar por el arco detector de metales y ser acompañados por los funcionarios hasta la sala de locutorios.

La comunicación ha de durar al menos veinte minutos, sin que pueda haber más de cuatro personas con el mismo interno, existiendo la posibilidad de acumular las dos comunicaciones semanales en una, si las circunstancias del Establecimiento lo permiten. En relación a las personas que pueden comunicar, los familiares han de acreditar el parentesco, mientras que quienes no tengan tal relación familiar deben ser autorizados por el Director del Establecimiento para comunicar.

El Director del centro penitenciario puede intervenir las comunicaciones en cualquiera de los supuestos permitidos legalmente, es decir, seguridad, tratamiento y buen orden del establecimiento, para ello la comunicación se graba o se escucha, siendo necesario que se comunique al interno y al Juez competente. En este caso se trata de una intervención motivada por razones penitenciarias, ya que todos los supuestos hacen referencia a la convivencia del centro o a las necesidades tratamentales del interno.

Un supuesto excepcional es la suspensión ordenada por el Jefe de Servicios, art. 44 RP, que se lleva a cabo cuando haya razones fundadas de que se está preparando una actividad delictiva o que atente contra la convivencia o seguridad del Establecimiento, se estén propagando noticias falsas que perjudiquen gravemente la seguridad o buen orden del Establecimiento o no se observe por parte de los comunicantes un comportamiento correcto; en estos casos se dará cuenta inmediata al Director del centro, y si lo ratifica motivadamente dará cuenta al Juez de Vigilancia el mismo día o al día siguiente.

Si se deniega la comunicación con alguna persona en concreto se puede presentar un escrito de queja ante el Juzgado de Vigilancia, posteriormente recurso de reforma ante él mismo y después recurso de apelación ante la Audiencia Provincial, ya que se trata de una materia de régimen.

1.2.2. Comunicaciones escritas

Como regla general para este tipo de comunicación no hay límite, pudiendo el interno enviar o recibir cuanta correspondencia desee, sólo si se ha intervenido por las razones legalmente previstas, se limitará a dos a la semana, art. 46 RP.

La correspondencia que envía el interno se deposita en sobre cerrado en el que conste el nombre y apellidos del remitente que se anota en un libro registro; si el peso o volumen excede de lo normal e infunde sospecha en su presencia, se le hace introducir en otro sobre. Por su parte la correspondencia que recibe el interno, después de su registro, se abre por el funcionario en presencia del destinatario para comprobar que no contiene objetos prohibidos.

Al igual que ocurre con las comunicaciones orales, cuando la comunicación escrita es intervenida por el Director por los motivos legales citados, se ha de comunicar al interno y al Juez competente art. 46.5 RP.

La correspondencia entre internos de distintos centros penitenciarios podrá ser intervenida por resolución motivada del Director que la ha de notificar al interno y al Juez de Vigilancia, art. 46.7 RP, siendo la razón de tal censura al riesgo de transmisión de consignas entre Establecimientos[217].

1.2.3. Comunicaciones telefónicas

Pueden ser tanto comunicaciones particulares como las profesionales específicas que comprende el art. 51 LOGP.

El art. 47 RP establece que solo caben si los familiares residen en localidades lejanas o no pueden desplazarse para realizar visitas y si hay que comunicar algún asunto urgente tanto a familiares, Abogado defensor y otras personas, sin embargo, la Instrucción SGIP 4/2005 de 16 de mayo las autoriza con carácter general para todos los internos.

Para poder realizar las llamadas el interno ha de solicitarlo al Director, que previa comprobación de los datos, lo autorizará señalando la hora de celebración. Ésta no podrá ser inferior a cinco minutos, ni con una frecuencia mínima de cinco a la semana (generalmente se permite hasta ocho minutos, con una frecuencia máxima de diez a la semana) y en presencia de funcionario, pero respetando el derecho a

---

[217] García Valdés, C. *Comentarios a la legislación penitenciaria*. Madrid 1995 pág. 175.

la intimidad. Salvo en caso de que el motivo de la llamada sea comunicar el ingreso o traslado de centro a su familia y abogado, el importe correrá a cargo del interno.

Con ocasión de la pandemia del covid-19, la Orden de Servicios 5/2020 de 4 de diciembre autorizó la realización de llamadas por videoconferencia en los centros penitenciarios, sus buenos resultados llevaron a la reforma del Reglamento Penitenciario (RD 268/2022 de 12 de abril) que en su art. 47.8 establece que las comunicaciones reguladas en toda la sección se podrán llevar a cabo mediante el uso de tecnologías de la información y comunicación y sistemas de videoconferencia, en función de las posibilidades materiales y técnicas de cada centro penitenciario[218]. Las ventajas de este nuevo sistema de comunicación telefónica son sustanciales por su inmediatez, no limitar el número de comunicantes, evitar desplazamientos y mejorar la comunicación en distancias largas como es el caso de los extranjeros.

1.2.4. Comunicaciones íntimas, familiares y de convivencia

Todas ellas tratan de conservar los lazos familiares y de amistades del interno facilitando un contacto más directo que el de la comunicación oral, para ello se necesitan locales apropiados a sus respectivas características, siendo necesario un máximo respeto a la intimidad. Han de ser solicitadas por el interno y en caso de denegación presentar escrito de queja ante el Juez de Vigilancia. Es especialmente importante comprobar si existe prohibición de comunicación con familiares en la sentencia condenatoria, especialmente con la esposa o pareja, ya que de lo contrario se está incumpliendo un mandato judicial, sin embargo, las resoluciones son muy diversas ya que en algunas ocasiones se ha concedido si la víctima lo consiente, como el Auto JV Pontevedra 13.2.2009 y, en otras, se deniega precisamente para no coadyuvar a la transgresión de una resolución judicial, como el Auto JV Lugo 10.11.2009, lo que parece mucho más correcto.

---

218 Mapelli Caffarena, B. Baras González, M. "El uso de los medios tecnológicos en la prisión: comentarios a la reforma del Reglamento Penitenciario de 2021" en *Guía práctica*... cit. pág. 534 y ss.

El art. 53 LOGP las prevé especialmente para internos que no pueden obtener permisos de salida (clasificados en primer grado, sancionados, quienes no han cumplido una cuarta parte de la condena); por razones de seguridad el art. 45.3 RP exige que los visitantes no puedan portar bolsos o paquetes, y que puedan ser registrados conforme al art. 69 RP. Pueden ser dos al mes (una íntima y otra familiar) y excepcionalmente se puede conceder otra más como recompensa.

El art. 45.7 RP prevé excepcionalmente la posibilidad de cacheos con desnudo integral de los visitantes por los motivos de seguridad señalados en el art. 68 RP (sospecha de alojar en el cuerpo objetos prohibidos), a lo que se pueden negar con la consecuencia de anular la comunicación; tal previsión no la contempla la LOGP por lo que resulta de dudosa legalidad.

Pese a este carácter general de las visitas para todos los que no disfrutan de permisos de fin de semana, a los internos con sanción de aislamiento en celda o de fin de semana se les ha de aplazar la comunicación hasta que termine el cumplimiento de dicha sanción, sólo en caso de no haber podido avisar a los familiares, se permite una comunicación oral de veinte minutos.

Las *comunicaciones íntimas* o vis a vis[219] se crearon en la legislación penitenciaria para cubrir el derecho al ejercicio de la sexualidad de los internos que no tienen la posibilidad de salir al exterior. Se han de celebrar en locales adecuados en los que se respete al máximo la intimidad. El Tribunal Constitucional ha ratificado casos en los que se ha denegado por entender que la sexualidad no es un derecho fundamental, sino una manifestación de la "libertad a secas", que puede ser limitado, afirmando que la abstinencia sexual no pone en peligro la integridad física o moral del abstinente (STC 89/1987 de 10 de junio), ni supone un trato inhumano o degradante (STC 119/96 de 8 de julio.

Pese a que ni la LOGP ni el RP exigen estabilidad en la relación sentimental, antes se exigía la acreditación del certificado de matrimonio o de convivencia, o bien, precedentes de visitas, comunicaciones o correspondencia. Como ejemplo de ello el Auto JV Ocaña 8.7.2002

---

219 Extensamente sobre los antecedentes y características de este tipo de comunicación Garrido Guzmán, L. "La visita íntima" en *Comentarios a la legislación penal...* Tomo VI vol. II pág. 783 y ss.

exigió probar al menos una “relación epistolar de cierta duración”, mientras que el Auto JV León 19.3.2001, admitiendo que la única preocupación era evitar la prostitución y los cambios continuos de pareja por resentimientos personales, autorizó la visita, pese a que uno de ellos mantenía vínculo matrimonial, para evitar la asunción de una posición de garante de salvaguarda de una cierta moral sexual que restringiera la libertad sexual.

Posteriormente, la Instrucción DGIP 4/2005 de 16 de mayo, estableció, como regla general, que no se concederían con quienes no se acreditara documentalmente relación de afectividad, ni en los casos en los que hubiera habido otras previamente con personas distintas, salvo que existiera al menos una relación estable de seis meses de duración con la finalidad de vincularlas a la estabilidad en la pareja, algo insólito porque imponía límites ausentes tanto en la LOGP como en el RP.

La STS 408/2020 de 20 de julio de casación por unificación de doctrina, establece la libertad de prueba para acreditar la relación sentimental entre los solicitantes de una comunicación vis a vis, rechazando que la relación previa de seis meses sea el único medio de prueba posible, tal como afirmaba la Instrucción DGIP 4/2005 de 16 de mayo,

En consecuencia, la Instrucción 5/2020 de 20 de julio ha suprimido estas exigencias extralegales, requiriendo tan solo una relación afectiva que, de no poderse probar documentalmente, se complementará con un informe social que valore individualmente la concreta situación del interno.

Aunque inicialmente solo se admitían para relaciones heterosexuales, en la actualidad las homosexuales no se excluyen (acuerdo Jueces de Vigilancia enero de 2003), admitiéndose en queja las denegaciones en este sentido, Auto JV Ocaña 2 11.99.

Las comunicaciones *de familiares o allegados* se realizan también en una estancia adecuada una vez al mes como mínimo, su duración no puede ser inferior a una hora ni superior a tres. A diferencia de la anterior, su finalidad es facilitar un tiempo de estancia con las personas más cercanas, art. 45.5 RP. Allegados se refiere a una cifra razonable de personas próximas, familiares o cuasifamiliares.

Las *visitas de convivencia* las contempla el art. 38.3 LOGP para los menores que no superen los diez años y no convivan con la madre en el centro penitenciario, se introdujeron en la reforma de 1995 (LO 13/1995 de 18 de diciembre) para paliar el perjuicio que supuso rebajar a tres años la edad de los menores que pueden acompañar a sus madres en prisión. A ellas pueden acudir el cónyuge o persona con análoga relación de afectividad y los hijos hasta los diez años de edad, con un máximo de seis visitantes por interno. Su frecuencia es de una al trimestre como mínimo, con una duración máxima de seis horas, siendo su finalidad permitir unas horas de convivencia en familia.

Si el interno está enfermo, la visita se realiza en el departamento de enfermería o en su caso en el hospital extrapenitenciario, art. 216 y 217 RP

1.2.5. Comunicaciones con Abogados y Procuradores

Como un tipo de comunicación específica, señala el art. 51.2 LOGP que las comunicaciones de los internos con su abogado defensor se celebrarán en departamentos apropiados y no podrán ser suspendidas o intervenidas, salvo por orden de la autoridad judicial y en los supuestos de terrorismo. La importancia de estas comunicaciones es que en ellas se materializa el derecho de defensa, por ello deben estar especialmente protegidas para que las personas privadas de libertad puedan disfrutar del derecho constitucional que les ampara.

Tales profesionales han de acudir debidamente identificados como ejercientes y con un volante expedido por el Colegio Profesional que lo acredite como interviniente en la causa del interno[220], salvo en los supuestos de terrorismo, en los que se exige autorización de la Autoridad judicial que conozca la causa, art. 48.2 RP.

La comunicación se celebrará en locutorios especiales, en los que el control del funcionario encargado del servicio sólo pueda ser visual, lo que afecta al abogado defensor, a cualquier abogado llamado expresamente en relación con asuntos penales y al procurador que

220 La Instrucción DGIP 4/2006 de 26 de enero como consecuencia de la colaboración con el Consejo General de la Abogacía Española ha regulado la emisión de volantes por vía informática.

los represente; si se trata de comunicaciones con otros letrados que no sean los mencionados anteriormente, a petición del interno, se celebrarán en locutorios especiales, pero con las condiciones generales, según dispone el art. 48.4 RP.

Uno de los aspectos más importantes de este tipo de comunicaciones con el abogado defensor es que no pueden ser suspendidas o intervenidas, salvo por orden de la Autoridad judicial y en los supuestos de terrorismo, según dispone el art. 51.2 LOGP, lo que ha dado lugar a una controvertida interpretación que, si bien inicialmente centró la discusión en la necesidad o no de autorización judicial en los casos de terrorismo, posteriormente se ha centrado en limitar esta intervención judicial sólo a los supuestos de terrorismo, sin posibilidad de alcanzar a las comunicaciones con el abogado defensor en otro tipo de delitos.

Los primeros problemas de interpretación se derivaron de la propia dicción del párrafo señalado, al considerarse que, tras la prohibición general de su suspensión e intervención, se recoge una salvedad unida por la preposición "*y*" que permite entender dos supuestos diferentes: se pueden suspender e intervenir por orden de la autoridad judicial y se puede intervenir y suspender en delitos de terrorismo (es decir, en este caso sin necesidad de orden de autoridad judicial). Tal interpretación no sólo vulneraba el derecho de defensa al permitir la intervención por una autoridad administrativa, sin haber respecto al abogado o procurador un poder de sujeción especial, sino que, además, entender que las comunicaciones con abogados no precisan de autorización judicial en los supuestos de terrorismo, choca abiertamente con el art. 55.2 CE donde se exige que la restricción de comunicaciones en relación a la investigación de actuaciones de bandas armadas, precisa de la necesaria intervención judicial.

Inicialmente la STC 73/1983 de 30 julio sostuvo que las comunicaciones del interno con el abogado defensor con carácter general sólo podían admitir la suspensión o intervención por orden de la Autoridad judicial, salvo en los supuestos de terrorismo, en los que era suficiente que el Director las acordara dando cuenta a la Autoridad judicial correspondiente, sin embargo, posteriormente la STC 183/1994 de 20 de junio modificó esta interpretación, de tan desafortunada redacción, exigiendo que en *todos los casos* fuera necesaria la autorización judicial.

En relación al segundo problema, se trata de mantener si las dos condiciones del art. 51.2 LOGP son acumulativas y, por tanto, sólo si se trata de delitos de terrorismo se pueden intervenir las comunicaciones con el abogado defensor, no en el resto de delitos, o, por el contrario, en cualquier delito se puede intervenir la comunicación con el abogado defensor, siempre que tenga autorización judicial, lo que parece sostener el art. 48.3 RP al impedir la suspensión o intervención administrativa de estas comunicaciones y exigir siempre previa orden judicial expresa, al igual que se exige respecto a las escritas en el art. 46.6 RP.

Es evidente que el derecho de defensa debe ser especialmente protegido[221] porque se trata de personas privadas de libertad, pero ello no lo convierte en un derecho absoluto sin excepciones, ni impide que pueda haber abogados implicados en actividades delictivas que se puedan acoger al privilegio de la especial protección del derecho de defensa para quedar impunes[222], además, tampoco tendría sentido permitir la intervención de las comunicaciones en los supuestos de terrorismo, y no en otros de similar naturaleza como los cometidos por grupos de delincuencia organizada o bloquear la intervención por el Juez instructor, cuando sea necesaria en el curso de una investigación criminal (art. 579 LECR). Por ello, debe distinguirse entre la intervención administrativa de comunicaciones en sede penitenciaria que requiere de autorización judicial, envuelta en un problema de interpretación por una deficiente redacción, y la intervención judicial de comunicaciones en el seno de una investigación criminal, que queda dentro de las previsiones del art. 118.4 LECR (modificado por LO 13/2015 de 5 de octubre) que permite la intervención de las comunicaciones con el abogado defensor "cuando se constate la existencia de indicios objetivos de participación del abogado en el hecho delictivo

---

221 Grima Lizandra, V. defiende el carácter absoluto del secreto de las comunicaciones con el abogado defensor, ya que en su opinión cualquier intervención afecta al contenido esencial del derecho de defensa, "La intervención de las comunicaciones del imputado con su abogado: una vulneración del derecho de defensa" en *El cronista del Estado social y democrático de Derecho* 2011 nº 17, pág. 26.

222 En este sentido voto particular del Magistrado José Manuel Suarez Robledano en Auto nº 28/2010 de 25 de marzo del Tribunal Superior de Justicia de Madrid.

investigado junto con el investigado o encausado en la comisión de otra infracción penal, sin perjuicio de lo dispuesto en la LOGP".

La excepción planteada exclusivamente a los supuestos de terrorismo en la legislación penitenciaria se suele justificar por la gravedad de los atentados terroristas en los años de promulgación de la Ley penitenciaria y la evidencia de la participación de algunos letrados defensores en la trama organizativa de la banda terrorista, pero hay que tener en cuenta que desde entonces la excepcionalidad de las normas relacionadas con las actividades terroristas se han extendido a los delitos cometidos en el seno de organizaciones y grupos criminales por la similitud de la estructura criminal y la complejidad delictiva, lo que da lugar a considerar incoherente que en terrorismo se pudieran intervenir las comunicaciones con los letrados, mientras que en una trama de delincuencia organizada dedicada al narcotráfico o blanqueo de capitales, no sea posible, especialmente teniendo en cuenta que las últimas reformas legislativas penales y penitenciarias vienen equiparando terrorismo y organizaciones y grupos criminales en figuras como el periodo de seguridad obligatorio y el pago de la responsabilidad civil para el tercer grado o la libertad condicional.

Con la redacción actual, tanto del art. 51.2 LOGP como del art. 48.3 RP, sería posible mantener que en cualquier tipo de delito se puedan intervenir las comunicaciones con el abogado defensor[223] siempre que se den las siguientes condiciones: salvaguardar el derecho de defensa; ser necesario y proporcionado, entendiendo como tal que la intervención se justifique por los indicios concretos de la implicación del letrado en actividades delictivas que se estén investigando; limitarse a los abogados expresamente nombrados para la defensa, no para el resto; contar con autorización judicial expresa.

Evidentemente todos estos problemas interpretativos se solucionarían si el legislador modificara la redacción del art. 51.2 LOGP clarificando si se inclina por el significado que posteriormente dio el art. 48.3 RP, donde expresamente permite la intervención de las comunicaciones con el abogado defensor siempre que cuenten con

---

223 Juanatey Dorado, C, "La intervención de las comunicaciones de los internos con sus abogados defensores en el ámbito penitenciario. Doctrina del Tribunal Constitucional" *RGDP* 15 (2011), pág. 16.

autorización judicial o si, por el contrario, sostiene que solo en los supuestos de terrorismo pueden ser intervenidas estas comunicaciones con autorización judicial, lo que como anteriormente se ha señalado supone una interpretación sesgada del derecho de defensa. Por otro lado, en caso de que la LOGP considere que las comunicaciones con el abogado defensor sólo pueden ser intervenidas por razones de seguridad, interés de tratamiento y buen orden del establecimiento[224], tampoco tendría sentido limitarlo al terrorismo, dejando fuera supuestos similares como los de delincuencia organizada.

En la actualidad, este embrollo interpretativo cuenta con la STS 79/2012 de 9 de febrero sobre el caso Gürtel (analizada en el epígrafe 1.3) en la que se opta por admitir solo la intervención de las comunicaciones del abogado defensor en delitos de terrorismo y con autorización judicial.

1.2.6. Comunicaciones con profesionales acreditados

También se lleva a cabo en locutorios especiales. Se refiere a profesionales que comunican con los internos por la actividad que desempeñan pudiendo ser:

– Autoridad judicial o Ministerio Fiscal: a la hora que éstos estimen pertinente y en locales adecuados, art. 49.1 RP; las notificaciones las realizan funcionarios judiciales. No pueden ser suspendidas ni intervenidas en ningún caso.

– Defensor del Pueblo, sus adjuntos y delegados o miembros de instituciones análogas de las CCAA. No pueden ser suspendidas ni intervenidas en ningún caso, art. 49.2 RP.

– Representantes diplomáticos o consulares en caso de internos extranjeros. Necesitan autorización del Director y se rigen por las normas generales, art. 49.3 RP

– Otros profesionales: trabajadores sociales, sacerdotes o ministros de su religión, notarios y médicos; lo ha de solicitar el interno para la realización de funciones propias de su respectiva profesión. Como consecuencia de la STC 6/2020 de 27 de enero que concedió el

---

224 Sentido de la única intervención admitida en este tipo de comunicaciones por Grima Lizandra, *op. cit.* pág. 28.

amparo a un interno al que se le denegó recibir la visita de un profesional de la información que le iba a entrevistar por vulneración del derecho a la libertad de expresión e información, la Instrucción SGIP 3/2020 de 16 de junio reguló la autorización para que los medios de comunicación pudieran realizar entrevistas a los internos[225].

1.3. Limitación de las comunicaciones y visitas. Análisis jurisprudencial

Hay que diferenciar diversos conceptos que a veces aparecen confundidos entre sí:

– *Denegación*: no autorizar una comunicación, por falta de documentación o tratarse de un familiar no autorizado.

-*Restricción:* reducir el número de comunicaciones, su duración o las personas con las que se puede realizar.

– *Suspensión*: dar por terminada una comunicación oral *in situ* en los casos permitidos por comportamiento incorrecto, preparación de un delito...

– *Intervención*: control de la comunicación mediante lectura correspondencia, grabación conversaciones...

El art. 51.1 LOGP contempla de forma general como razones que puedan justificar la restricción de comunicaciones orales y escritas las de seguridad, interés del tratamiento y buen orden del establecimiento, se trata por ello de restricciones en el ámbito penitenciario como medida de régimen para todos los internos, lo que no debe confundirse con las restricciones derivadas de la investigación de delitos que pueden ser impuestas a cualquier persona, cuyo marco legal es el art. 579 LECR. La regla general es que las comunicaciones puedan ser suspendidas o intervenidas por el Director del centro y, como supuesto especial, si se trata de comunicaciones con los abogados defensores, dicha intervención sólo puede ser autorizada por la autoridad judicial. Por su parte, las comunicaciones con el Defensor del Pueblo o sus adjuntos, órganos autonómicos correspondientes, Ministerio

---

225 León Alapont, J. "Las comunicaciones entre periodistas y presos a raíz de la STCX 6/2020 de 6 de junio SGIP" *La Ley Penal* nº 146, 2020.

Fiscal o Autoridad Judicial no pueden en ningún caso ser suspendidas, intervenidas o restringidas, según dispone el art. 49.2 RP.

El procedimiento de las restricciones generales derivadas del régimen penitenciario, reguladas en el art. 51.1 y 51.5 LOGP es el siguiente:

– acuerdo motivado del Director del Establecimiento en el que conste el tiempo de duración de la intervención, si la razón es de tratamiento es necesario informe de la Junta de Tratamiento.

– notificación al interno, lo que impide las grabaciones ocultas, ya que su finalidad es preventiva y no de investigación.

– dar cuenta a la Autoridad judicial competente (Juez de Vigilancia tanto en preventivos como en condenados), art. 51.5 LOGP, que ha de ratificarla mediante una resolución motivada, por actuar como auténtica garantía, en este sentido STC 175/1997 de 27 de octubre.

La Jurisprudencia ha abordado sus aspectos más controvertidos:

a) *requisitos generales*: motivación, notificación al interno y al Juez y establecimiento previo del límite temporal de duración, STC 200/1997 de 24 de noviembre.

b) *carácter excepcional y necesario*: STC 170/1996 de 29 de octubre anula la intervención de comunicaciones orales y escritas de un interno por adoptarse como medida general a todos los internos de primer grado incluidos en régimen FIES (no individualmente por razones concretas), sin limitación temporal (porque el acuerdo no expresaba cuándo procedía su levantamiento) y sin ser una medida excepcional ni necesaria. STC 169 /2003 de 29 de septiembre, las comunicaciones entre internos de un mismo establecimiento no se pueden intervenir con carácter general, aunque no estén desarrolladas legislativamente.

c) *necesidad de comunicación al interno y al Juez*: si no se hace inmediatamente puede ser anulada en vía de recurso, STC 106/2001 de 13 abril.

d) *comunicación con abogados*: en cuanto a la necesidad de autorización judicial en supuestos de terrorismo, si bien inicialmente la STC 73/1983 de 30 de julio entendió que en los supuestos de terrorismo bastaba con la autorización del Director, más adelante la STC 183/1994 de 20 de junio consideró que también en los casos de terrorismo es preceptiva la autorización judicial para intervenir las comunicaciones con los letrados, ya que "la intervención administrativa es totalmente incompatible con el más intenso grado de protección que la norma legal confiere al derecho de defensa en los procesos penales", entendiendo que el art. 51.2 LOGP está recogiendo un supuesto de intervención en el ámbito de la instrucción penal y, por tanto, ajeno a la Administración Penitenciaria. De esta manera en STS 23.4.1997 (R. 3259) se ratificó la no valoración de la prueba obtenida ilícitamente que incriminaba a un abogado defensor de delitos de terrorismo, por tratarse de una conversación con su defendido en prisión que fue suspendida por el Director del centro sin la preceptiva autorización judicial; en este caso la garantía del derecho de defensa no permitió dar validez procesal a las informaciones ilegalmente obtenidas.

La STC 58/1998 de 16 de marzo estimó que la autorización judicial para la intervención de las comunicaciones con los abogados defensores se necesitaba tanto para las comunicaciones orales como para las escritas, ya que el centro penitenciario había excluido a éstas últimas del especial régimen de protección del art. 51.2 LOGP; por ello las posibles dudas sobre la autenticidad de ser el letrado quien escribe o sobre el contenido jurídico de la carta, se han de poner en conocimiento de la autoridad judicial.

En relación a la posibilidad de intervención de las comunicaciones con el abogado defensor en supuestos distintos a los de terrorismo que antes no se había planteado, porque en los casos en los que se había tratado el problema de fondo siempre era el de la necesidad de la autorización judicial en terrorismo, se trató en la STS 79/2012 de 9 de febrero[226] que se ocupó de esta intervención en las comunicaciones con el abogado defensor en un delito de corrupción, optando por sostener que los requisitos del art. 51.2 LOGP al ser acumulativos sólo rigen en supuestos de terrorismo con la necesaria autorización judicial, manteniendo en el resto de casos la prohibición de intervenir

---

226 Causa especial nº 20716/2009 por delito de prevaricación judicial y delito cometido por funcionario público por uso de artificios de escucha y grabación con violación de las garantías constitucionales por la autorización judicial de observación y grabación de las comunicaciones de unos abogados con sus clientes internos en centro penitenciario por los delitos de blanqueo de capitales, defraudación fiscal, falsedad, cohecho, asociación ilícita y tráfico de influencias.

toda comunicación con el abogado defensor tanto administrativa, como judicialmente.

Como referencias para defender esta postura las STS 245/1995 de 6 de marzo, STS 538/1997 de 23 de abril y STS 513/2010 de 2 de junio se referían a los supuestos de terrorismo como los únicos en los que cabía la intervención judicial en las comunicaciones con los letrados, pese a que el art. 48.3 RP al señalar que las comunicaciones con el abogado defensor en ningún caso se podían intervenir sin autorización judicial[227]no lo limitaba a terrorismo, lo que parecía dar a entender que trasladaba la doctrina constitucional emitida desde la aprobación de la LOGP hasta la del RP.

Tal como se ha señalado anteriormente tal interpretación no se ajusta a la redacción del art. 51.2 LOGP, ni a su pretendida aclaración por el art. 48.3 RP, ni a la LECR, siendo necesaria una reforma legal que, partiendo de la necesidad de autorización judicial expresa que garantice el derecho de defensa, clarifique en qué casos se pueden intervenir o suspender las comunicaciones de los internos con sus abogados defensores y si afecta sólo a delitos de terrorismo, a algunos delitos en particular, o a todo tipo de delitos.

2. PERMISOS DE SALIDA

2.1. Características

Los permisos de salida se incluyeron en la reforma de 29 de julio de 1977 (RD 2273/1977) que modificó algunos aspectos del Reglamento de los Servicios de Prisiones de 1956, permitiendo salidas en domingos y días festivos para pasarlos con los familiares y permisos especiales de hasta una semana. Su finalidad era premial, al calificarlos como recompensas, dependiendo su concesión de la facultad discrecional de la Administración.

---

[227] Cuerda Riezu, A. "Estaría de acuerdo con lo que dice el Tribunal Supremo si no lo dijera el Tribunal Supremo. La condena contra el Juez Garzón por delito de prevaricación". *Revista Española de Derecho Constitucional* nº 99, 2013, pág. 318 admite que no es descabellado entender que el Juez pudiera intervenir estas comunicaciones para rebatir el carácter de injusta de la orden de intervención.

En la actualidad forman parte del tratamiento, por ello su finalidad es conseguir la reeducación y reinserción social ya que sirven como preparación para la vida en libertad. No son por tanto beneficios o recompensas por buen comportamiento, sino medios para preparar la vuelta progresiva del sujeto a la libertad. Tanto la LOGP como el RP los han regulado en un capítulo independiente y separado por tanto del tratamiento, sin embargo, el RP, a diferencia de la LOGP, reconoce entre los derechos del recluso en el art. 4 e) las relaciones con el exterior, previstas legalmente.

Se ha planteado al respecto la posibilidad de entenderlos como derecho subjetivo y con ello de aplicación automática, lo que ha sido negado por el Tribunal Constitucional en diversas ocasiones. De este modo la STC 81/1997 de 22 de abril, entiende que no constituyen un derecho subjetivo ni fundamental, ya que solo hay un interés legítimo de obtenerlos cuando se tienen los requisitos que no aconsejan su denegación.

Sus ventajas son resaltadas por numerosas sentencias del Tribunal Constitucional como la STC 112/1996 de 24 de junio y la STC 2/1997 de 13 de enero:

– cooperan a la preparación de la vida en libertad.

– fortalecen los lazos familiares.

– reducen las tensiones propias del internamiento y el alejamiento de la vida diaria.

– son un estímulo para la buena conducta.

– ayudan a crear un sentido de la responsabilidad y con ello un desarrollo de la personalidad.

– proporcionan información sobre el medio social al que ha de retornar.

– indican cuál es la evolución del penado.

Su mayor inconveniente es el riesgo de fracaso, pese a que no pasa de un 0,4% el no reingreso del interno tras su finalización[228] o por la comisión de nuevos delitos durante su disfrute, lo que no solo deriva en una desconfianza en el sistema resocializador, sino en una notoria

---

228 Informe General IIPP 2020, pág. 37.

restricción en la concesión de permisos a los demás presos como ha sucedido en diversas ocasiones. Para evitar dichas consecuencias debería hacerse una reflexión del análisis objetivo de los efectos de un permiso denegado como son la cronificación de una persona como delincuente y la desconfianza en el sistema[229].

2.2. *Clases de permisos*

2.2.1. Permisos ordinarios

Son los permisos especialmente dirigidos a preparar la vida en libertad, se regulan en el art. 47.2 LOGP. Pueden tener una duración de hasta siete días consecutivos, con un total de treinta y seis días al año, en caso de los condenados en segundo grado de clasificación y de cuarenta y ocho días al año, en caso de condenados clasificados en tercer grado.

Esta duración de los permisos en presos de segundo y tercer grado respectivamente se suele repartir como regla general en los dos semestres del año, art. 154.2 RP. En esa duración no computan ni los permisos de fin de semana, ni las salidas programadas ni los permisos extraordinarios.

Estos permisos en principio están dirigidos a los internos ya condenados, sin embargo, el art. 48 LOGP parece permitir que también se puedan conceder a los presos preventivos con la autorización judicial de quién dependan, lo que no es posible por su incompatibilidad con la decisión judicial de prisión preventiva, por la falta de los requisitos referidos a la clasificación y por su finalidad resocializadora incompatible con la presunción de inocencia. Todo ello hace pensar que pese a la amplitud del art. 48 LOGP los únicos permisos que pueden disfrutar los preventivos son los extraordinarios por su propio carácter de excepcionalidad, STC 19/1999 de 22 de febrero.

Los requisitos para la concesión de los permisos ordinarios los señala el art. 47.2 LOGP:

---

229 Gallego Díaz, M./ y otros *Andar 1 Km*... cit. pág. 31.

– estar clasificado en segundo o tercer grado: los clasificados en primer grado quedan fuera de la concesión de este tipo de permisos, al igual que los no clasificados.

– informe del Equipo Técnico: este informe es preceptivo para iniciar el procedimiento de concesión.

– haber extinguido la cuarta parte de la condena: en este cálculo hay que incluir la totalidad de las condenas que se cumplen, deduciendo los días de detención o prisión preventiva. Muchas Audiencias Provinciales aumentan hasta tres cuartas partes el tiempo de cumplimiento para la concesión de permisos, con una clara vulneración del principio de legalidad.

En la aplicación de este requisito hay que tener en cuenta que, en caso de aplicación del art. 78 CP, este requisito temporal se calcula sobre la totalidad de la condena impuesta, sin que admita excepciones en los supuestos de terrorismo.

La XII Reunión de Jueces de Vigilancia celebrada en Madrid en 2003 acordó algunas pautas para facilitar los permisos como no exigir una cuarta parte de la condena cumplida en los clasificados directamente en tercer grado, o no discriminar a los extranjeros en su concesión siempre que estén documentados y tengan arraigo.

– no observar mala conducta: hasta hace poco se asociaba a la ausencia de sanciones, lo que daba lugar a su denegación si subsistían sanciones sin cancelar. La STS 124/2019 de 8 de marzo de unificación de doctrina rechazó esta identidad entre buena conducta y ausencia de sanciones para exigir una valoración global, que no rechazara automáticamente la concesión de permisos de salida por la mera existencia de sanciones sin cancelar, sino que ponderara todas las circunstancias relacionadas con el comportamiento y la actitud del interno. La Instrucción 1/2022 de 12 de abril incorpora esta interpretación reconociendo la falta de exigencia normativa que vinculara la cancelación de sanciones con la posibilidad de disfrutar de permisos de salida y obligando a "ponderar el requisito de ausencia de mala conducta con el resto de circunstancias que hagan referencia al comportamiento y actitud del interno, sin que la existencia de sanciones graves o muy graves sin cancelar comporte la carencia de tal requisito", de esta forma insta a realizar una valoración global sobre la evolución tratamental del interno.

2.2.2. Permisos extraordinarios

Los hay de dos tipos:

a) *Motivos familiares o personales*: son aquellos que se conceden de manera excepcional por los motivos tasados en el art. 47.1 LOGP a todo recluso penado o preventivo al margen de su clasificación, pero con las medidas de seguridad adecuadas a cada caso en concreto, por ejemplo, esposado y acompañado por la fuerza pública o con mero acompañamiento. En estos permisos tiene sentido que se incluya a los internos preventivos en virtud de la mención del art. 48 LOGP, ya que en ellos la existencia de cualquiera de los supuestos mencionados puede recomendar una salida puntual y sin embargo no aconsejar la puesta en libertad provisional.

La expresión "se concederán" unida a la excepción de que concurran circunstancias excepcionales parece reconocer un derecho a la obtención de este tipo de permisos.

Los motivos que pueden dar lugar a la concesión de estos permisos son los siguientes:

– fallecimiento o enfermedad grave de padres, cónyuge, hijos, hermanos y otras personas vinculadas con los internos.

– alumbramiento de la esposa: A pesar de que la LOGP sólo menciona a la esposa se debe entender ampliable a la pareja de hecho, lo que expresamente ahora menciona el art. 155 RP como similar relación de afectividad.

– importantes y comprobados motivos: El RP añade que sean de análoga naturaleza es decir semejantes a los anteriores, pero dado el silencio de la LOGP ha "de ser" preferente ésta por rango normativo con lo cual no se ve necesaria esa similitud con los demás en esta cláusula abierta. Aquí puede incluirse la asistencia a celebraciones familiares, actividades académicas..., lo que no siempre es aceptado por su incompatibilidad con las medidas de seguridad que han de acompañar al interno.

La duración de estos permisos viene determinada por su respectiva finalidad, siempre que no exceda del límite fijado para los permisos ordinarios, es decir siete días, art. 155.2 RP.

Su concesión ha de ser autorizada por el Juez de Vigilancia si se trata de internos de primer grado, art. 156.3 RP, en los demás casos se está a las reglas generales de los ordinarios.

b) *Motivos sanitarios*: Es una novedad del art. 155.4 RP sólo para los internos clasificados en segundo o tercer grado. Se refiere a los permisos de hasta doce horas de duración para consulta ambulatoria extrapenitenciaria y permisos de hasta dos días de duración para el ingreso en hospital extrapenitenciario, que puede ser prolongado con la autorización del Juez de Vigilancia si se trata de internos de segundo grado y del Centro Directivo si se trata de internos de tercer grado.

Se necesita informe médico y las medidas de seguridad adecuadas a cada caso. Para los internos de tercer grado y los de segundo grado que disfruten habitualmente de permisos de salida ordinarios, no son necesarias las medidas de control y vigilancia.

Las diferencias entre permisos extraordinarios y ordinarios son las siguientes:

– los extraordinarios son imperativos "se concederán" a diferencia de los ordinarios que son potestativos "se podrán conceder".

– en los ordinarios se exige en todo caso informe del Equipo Técnico, en los extraordinarios sólo si es por procedimiento no urgente, mientras que, si no lo es, no hace falta tal informe.

– los ordinarios los disfrutan los clasificados en segundo y tercer grado, los extraordinarios todos los internos.

– finalidad resocializadora en los ordinarios, humanitaria en los extraordinarios.

– los extraordinarios pueden concederse cuantas veces sea necesario, los ordinarios tienen un límite anual.

2.2.3. Permisos de fin de semana

Son aquellos que habitualmente disfrutan quienes están clasificados en tercer grado en virtud del art. 87 RP.

Los requisitos de concesión son muy simples: que la modalidad de vida permita las salidas de fin de semana y que la evolución del interno y su tratamiento las permita sin riesgos significativos[230].

---

[230] ArmentaGonzález-Palenzuela, F. J.-Rodríguez Ramírez, V. *Reglamento Penitenciario comentado* 5ª Ed. Sevilla 2006 pág. 206.

Su disfrute comienza a las dieciséis horas del viernes y termina a las ocho horas del lunes como máximo, añadiéndose los días festivos de la localidad donde esté ubicado el Establecimiento, si bien excepcionalmente el Centro Directivo podrá aprobar permisos de salida con horarios diferentes, por ejemplo, en días laborables.

Estos permisos son compatibles con los otros dos tipos, es decir a ellos se pueden añadir los ordinarios y los extraordinarios, lo que da un total de 152 días al año de permiso (todos los fines de semana más los cuarenta y ocho días de permisos ordinarios).

2.3. Procedimiento de concesión

El procedimiento de concesión de los permisos ordinarios se regula en el art. 154 RP.

Solicitud: Lo solicita el interno por medio de una instancia dirigida al Director del centro penitenciario en la que han de constar los motivos y el lugar de disfrute.

Informe del Equipo Técnico: el Equipo Técnico ha de formular un informe en el que conste la conveniencia o no de su concesión, formulando una propuesta a la vista de los datos que obren en su poder, que no es vinculante. El informe será desfavorable cuando por la peculiar trayectoria delictiva, la personalidad anómala o la existencia de variables desfavorables resulte probable el quebrantamiento de condena, la comisión de nuevos delitos o la repercusión negativa sobre el interno.

La Tabla de Variables de Riesgo (TVR) creada por la Circular DGIP 22/1996 de 16 de diciembre, se utiliza como instrumento para justificar la propuesta, recogiendo los factores que estadísticamente son más significativos en el no reingreso en prisión tras el disfrute de un permiso de salida[231]; para ello recoge los diez factores de riesgo siguientes:

– *extranjería*: se valora la nacionalidad, tiempo de estancia en España, permiso de trabajo, vinculación…

---

[231] Sobre el proceso de elaboración de la TVR, Nuñez, J, "Los permisos de salida" en *Psicología Jurídica Penitenciaria I*, Clemente, M./Nuñez, J, Madrid, 1997, pág. 400 y ss.

– *drogodependencia*: historial de consumo, tiempo de no consumo, intento de rehabilitación…

– *profesionalidad*: inicio precoz de conductas delictivas, duración condenas, terrorismo, uso armas…

– *reincidencia*: antecedentes penales, acumulación de condenas…

– *quebrantamientos*: antecedentes de quebrantamientos de condena y el tiempo pasado desde entonces.

– *art. 10 LOGP*: clasificación primer grado o art. 10 LOGP, reiteración de faltas muy graves…

– *ausencia de permisos*: habitualidad de permisos, que no se haya disfrutado anteriormente de permisos…

– *deficiencia convivencial*: apoyo en el exterior, situación problemática familiar…

– *lejanía vivienda*: distancia entre el domicilio y el centro penitenciario.

– *presiones internas*: presiones de otros internos, amenazas, peleas…

Cada una de estas variables se puntúa de 0 a 3 por su presencia o ausencia y la suma indica un resultado numérico porcentual del riesgo que conlleva el permiso. Con un porcentaje de riesgo superior al 30% los Fiscales se suelen oponer a su concesión.

La utilización de esta Tabla ha sido muy criticada por su automatismo numérico alejado del estudio individual propio del tratamiento, porque alguno de los criterios escapan a la voluntad del interno tales como la lejanía de la vivienda o no haber tenido antes permisos, y porque son datos objetivos que se utilizan como posibilidad de riesgo en todo caso, como ocurre con la extranjería o drogodependencia, cuando debería analizarse caso por caso; especialmente en extranjeros el riesgo se dispara, por eso habría que moderarlo para no discriminarlos de su disfrute. Uno de los criterios más utilizados y, por ello, más criticado, es el de la denegación del permiso por la lejanía del cumplimiento de las tres cuartas partes de la condena, lo que no se menciona en ningún texto normativo como motivo de denegación, resultando discriminatorio para los condenados a largas penas de prisión que son quienes más necesitan el contacto paulatino con el exterior; de la misma manera también es rechazable la denegación por la gravedad del delito y trayectoria delictiva fundada en la comisión de varios delitos, ya que son criterios ya valorados en la sentencia, como recuerda la SAP Salamanca 13.3.2009.

Junto a la TVR, la Tabla de concurrencia de circunstancias peculiares (M-CCP) permite recoger otros factores relevantes como tipo delictivo, pertenencia a organización delictiva, trascendencia social del delito o de las circunstancias de su ejecución, fecha de las tres cuartas partes de la condena, trastornos psicopatológicos y responsabilidad civil, que se recogieron en la Instrucción SGIP 1/2012 de 2 de abril al añadir como nuevas circunstancias peculiares que pueden restringir la concesión de permisos, la existencia de resoluciones administrativas de expulsión o la comisión de delitos de violencia de género, lo que no debe ser entendido como un veto a su concesión, sino como una exigencia de especial justificación y motivación.

Concesión: La Junta de Tratamiento con la propuesta del Equipo Técnico acuerda su concesión o denegación, y a continuación lo comunica al Juez de Vigilancia si se trata de internos de segundo grado, o al Centro Directivo si se trata de internos de tercer grado para que lo autoricen.

Los permisos de los internos clasificados en tercer grado los concede siempre la SGIP, los de los internos clasificados en segundo grado, si son inferiores a dos días, también la SGIP y, si son superiores a esa duración, los concede el Juez de Vigilancia, art. 76.i) LOGP.

En la concesión se pueden imponer condiciones como la presentación en comisaría, el acompañamiento de familiar, los contactos telefónicos con el centro, o la prohibición de acudir a determinados lugares. En este sentido hay que tener en cuenta la protección de la víctima, por eso en los delitos de violencia de género cualquier salida temporal, excarcelación o permiso de salida ha de ser comunicada a la Unidad de Violencia sobre la Mujer de la Delegación del Gobierno.

Al reingreso del interno se debe realizar una valoración de su disfrute preferentemente por el educador, con la posibilidad de informes complementarios y pruebas analíticas, sin que dar positivo en las mismas sea motivo suficiente para denegar los posteriores, como indica el Auto JV Zaragoza 17.11.2009 siguiendo la STC 14.2.2005 (R. 24) que exige que después de la concesión de permiso de salida a un interno, el siguiente sólo se pueda denegar si cambian las circunstancias concretas del penado o si existen razones que justifiquen un cambio en la valoración judicial de riesgo de quebrantamiento de condena.

Impugnación: Ante la denegación de un permiso por la Junta de Tratamiento o no contestación tres meses después de la solicitud, cabe interponer queja ante el Juez de Vigilancia, art. 162 RP. Contra la resolución de éste cabe recurso de reforma en el plazo de tres días ante él mismo y, a continuación, recurso de apelación ante la Audiencia Provincial, si bien en algunas Audiencias Provinciales se niega éste por entender que la resolución a la queja ya es una segunda instancia y, por tanto, no cabe apelación, algo que los Jueces de Vigilancia en su mayoría rechazan.

Pese al contenido del art. 156.1 RP al regular los motivos de denegación, entre los más utilizados se puede destacar la lejanía de la libertad condicional o del cumplimiento de la condena, la índole del delito cometido, la extranjería y la duración de la pena impuesta o simplemente la referencia a insuficiente consolidación de factores positivos, lo que peca de indeterminación y por tanto indefensión como señala el Auto AP Burgos 14.11.2008.

Todos ellos son criterios que además de restringir su disfrute a determinados delitos, resultan ajenos a los requisitos legales y reglamentarios enfocados a las necesidades resocializadoras, por ello, no deben ser utilizados en ningún caso individualmente, sino ponderándolos con los demás criterios evaluables, lo que en la práctica raramente sucede, en este sentido el Auto AP de Las Palmas de Gran Canaria de 16.11.1996 revocó la denegación de un permiso de salida fundado en "*la cuantía de la condena, la lejanía del cumplimiento de la pena y la represión social por el delito cometido*" por ser razones ajenas a las auténticas causas que deben restringir los permisos y que tienen que ver con el tratamiento como en este caso lo era "*la primariedad delictiva, buena conducta, reconocimiento delito cometido y no previsibilidad de quebrantamiento ni de comisión de nuevos delitos*".

La propia STC 112/1996 de 24 de junio critica también esta práctica que confunde los permisos de salida con la libertad condicional y olvida su misión en las progresiones de grado como preparación a la libertad.

En cuanto a los extraordinarios, si bien el procedimiento es común con los permisos ordinarios recogido en el art. 161 RP, en el art.

155 parece no exigir los mismos trámites ya que sólo menciona la autorización expresa del Juez de Vigilancia si se trata de internos clasificados en primer grado, eso hace pensar que el informe del Equipo Técnico en casos urgentes no siempre sea necesario.

Finalmente, respecto a las salidas de fin de semana la Junta de Tratamiento las regulará en función de la modalidad de vida de cada interno (régimen abierto común o régimen abierto restringido), su evolución en el tratamiento, y las medidas de control necesarias.

2.4. Suspensión y revocación

La suspensión se produce en los casos en los que antes de iniciarse el disfrute de un permiso de salida ordinario o extraordinario, cambian las circunstancias que propiciaron su concesión. La decide la Dirección de forma provisional motivando su decisión y lo comunica a la Autoridad administrativa o judicial competente para que resuelva lo que proceda, art. 157.1 RP.

La revocación se dará en los casos en los que el interno aproveche el disfrute de cualquier permiso para fugarse o cometer nuevo delito, sin perjuicio de las consecuencias penales y penitenciarias y de que se valore negativamente por el Equipo Técnico para la concesión de nuevos permisos, art. 157.2 RP. Estas consecuencias son las siguientes:

a) consecuencias penales: se refiere a la apertura de diligencias por la posible comisión de un delito de quebrantamiento de condena, aunque si se presenta pocos días después se suele archivar o absolver. No obstante, el delito de quebrantamiento de condena, en su caso, lo será del supuesto atenuado referido a sujetos no privados de libertad que se debe aplicar a quienes están disfrutando de permiso de salida, tercer grado o libertad condicional, por entender que el supuesto general sólo se debe aplicar a quienes están en prisión[232]. Hay que tener en cuenta que esta nueva causa no se acumulará a la anterior, por tanto prolongará la estancia en prisión[233].

b) consecuencias penitenciarias:

---

[232] Circular FGE 3/1999 de 7 de diciembre.

[233] Ríos Martín, JC/Segovia Bernabé, JL *Las penas y su aplicación* 2ª Ed. Madrid 2006 pág. 260.

– clasificación: no se ha de producir automáticamente una regresión de grado ya que el art. 108.1 RP establece que. si el interno que no regresa está clasificado en tercer grado, se le clasifica provisionalmente en segundo grado a la espera de nueva reclasificación, sin perder el tiempo del permiso quebrantado que se abona a la condena.

– redención de penas por el trabajo: se pierde respecto a la pena que se está cumpliendo.

– no debería sancionarse disciplinariamente esta conducta, aunque de hecho se haga, ya que la infracción del art. 108 e) RP 1981 sanciona la conducta de intentar, facilitar o consumar la evasión, lo que no coincide con la de no reingresar tras un permiso[234].

c) en cuanto a la valoración negativa para futuros permisos, supone su inclusión en la tabla de variables de riesgo, algo menos restrictivo que el Reglamento anterior que disponía la imposibilidad de disfrutar de permisos ordinarios en un periodo de dos a tres años.

Como se puede comprobar la vulneración del principio *ne bis in idem* es evidente.

2.5. Permisos de salda en la prisión permanente revisable

Al igual que sucede con el tercer grado y la libertad condicional, el legislador también ha previsto un régimen específico para los permisos de salida de los condenados a prisión permanente revisable, que indica que no se podrán disfrutar hasta que no se cumplan ocho años de condena, o doce si se trata de delitos referentes a organizaciones y grupos terroristas y delitos de terrorismo. Esta referencia se entiende que es a los permisos de salida ordinarios, por ser los que exigen requisitos temporales y porque los extraordinarios son universales.

Es llamativo que, si bien, para establecer el acceso al régimen abierto, como si de un periodo de seguridad se tratara, se ha tomado la referencia de la mitad de la condena de la pena de treinta años, y cuarenta años en el caso de delitos referentes a organizaciones y grupos terroristas y delitos de terrorismo, en el caso de los permisos de salida se utilizan parámetros diferentes ya que ocho

---

234 Ríos Martín, J. C. *Manual*... cit. pág. 251.

años es la cuarta parte de treinta y dos, y doce años es la cuarta parte de cuarenta y ocho, lo que supone un endurecimiento excepcional e injustificado por la diferencia de criterios entre progresión a tercer grado y acceso a permisos de salida, como apuntaba el informe del Consejo General del Poder Judicial. Utilizando el criterio general de treinta años en el supuesto general y cuarenta años en terrorismo, los permisos de salida podrían haber sido permitidos a los siete años y seis meses y diez años respectivamente, lo que sería mucho más adecuado y ventajoso que lo previsto en la reforma, e incluso tomando como referencia la fecha de revisión de la prisión permanente revisable a los veinticinco años, como duración hipotética de la misma, pasaría a seis años y tres meses el plazo para poder obtener permisos de salida.

En el caso de concurso no está previsto ningún plazo diferente para la obtención de permisos de salida, por lo tanto se entiende que serán los mismos que en los supuestos generales: ocho años en la regla general y doce años en los delitos referentes a organizaciones y grupos terroristas y delitos de terrorismo, lo que también perjudica, ya que tomando como referencia las fechas topes de revisión, en los supuestos en los que la revisión puede ser a los veintiocho años, la cuarta parte sería a los siete años, y en los supuestos en los que la revisión puede ser a los treinta y cinco, la cuarta parte sería a los nueve años y un mes.

La excepción sólo alcanza al criterio temporal previsto en el art. 47.2 LOGP, pero no al resto de requisitos de aplicación y de procedimiento recogidos en los arts. 160 a 162 RP ya que deben ser favorables el resto de variables, algo verdaderamente difícil si se tiene en cuenta los discutibles criterios de concesión recogidos en la tabla de variables de riesgo, a lo que hay que sumar las circunstancias propias de las penas largas de prisión que entrañan serios obstáculos como la gravedad de los hechos, la alarma social, la lejanía de las tres cuartas partes de la condena, o las dificultades para el apoyo familiar y social.

Su concesión seguirá también la regla general, es decir, los concederá el Juez de Vigilancia cuando estén clasificados en segundo grado y sean de más de dos días de duración y los concederá el Centro Directivo en el resto de casos.

En conclusión, una vez el interno cumpla ocho años de condena, siempre que haya sido clasificado en segundo grado, podrá obtener treinta y seis días de permiso de salida anuales y cuando sea clasificado en tercer grado, lo que podrá ocurrir a partir del cumplimiento de quince años de condena en el supuesto general, podrá, también en su caso, disfrutar de los permisos correspondientes a este grado de clasificación, que son cuarenta y ocho días al año, más los fines de semana, siempre que se den el resto de requisito favorables.

Aunque es positivo que la limitación sea sólo temporal, cuesta creer que puedan disfrutar de permisos de salida los condenados a la pena más grave del Código penal, cuando penados a veinte años de prisión no es muy frecuente que disfruten de permisos de salida a lo largo de toda su condena, especialmente si se trata de delitos contra las personas. Por todo ello, con pena de larga duración, delito grave y tras años de aislamiento social los permisos de salida pueden ser muy difíciles de conseguir.

3. SALIDAS PROGRAMADAS

Vid. explicación correspondiente en el capítulo 12 dedicado al Tratamiento penitenciario.

Bibliografía: Bayon, F. y otros "Preparación para la vida en libertad". *REP* 243, 1990. **Chaves Pedrón, C.** "Los permisos de salida penitenciarios" *Guía práctica de Derecho Penitenciario* (Dtor. J. León), Wolters Kluwer, Madrid, 2022. **De Paiz Suárez A.** "Algunas consideraciones sobre los permisos penitenciarios". *Revista de Derecho Penal y Criminología.* UNED 1991 nº 1. **Espina Ramos, J. A.** "Los permisos ordinarios de salida" *Revista del Ministerio Fiscal*, nº 7, 2000. **Leganés Gómez, S.** "Los permisos de salida: nuevo régimen jurídico" *La ley Penal* nº 52, 2008 **Martínez Escamilla, M.** *La suspensión e intervención de las comunicaciones del preso: un análisis constitucional del art. 51 LOGP.* Madrid 2000. **Martínez Escamilla, M.** *Los permisos ordinarios de salida: régimen jurídico y realidad.* Madrid 2002. **Montero Hernanz, T.** "Tráfico de drogas y permisos penitenciarios de salida" *Diario La Ley* nº 7530, 2010. **Nieto García, A.** "Las salidas programadas del art. 114 del RP" *Diario La Ley* nº 7709, 2011. **Pérez Fernández, E.** "Las salidas programadas: su evolución los centros penitenciarios de Cataluña". *Papers d'estudis y Formació* nº 5, 1989 **Renart García, F** *Los permisos de salida en el derecho comparado.* Madrid 2010. **Rejas, S.** "Los permisos de salida. Análisis de las causas de no presentación". *REP* nº 244, 1991 **Ridaura Martínez, J.** "El derecho a las comunicaciones en centros penitenciarios: el régimen de comunicaciones y visitas" *Estudios de Derecho Constitucional: homenaje al profesor D. Joaquín García Morillo* 2001. **Vega Alocen. M.** *Los permisos de salida ordinarios*. Granada 2005

Capítulo 14º

LIBERTAD CONDICIONAL

1. CONCEPTO Y NATURALEZA

1.1. Antecedentes

La libertad condicional era hasta hace muy poco tiempo el último grado del sistema penitenciario español de individualización científica, no se trataba de una medida de gracia, sino de una figura inspirada en la finalidad resocializadora, con la que se permitía una excarcelación anticipada sometida a una serie de condiciones de obligado cumplimiento, que de no cumplirse llevarían al reo de nuevo a la prisión.

Pese a tratarse de una figura claramente penitenciaria, siempre se ha regulado en el Código Penal, sufriendo una importante transformación desde su origen inicialmente moralista hacia objetivos claramente resocializadores. En ello tuvo una gran importancia la imposición de reglas de conducta por el complemento que suponía a la mera excarcelación, lo que supuso un alejamiento de su carácter premial, para acercarse más a una especie de libertad a prueba.

El Código Penal de 1995 mejoró la redacción del precepto rectificando algunos términos incorrectos, así además de incluir las reglas de conducta, amplió claramente su ámbito de actuación ya que en el Código Penal anterior se limitaba su aplicación a las penas privativas de libertad de más de un año mientras que después se suprimió tal limitación temporal, y lo extendió a todas las privativas de libertad sin limitarlo a la prisión.

A pesar de las mejoras, en esta nueva regulación se vio como un inconveniente la excesiva amplitud con la que se regulaban las reglas de conducta, que no fuera obligatorio imponerlas, la falta de criterios concretos y que no quedara claro si cabían también en los supuestos excepcionales, por más que fuera lo más coherente extenderlo a todos los supuestos[235].

Finalmente, la aprobación de la Ley 7/2003 de 30 de junio aumentó y endureció sus requisitos en el mismo sentido que los del tercer grado, exigiendo desde entonces el pago de la responsabilidad civil y las condiciones específicas para terrorismo y delincuencia organizada, pese a lo cual ha venido cumpliendo su papel de ser el último periodo de la condena permitiendo un adelantamiento condicionado de la excarcelación definitiva.

1.2. La reforma de 2015

La tradición de la figura, su coherencia y encaje con el sistema penitenciario español y que no hubiera críticas a su regulación, ni propuestas de reforma, son motivos que hacen difícil entender las razones que llevaron al legislador a modificar esta figura de tal manera que quedara irreconocible, rompiendo la coherencia del sistema y dejando de prestar el servicio para el que fue creada.

La reforma de 2015 produjo una sustancial modificación en la regulación de la libertad condicional al transformarla en una modalidad de suspensión de la ejecución de la pena de prisión, anulando con ello su carácter de cuarto grado como última fase del sistema de individualización científica. Este cambio tiene una enorme trascendencia ya que sus objetivos son totalmente diferentes: evitar un ingreso en prisión no necesario y posiblemente contraproducente en el caso de la suspensión de la ejecución y anticipar la excarcelación para facilitar la reinserción social en el caso de la libertad condicional, lo que implica incluso continuar el tratamiento penitenciario[236].

A pesar de ello son varias las diferencias latentes en la reforma que nos permiten mantener que la libertad condicional es algo diferente a la suspensión de la ejecución, como su distinta ubicación: sección 1ª

---

235 Renart Garcia, F. *La libertad condicional: nuevo régimen jurídico*. Madrid 2003 pág. 218.

236 Nistal Burón, J. "El nuevo régimen jurídico de la libertad condicional en la LO 1/2015 de reforma del Código Penal. De la teoría a praxis penitenciaria" *Revista Aranzadi Doctrinal* 5/2005, pág. 5.

la suspensión de la ejecución, sección 2ª la libertad condicional o sus distintos nombres "suspensión de la ejecución" en el art. 80 CP, "suspensión de la ejecución *del resto de la pena*" en el art. 90 CP.

La regresión y grave perjuicio que se ha producido con esta nueva regulación se refleja claramente en los dos efectos prácticos más relevantes como son, en primer lugar, la pérdida del tiempo cumplido en libertad condicional en caso de revocación, como consecuencia de considerar que en la libertad condicional no hay cumplimiento de pena, sino interrupción y, en segundo lugar, la tasación legal de la duración del tiempo de cumplimiento de la libertad condicional, al margen del tiempo que quede por cumplir, lo que supone en ocasiones una desventaja para el reo, algo llamativo en una figura cuyo objetivo siempre ha sido facilitar la reinserción social.

Este parece ser el objetivo real de la reforma, no abonar a ningún interno el tiempo cumplido en caso de incumplimiento, por eso extenderle características propias de la suspensión, como el plazo tasado, produce muchas contradicciones ya que no es lo mismo que se cumpla este periodo al principio de la ejecución como alternativa al ingreso, que cumplirlo al final como alternativa al mantenimiento del encarcelamiento. Como, además, hasta la fecha no se ha modificado la Ley penitenciaria, el resultado es una gran confusión legislativa y un régimen dual no suficientemente aclarado.

2. MODALIDADES DE LIBERTAD CONDICIONAL

Como consecuencia de las últimas reformas se han ampliado mucho las clases de libertad condicional, en función de los requisitos legales exigidos y de los destinatarios a los que se dirige, hasta alcanzar siete supuestos diferentes:

Libertad condicional ordinaria

Es el supuesto general previsto para quienes cumplan pena de prisión, estén clasificados en tercer grado, observen buena conducta y hayan extinguido tres cuartas partes de la condena. La supresión de la necesidad de pronóstico favorable de reinserción social emitido en el informe final previsto en el art. 67 de la LOGP ha sido una de las novedades más criticadas.

Libertad condicional adelantada

Permite conceder la libertad condicional al cumplir dos tercios de la condena si se han desarrollado actividades laborales, culturales u ocupacionales de forma continuada o con un aprovechamiento que mejore sus circunstancias personales relacionadas con el delito, sin ser necesario como antes que sea de carácter excepcional, lo que es más flexible que el texto anterior ya que la continuidad no siempre depende de la voluntad del interno. En este caso sigue siendo necesario estar clasificado en tercer grado y observar buena conducta.

Este supuesto vino a sustituir los efectos de la desaparecida redención de penas por el trabajo, con el fin de valorar la participación de los internos no sólo en actividades laborales sino también en las de tipo cultural para que no desapareciera el estímulo que tiene para los mismos la ocupación del tiempo libre en la ejecución de la pena; la gran diferencia es que antes el trabajo reducía la duración real de la condena judicial y aquí solo permite adelantar la libertad condicional, sin alterar para nada la fecha de finalización de la condena. Para ello se establece un sistema de evaluación continuada de las actividades de los internos con el fin de ser valorado a efectos de la concesión de este beneficio.

De esta modalidad de adelantamiento de la libertad condicional quedan excluidos los condenados por terrorismo o por delitos cometidos en el seno de organizaciones criminales, lo que es una manifestación del trato diferenciado que reciben este tipo de delitos en la ejecución penitenciaria.

Adelantamiento extraordinario

Una vez se haya cumplido la mitad de la condena, el plazo de dos tercios del supuesto anterior se puede adelantar noventa días por cada año de cumplimiento. En este caso son necesarios los mismos requisitos del supuesto anterior, exigiendo que la participación en las actividades sea continuada[237] y, además, que se acredite en el condenado

237 Aunque el adelantamiento cualificado justifica la necesidad de continuidad en las actividades, si no fuera continuada, Nistal propone adelantar menos días por año, en proporción al tiempo de duración de la actividad. Nistal Burón, J. "El nuevo régimen jurídico de la libertad condicional en la LO 1/2015de reforma del

la participación efectiva en programas de reparación a las víctimas, tratamiento o desintoxicación. La propuesta partirá de Instituciones Penitenciarias, con informe del Ministerio Fiscal y demás partes, y será concedida como el resto de supuestos por el Juez de vigilancia.

Al igual que el supuesto anterior quedan excluidos de esta modalidad los condenados por terrorismo o por delitos cometidos en el seno de organizaciones criminales.

Libertad condicional para primarios que cumplan penas inferiores a tres años

Es un supuesto nuevo y bien recibido ya que permite obtener la libertad condicional antes del cumplimiento de las tres cuartas partes de la condena si se trata de primarios con penas cortas, lo que flexibiliza la excesiva rigidez de esta figura y facilita su concesión con condiciones menos estrictas, el problema, sin embargo, es el desajuste entre el tiempo que quede por cumplir y el tiempo mínimo de libertad condicional que puede no ser favorable para el sujeto.

En esta modalidad se podrá conceder la libertad condicional al extinguir la mitad de la condena a quienes cumplan su primera condena de prisión si no supera los tres años, siempre que no hayan sido condenados por un delito contra la libertad e indemnidad sexual; la necesidad de que sea primera pena de prisión cumplida no debe incluir las penas suspendidas ya que parece referirse a un primer ingreso en prisión. Para ello será necesario estar clasificado en tercer grado, haber observado buena conducta y haber desarrollado actividades laborales, culturales u ocupacionales de forma continuada o con un aprovechamiento que mejore sus circunstancias personales relacionadas con el delito.

Libertad condicional para septuagenarios y enfermos muy graves

En esta modalidad rigen los mismos requisitos del art. 90 CP, salvo los distintos límites temporales, es decir, no rige ni las tres cuartas partes, ni los dos tercios, ni la mitad de la condena, pero sí el resto de requisitos por la referencia directa a los apartados 4.5 y 6 del art. 90.

Código Penal. De la teoría a la praxis penitenciaria" *Revista Aranzadi Doctrinal* 5/2015, pág. 7.

Por atender a razones de humanidad y dignidad personal tampoco rige el periodo de seguridad para cumplir el requisito de la clasificación en tercer grado (aprobado por unanimidad en la reunión de los JV en 2018).

Para su concesión se valorarán las circunstancias personales, la dificultad para delinquir y la escasa peligrosidad del sujeto[238] y rigen el resto de normas comunes a la libertad condicional: posibilidad de reglas de conducta, causas de revocación...

En el caso de la edad, se dirige a quienes hayan cumplido setenta años o los cumplan durante el cumplimiento de la condena, para ello se ha de acreditar la edad del interno mediante certificado de nacimiento o, en su defecto, cualquier medio de prueba admitido en derecho. Son motivos humanitarios y de dignidad personal los que justifican tal excepción a los límites temporales de la libertad condicional para los casos en los que, dado lo avanzado de la edad, no haya necesidad de pena, ni razones de prevención general y especial que desaconsejen evitar la estancia efectiva en prisión.

En el caso de enfermedad va dirigido a los enfermos muy graves con padecimientos incurables[239] acreditado por los informes médicos que el Juez de vigilancia estime necesarios. La excarcelación no puede dar lugar a un abandono pues la finalidad es la de un tratamiento alternativo más humano que el carcelario, por ello la asistencia sanitaria debe quedar garantizada, de la misma manera tampoco se ha de identificar con estado preagónico, inminente y terminal lo que le apartaría de la finalidad humanitaria, en este sentido no hace falta que la estancia en la cárcel vaya a empeorar la enfermedad, bastando con que el encarcelamiento incida desfavorablemente en su evolución. En la tramitación de esta solicitud, si el enfermo carece de vínculo o apoyo familiar ha de constar la admisión por alguna institución de

---

[238] Algo contradictorio con la finalidad humanitaria según Chaves Pedrón, C. "Reforma del art. 92 del CP. Competencias del Juez de Vigilancia en la excarcelación de septuagenarios y enfermos muy graves" *Iustel.com RGDP* nº 4 noviembre 2005 pág. 7.

[239] Sobre los criterios de excarcelación en internos infectados por VIH Sánchez Yllera, I. en *Comentarios al CP de 1995* coord. por T. Vives Antón Vol. I Valencia 1006 pág. 469-470 CP.

acogida, lo que aconseja la creación de unidades extrapenitenciarias para enfermos terminales carentes de recursos.

Como novedad, si el peligro para la vida es patente por estar acreditado por informe médico, el Juez o Tribunal, se entiende Juez de Vigilancia en general y Tribunal sentenciador en prisión permanente revisable, podrá conceder la libertad condicional sin más trámite que pedir al centro penitenciario el informe pronóstico final, es decir, sin necesidad de más requisitos. El carácter de peligro patente para la vida es interpretado por la Instrucción SGIP 4/2015 de 29 de junio como enfermedad terminal en peligro inminente de muerte, algo mucho más restrictivo que el tenor literal de la expresión utilizada por el legislador.

Libertad condicional en supuestos de terrorismo y delincuencia organizada

Para los internos condenados por terrorismo o por delitos cometidos en el seno de organizaciones criminales, además de los requisitos generales de la libertad condicional ordinaria, se exigirá que el penado muestre signos inequívocos de abandono de los fines y medios de la actividad terrorista y que haya colaborado activamente con las autoridades con los mismos fines y medios de acreditación que para la clasificación en tercer grado. Estos requisitos no deberían ser preceptivos por la presunción de culpabilidad que entrañan y porque entorpecen el estudio personal e individualizado del interno con unas condiciones desproporcionadas y no siempre al alcance del penado[240].

Libertad condicional para condenados por prisión permanente revisable

La prisión permanente revisable tiene un régimen de libertad condicional específico que se aparta de todos los demás supuestos por perseguir como objetivo, no la excarcelación condicionada en la última fase de la condena, sino la comprobación de los requisitos que permiten la finalización de la condena; además, a diferencia del resto

---

240 Roig Torres, M. "Condiciones específicas para acceder a la libertad condicional en los casos de terrorismo y delincuencia organizada. La STEDH del caso Marcello Viola c. Italia" *RGDP* 37, (2022), pág. 33.

de supuestos la concede el Tribunal sentenciador y la revoca el Juez de Vigilancia. Comparte los requisitos del art. 90 CP con unos plazos específicos, mantiene el informe pronóstico final del art. 67 LOGP que puede ser emitido por el centro penitenciario o por los especialistas que señale el Juez y suma los requisitos específicos previstos para terrorismo, que en el caso de cumplimientos prolongados pueden crear situaciones de difícil cumplimiento para el penado[241].

3. REQUISITOS LEGALES

Siguiendo el esquema anterior los requisitos para la concesión de la libertad condicional ordinaria, del que parten todos los demás, se regulan en el art. 90 CP.

a) *que el sujeto se encuentre clasificado en tercer grado*: la redacción de este requisito ha variado en varias ocasiones, ya que antes se refería a estar en el último periodo de la condena, después se sustituyó por estar en tercer grado de tratamiento penitenciario y ahora estar clasificado en tercer grado. Antes servía para justificar que cabía cualquier clasificación inicial salvo la de libertad condicional, a partir de ahora ya no es esa la finalidad, pero tampoco debe entenderse como una opción por la clasificación, no por el tratamiento, ya que ambos están claramente unidos en la legislación penitenciaria.

La necesidad de clasificación previa excluye a los internos preventivos de la libertad condicional, y a las penas en las que no se permita la clasificación, como sucede con la localización permanente.

Es indiferente que la clasificación sea de tercer grado pleno o restringido, ya que al fin y al cabo lo que importa es la garantía de peligrosidad escasa que ofrece el régimen de semilibertad disminuyendo el riesgo de reincidencia.

b) *haber extinguido tres cuartas partes de la pena impuesta*: en el cálculo total de la condena impuesta hay que tener en cuenta las reducciones por redención de penas por el trabajo en internos condenados por el CP anterior, el indulto, si lo ha habido, y los límites concursales.

---

241 Roig Torres, M. "Condiciones específicas..." cit. pág. 34.

Cuando se trata de un indulto, el art. 193.1 RP establece para el cómputo de las tres cuartas partes, que el tiempo de condena indultado se le rebajará al penado del total de la condena impuesta, pasando a ser una nueva pena de menor duración.

En los casos de concursos de delitos hay que atender a la pena única que resulte de la limitación legal que señala el art. 76 CP sean veinte, veinticinco, treinta o cuarenta años, sobre los cuales habrá que calcular las tres cuartas partes de la condena, ya que el resto se extingue; de esto hay que exceptuar los supuestos en los que se haya aplicado el art. 78 CP que permite realizar el cálculo sobre la totalidad de las penas impuestas. La limitación concursal del Código Penal se refiere a supuestos en los que se haya apreciado la acumulación de condenas, en el resto de supuestos en los que no quepa la acumulación y las penas vayan a cumplirse sucesivamente, el art. 193.2 RP establece la unidad de ejecución, con lo cual la suma de todas ellas, a través de la refundición, se considera como una sola condena a efectos de la libertad condicional[242].

Cuando el interno esté cumpliendo dos o más condenas de privación de libertad, el centro ha de realizar el enlace entre todas ellas de manera que cada una tenga como fecha de inicio el día siguiente al de la extinción de la anterior, ya que se ha de evitar el licenciamiento de una causa si tiene pendiente de cumplimiento otras por los perjuicios que le causa al reo cumplir las penas individual y sucesivamente una detrás de otra, en relación a los plazos temporales para la obtención de permisos y libertad condicional. Con estos datos se realiza la refundición de todas ellas en la que conste la suma total, los abonos por prisión preventiva o indulto y la fecha de inicio y fin de cumplimiento, con el objeto de formular los cálculos de una cuarta parte de la condena para obtención de permisos, dos tercios y tres cuartas partes para libertad condicional, y la mitad de la condena para el tercer grado.

c) *que se haya observado buena conducta:* la observancia de buena conducta no es intachable conducta, ni puede confundirse con un concepto moralizante de comportamiento exquisito, por eso equipa-

---

242 La acumulación como límite de cumplimiento de la pena del art. 76 CP se ha de distinguir de la refundición de condenas para la libertad condicional del art. 193.2 RP, lo que frecuentemente suele ser confundido.

rarlo a la ausencia de infracciones disciplinarias graves arrastra una regulación desfasada y técnicamente incorrecta[243], que ya se ha corregido en el caso de los permisos de salida con la STS 859/2019 de 8 de marzo. Por ello lo adecuado es entender buena conducta penitenciaria como ausencia de incidencias relevantes que permitan entender que el sujeto va a disfrutar de este periodo de la pena sin cometer nuevos delitos y cumpliendo con las condiciones impuestas.

Este requisito ha sufrido varias modificaciones ya que antes se desglosaba en dos, luego se unificó, y ahora se ha reducido al suprimir la necesidad de pronóstico individualizado y favorable de reinserción social y recoger en su lugar una serie de criterios que reflejen baja peligrosidad a valorar por el Juez de Vigilancia.

Un requisito adicional es el pago de la responsabilidad civil en los términos del art. 76.5 y 6 LOGP para el tercer grado, lo que puede resultar innecesario y reiterativo ya que la clasificación en este grado es necesaria para alcanzar la libertad condicional. Es verdad que las circunstancias pueden haber cambiado, o que el compromiso adquirido en tercer grado puede no haberse cumplido, pero para ello el art. 90.4 CP ya recoge como causa de denegación no cumplir el compromiso de pago de la responsabilidad civil conforme a su capacidad económica. Especialmente importante ha sido la STS 50/2018 de 2 de febrero de casación por unificación de doctrina que estableció que a los liberados condicionales no se les puede exigir el pago de la responsabilidad civil cuando sus ingresos sean inferiores al salario mínimo interprofesional.

4. PROCEDIMIENTO Y REVOCACIÓN

4.1. *Criterios de concesión y posibilidad de prohibiciones y deberes*

El procedimiento de obtención de la libertad condicional viene regulado en el art. 194 RP siguiendo el enfoque penitenciario de posibilitar el último periodo de la condena en libertad, por ello, aunque su concesión siga siendo competencia del Juez de Vigilancia, su natu-

---

243 Renart García, F. *La libertad condicional...* cit. pág. 115.

raleza de pena suspendida exige una adaptación de estas normas a la nueva regulación. De momento se puede contar con lo señalado en la Instrucción SGIP 4/2015 de 29 de junio donde se recoge el procedimiento a seguir en la incoación del expediente de libertad condicional, lo que no impide que sea necesaria su regulación legal o reglamentaria.

Establece el Código Penal que el expediente de suspensión de la ejecución del resto de la pena y concesión de la libertad condicional se iniciará de oficio a petición del penado[244], lo que supone que si reúne los requisitos objetivos se valorará si el pronóstico es favorable, en cuyo caso se trasladará al Juez de Vigilancia, y si no lo es, se le notificará al interno informándole de la posibilidad de recurrir ante el Juez de Vigilancia; de no reunir siquiera los requisitos objetivos, no se iniciará el expediente, pero se informará al Juez de Vigilancia. De no concederse podrá fijarse un plazo de seis meses prorrogable hasta un año para poder volver a plantearlo. Como novedad del Estatuto de la víctima de 2015, las víctimas podrán recurrir la concesión de la libertad condicional en penas de más de cinco años en una serie de delitos señalados en el art. 36.2 CP y en el art. 13.a) del mismo Estatuto de la víctima.

Para la concesión de la libertad condicional, según añade el art. 90 CP, el Juez de Vigilancia valorará la personalidad del penado, sus antecedentes, las circunstancias del delito cometido, la relevancia de los bienes jurídicos que pudieran verse afectados por la reiteración delictiva, su conducta durante el cumplimiento de la condena, sus circunstancias familiares y sociales, y los efectos que quepa esperar de la propia suspensión de la ejecución y del cumplimiento de las medidas impuestas. Para ello se podrá valer de informes de expertos y del centro penitenciario sin carácter vinculante, lo que en este último caso resulta necesario en diversas variables como su conducta en el centro, por ello la Instrucción SGIP 4/2015 de 29 de junio decidió mantener el informe final previsto en el art. 67 LOGP por su no derogación y por el deber de colaboración con los órganos judiciales.

---

244 Aunque la expresión "de oficio a petición del penado es contradictoria, parece que pasa a ser decisión del penado solicitarla o no, quizá ante la posibilidad de su renuncia si no le es favorable.

Por su parte, también se señala un listado de supuestos que pueden dar lugar a la no concesión como dar información inexacta o insuficiente sobre el paradero de los bienes decomisados, no cumplir el compromiso de pago de la responsabilidad civil, facilitar información inexacta sobre su patrimonio, así como cuando no cumpla las responsabilidades pecuniarias o no repare los daños producidos a la Administración pública. Como se puede observar el peso de todo ello recae sobre los aspectos patrimoniales del delito y no sobre las circunstancias personales del sujeto que puedan aconsejar la libertad condicional.

La concesión puede ir acompañada de cualquiera de las reglas recogidas en el art. 83 CP para la suspensión de la ejecución, actualmente denominadas prohibiciones o deberes, en cuya elección se cuenta con la opinión de la víctima. Su cumplimiento es muy flexible al permitir imponer nuevas, modificar las impuestas o alzarlas, sin más referencia que la modificación de las circunstancias valoradas, algo insuficiente cuando se trata de añadir una carga punitiva a la libertad condicional. No obstante, como la remisión es a la totalidad de las normas del art. 83 CP serán extensibles los criterios allí imperantes de imponerlas sólo si son necesarias para evitar el peligro de comisión de nuevos delitos, que no sean excesivas ni desproporcionadas, la específica obligatoriedad en delitos sobre la mujer, así como las referencias al control y seguimiento de las reglas.

Como esta nueva regulación de la libertad condicional es menos favorable que la anterior, con su entrada en vigor se abrió la misma discusión que en su día se hizo con el periodo de seguridad, para determinar si se debe aplicar a partir de su entrada en vigor en todo caso, o si, a quienes ya estén cumpliendo condena se les respeta el sistema de libertad condicional anterior a la reforma. Las opiniones han sido muy similares a las de entonces, la SGIP en su Instrucción 4/2015 de 29 de junio entendió que los expedientes ya iniciados debían continuar con el sistema anterior y los nuevos quedar bajo la nueva normativa y la Instrucción 3/2015 de los Servicios penitenciarios de Cataluña, al igual que ya hiciera respecto al periodo de seguridad, entendió lo contrario por ser desfavorable para el reo, en la línea de lo expresado en la STS 12.6.2006 para el periodo de seguridad. En la actualidad, ya se dispone de criterio de unificación de doctrina casacional con la STS 425/2022 de 29 de abril que dispuso que la libertad condicional debe regirse por la legislación vigente en la fecha en la que se perpetraron los delitos comprendidos en la ejecutoria.

4.2. Plazos

En la concesión se determinará el plazo de libertad condicional, en los términos actuales, de suspensión de la ejecución, que puede oscilar entre dos y cinco años, sin que en ningún caso sea inferior al tiempo de pena que queda por cumplir. Esta previsión tasada del periodo de libertad condicional provoca numerosos problemas de interpretación porque parte de la naturaleza de la libertad condicional como un periodo a prueba similar al de la suspensión, pero olvida que se trata del final del cumplimiento de una pena en fase de ejecución, no impedir su inicio y, con ello, que la pena tiene ya su duración fijada en la sentencia. Además, al contar la libertad condicional entre sus requisitos legales con la necesidad de un periodo determinado de cumplimiento de la pena, tres cuartas partes en el supuesto general con sus excepciones, se pueden dar numerosas contradicciones porque puede suceder vgr. que una vez cumplidas las tres cuartas partes de la condena, quede por cumplir menos de dos años o más de cinco años.

Esto ha dado lugar a varias opiniones que tratan de salvar estas contradicciones afirmando que su sentido es ayudar al Juez a modular el periodo de libertad condicional teniendo en cuenta siempre la condena pendiente, con el límite de que la libertad condicional nunca dure menos que el periodo de tiempo que quede por cumplir. El problema es que si quedan más de cinco años por cumplir sólo se podrá conceder cuando queden cinco para que no supere el límite legal (en una pena de veinticuatro años, podrían ser los seis últimos en libertad condicional ordinaria, pero el Código Penal sólo permite que sean los cinco últimos) y, si queda menos de dos años por cumplir, no se podrá conceder la libertad condicional por el ser el mínimo legal, salvo que se admita que el periodo de libertad condicional pueda durar más tiempo del que queda por cumplir de la pena.

Esto significa que son dos los problemas a resolver: a) conciliar la colisión entre los límites proporcionales del art. 90 CP y el límite fijo del art. 90.5 CP y b) decidir si la indicación de que el tiempo de libertad condicional no sea inferior a la duración de la condena pendiente implica entender que sí que puede ser mayor.

El art. 90 CP recoge entre los requisitos legales de la libertad condicional haber cumplido una parte de la pena en proporción a su duración total, tres cuartas partes de la condena en el supuesto ordinario y dos tercios y la mitad de la condena en los excepcionales, lo que tiene sentido en la concepción original de la libertad condicional como último periodo de la condena, por ello incluir un nuevo límite fijo de duración de la libertad condicional sin haber modificado lo anterior da lugar a las contradicciones antes señaladas, especialmente porque el límite fijo se corrige con una referencia proporcional; de esta manera, en ocasiones si prevalece el limite fijo, el proporcional no se respeta, y si prevalece el proporcional, el fijo no se puede cumplir.

En efecto, al señalar el Código Penal que la libertad condicional no podrá tener una duración menor a dos años ni mayor de cinco años, en aquellas ocasiones en las que el periodo que quede por cumplir después de los periodos legales sea inferior a dos años, no será posible obtenerla al no llegar al mínimo legal. Esto ocurre siempre en el supuesto para primarios donde la mitad de la pena de tres años no alcanza ese mínimo[245] y en otros casos donde, después de cumplir los plazos legales, queden menos de dos años por cumplir, por ejemplo, en una pena de cuatro años de duración las tres cuartas partes se darán una vez haya cumplido tres años, lo que tampoco da el mínimo de dos años para la libertad condicional que establece el Código Penal. Hay quien propone como solución que el periodo de libertad condicional pueda ser mayor que la pena que queda por cumplir, y si no le interesa al interno que renuncie, lo que no parece adecuado, ni riguroso.

Si la pena fuera más larga este problema no existe, pero puede suceder que imponiendo este mínimo legal de dos años al sujeto le queden por cumplir más años, por ejemplo, en una pena de doce años de prisión le podría corresponder la libertad condicional a los nueve años y le restaría tres por cumplir, si se le concede la libertad condicional por dos años queda uno fuera de la libertad condicional produciendo un desajuste; para evitar esto el Código Penal exige que en

---

245 Mata y Martín, R. "Ámbitos de la ejecución penitenciaria afectados por la reforma del Código Penal. A propósito de la LO 1/2015" *Diario La Ley* nº 8713 pág. 16.

todo caso el plazo de suspensión de la ejecución y libertad condicional no podrá ser inferior a la duración de la parte de la pena pendiente de cumplimiento, en ese caso tres años.

Si nos fijamos en el límite máximo se vuelve a plantear el mismo problema pero a la inversa, es decir, primero hay que señalar que el plazo máximo de libertad condicional puede ser de cinco años, por tanto en cualquier pena que lo que le quede por cumplir después de las tres cuartas partes o dos tercios de la condena no supere esa cifra no hay problema, por ejemplo, en una pena de veinte años de prisión una vez se cumplan quince se podrán conceder cinco años de libertad condicional ordinaria, pero en este caso como mínimo y cómo máximo, menos no puede ser porque sería inferior al tiempo que queda por cumplir, pero más tampoco porque cinco es el plazo máximo.

Esto ha hecho pensar si el plazo de cinco años establecido por el legislador puede ser superado, lo que se ratifica por la falta de una expresión similar a la empleada para el tope mínimo, de esta manera podría superarse precisamente porque el tiempo que queda por cumplir sea mayor de esa cifra pero no supere el total de la condena, por ejemplo, en una pena de veinticuatro años de prisión aunque las tres cuartas partes se dan a lo dieciocho años de cumplimiento cuando queden seis por cumplir, no habría problema para cumplir ese periodo restante integro en libertad condicional, aunque supere los cinco años. Esta es la solución adoptada por los Jueces de Vigilancia en su reunión de septiembre de 2015 al aprobar por mayoría que el plazo nunca puede ser inferior a dos años, pero sí puede ser superior a cinco, cuando el tiempo que quede por cumplir sea mayor.

Cuestión diferente es que superar la extensión de cinco años suponga sobrepasar la duración de la pena impuesta, por ejemplo, en una pena de quince años de prisión conceder una libertad condicional de cinco años cuando se cumplan doce, ya que ello supone prolongar dos años más la duración de la pena impuesta, aplazar el licenciamiento definitivo y posponer los plazos de cancelación de antecedentes penales.

Dicha solución que permite prolongar más allá de cinco años el tiempo de libertad condicional, incluso por encima de la extensión de la pena impuesta, resulta rechazable al suponer una prolongación de la duración de la pena, incompatible con el principio de seguridad jurídica y el de proporcionalidad. Una explicación a esta disfunción puede ser la confirmación de su naturaleza de suspensión en la línea de que la pena suspendida sea de mayor duración que la pena impuesta[246], lo que evidencia el error cometido con el cambio legislativo que desdibuja la libertad condicional, ya que su significado es dar un periodo de prueba a quien ya ha cumplido la mayor parte de su pena en prisión, algo sustancialmente diferente al no ingreso inicial en el que la pena no empezada a cumplir cambia por un periodo mayor de libertad con condiciones.

Para resolver esta problemática de la manera más acorde a los principios penales el periodo de libertad condicional debería tener dos límites de duración: uno fijo, de dos a cinco años, y otro proporcional, ya que no puede ser menor al tiempo que queda por cumplir, por la literalidad del art. 90 CP, pero tampoco superior a la duración de la condena[247], porque de ello se derivaría una prolongación indebida del cumplimiento de la pena de prisión.

Esta novedad que incorpora plazos fijos para la libertad condicional, no sólo le da al Juez de Vigilancia una discrecionalidad para determinar su duración que antes no tenía[248], sino que está provocando que no sea beneficiosa para las condenas cortas o en las que quede por cumplir periodos cortos[249] y, con ello, que los internos opten por mantenerse en tercer grado renunciando a obtener la libertad condicional[250].

La generalización de la pérdida del tiempo cumplido en libertad condicional en caso de incumplimiento, confirma que el legislador ignora que la libertad condicional es una parte del cumplimiento de la pena y considera que es una pena suspendida, lo que desnaturaliza por completo el significado de esta figura en el Derecho español y, de

---

246 Ortega Calderón, J. L. "El nuevo régimen de la libertad condicional en el CP tras la reforma operada por LO 1/2015 de 30 de marzo". *Diario La Ley* nº 8652.

247 Salat Paisal, M. "Libertad condicional" en *Comentarios a la reforma penal de 2015*(Dtor. G. Quintero Olivares), Navarra 2015 pág. 190.

248 Ortega Calderón, J. L. "El nuevo régimen de la libertad condicional ..." cit.

249 La propia SGIP establece la obligación de informar a los internos de la posibilidad de que el periodo de libertad condicional exceda de la duración de la pena restante en la Instrucción SGIP 4/2015 de 29 de junio.

250 Cervelló Donderis, V. *Libertad condicional y sistema penitenciario*, Tirant lo Blanch, Valencia 2015, pág. 104.

seguir siendo así, requerirá la modificación de la Ley Orgánica General Penitenciaria para evitar evidentes contradicciones.

4.3. Condiciones y revocación

Si el sujeto cumple todas las condiciones impuestas durante el plazo de la suspensión, se acuerda la remisión de la pena, y siguiendo al art. 130.1.3° CP con ello se extingue la responsabilidad penal, sin embargo si las incumple hay distintas consecuencias que pueden abarcar desde la revocación al cambio de condiciones.

Para ratificar su naturaleza suspensiva el legislador remite al art. 86 CP donde se recoge un largo listado de causas de revocación de la suspensión de la ejecución de la pena. Todas ellas están pensadas para que la pena suspendida sea merecida y, de lo contrario, cumplir la pena de prisión inicialmente impuesta, por ello, en algunos casos se producen disfunciones al exigirlas al final del cumplimiento de la pena.

Las causas de revocación recogidas en el art. 86 CP son las siguientes:

a) Ser condenado por un delito cometido durante la suspensión que ponga de manifiesto que la expectativa en la que se fundaba la decisión de suspender no se puede mantener. Es importante destacar que no se trata de la comisión y condena por cualquier delito, sino que ha de valorarse que sea un delito que ponga de manifiesto que la expectativa sobre la que se fundaba la suspensión ya no puede ser mantenida, es decir, si es un delito de poca gravedad o sin conexión con el anterior no debería provocar la revocación, vgr. Auto AN de 18.10.2019 que anula la revocación de la libertad condicional por la condena de un nuevo delito por no apreciar un cambio de circunstancias, ni modificado el pronóstico favorable de reinserción social. Si se tratara de hechos anteriores a la libertad condicional no le afectaría por ser compatible estar cumpliendo una pena de prisión y otra suspendida, como es la que se encuentre en libertad condicional (Auto JV Madrid 1 de octubre 2018 y 14 enero 2019.

b) Incumplir grave o reiteradamente las prohibiciones y deberes del art. 83 CP y las prestaciones o medidas del art. 84 CP. Si el incumplimiento no fuera grave o reiterado, las consecuencias son distintas ya que se pueden imponer otras nuevas, modificar las impuestas o prorrogar el plazo de suspensión sin que exceda de la mitad de la duración del plazo inicialmente fijado, lo que evidentemente es más beneficioso que el reingreso en prisión, pero no debería afectar a la prolongación del plazo.

c) Sustraerse al control de los Servicios de gestión de medidas alternativas de la Administración Penitenciaria.

e) Facilitar información inexacta o insuficiente sobre el paradero de bienes u objetos decomisados, no dar cumplimiento al compromiso de pago de las responsabilidades civiles impuestas o facilitar información inexacta o insuficiente sobre su patrimonio.

La mayoría de estas causas de revocación parecen adecuadas porque implican una falta de cumplimiento de los compromisos adquiridos con la libertad condicional, a salvo de la última de ellas que tiene más sentido para rechazar su concesión inicial que para denegar una excarcelación anticipada, de hecho, reproduce la causa de denegación del art. 90.4 CP.

A estas causas de revocación añade una más el art. 90.5 CP, consistente en una ambigua cláusula general referida al cambio de circunstancias que no permitan mantener el pronóstico de falta de peligrosidad, en la línea más discrecional de la reforma que abusa constantemente de referencias a pronósticos de peligrosidad carentes de suficientes garantías y de criterios de concreción. Ejemplo de ello es el Auto JV Huelva de 30.1.2020 que revoca una libertad condicional concedida por padecimiento de enfermedad muy grave por pérdida sobrevendida del pronóstico favorable de reinserción social reflejada en el negativo rendimiento en el programa que seguía en medio abierto.

Las consecuencias de todas ellas es la revocación de la libertad condicional y el reingreso en prisión para ejecutar la pena pendiente de cumplimiento, sin constituir delito de quebrantamiento de condena[251], siendo uno de los puntos más críticos de la reforma establecer como regla general la pérdida del tiempo transcurrido en libertad

---

251 Así lo establece la SAP Barcelona 269/2019 de30 de abril, precisamente alegando que, al tratarse de una suspensión, no de una forma de cumplimiento, la revocación reinicia la ejecución de la pena hasta el momento de su suspensión, incompatible con el delito de quebrantamiento de condena.

condicional en estos casos de revocación, lo que antes se limitaba a delitos de terrorismo. Con ello no sólo se produce una penalización injustificada, sino también una diferencia de trato respecto a las consecuencias de estas mismas causas si el sujeto está en tercer grado, en cuyo caso se procederá a la regresión en la clasificación sin la pérdida del tiempo cumplido[252].

Para proceder a la revocación, el criterio general es que el Juez o Tribunal oiga al Ministerio Fiscal y a las partes, salvo que, para evitar el riesgo de reiteración delictiva, la huida del penado o asegurar la protección a la víctima no sea necesaria esta audiencia, en cuyo caso podrá ordenar el ingreso en prisión de manera inmediata.

5. LIBERTAD CONDICIONAL EN LA PRISIÓN PERMANENTE REVISABLE

La conversión de la libertad condicional en un supuesto de suspensión de la ejecución de la pena es especialmente relevante en la pena de prisión permanente revisable, porque si en la pena de prisión permite suspender el cumplimiento del último periodo en libertad, y para ello así se regula en el art. 90 CP, en el caso de la prisión permanente revisable, se salta esa posibilidad al ser su finalidad el paso hacia la excarcelación definitiva, por más que siga siendo revisable.

El problema es que en el art. 92 CP al recoger como un supuesto específico, el de la *suspensión de la ejecución de la pena de prisión permanente revisable*, aunque exige similares requisitos que la libertad condicional, sólo en su número 3 la vincula a esta figura, cuando en realidad se trata del proceso de revisión necesario para que no acabe siendo una pena perpetua, por ello, en realidad la suspensión de la ejecución de la pena, está operando como una vía de revisión o de finalización de la condena, más que como una excarcelación adelantada. La confusión entre ambos términos se debe entre otras razones, a la importación de la figura de la revisión de otros sistemas donde la libertad condicional no opera, como en España, como la última fase del sistema penitenciario.

---

252 Ortega Calderón, J. L. "El nuevo régimen de la libertad condicional…" cit.

En el resto del art. 90 CP no se señala ninguna referencia a la prisión permanente revisable, por lo tanto, habrá que estar a los requisitos generales y ahí es donde se encuentra dos importantes obstáculos, el primero es que la libertad condicional se regula dentro de la suspensión de la ejecución de la pena de prisión, que en el Código Penal es una pena diferente a la prisión permanente revisable, lo que impide que alcance a esta segunda sanción, salvo que se hubiera incluido una referencia específica, cosa que no se ha hecho. El segundo, es que el cumplimiento de las tres cuartas partes de la condena en una pena que no tiene duración determinada no es posible calcularlo, a salvo que se entiendan como tal los límites previstos para su revisión en el artículo 92.1 CP.

Otras diferencias entre la libertad condicional y el proceso de revisión (impropiamente llamado suspensión de la ejecución) es que éste último es competencia del Tribunal sentenciador, contempla un procedimiento oral contradictorio, admite como criterio el pronóstico favorable de reinserción social y se revisa cada dos años sin duración limitada.

Parece que el legislador ha previsto en el art. 90 CP la libertad condicional de las penas de prisión en general y, por otro lado, la suspensión de la ejecución de la pena de prisión permanente revisable, que en realidad cumple la función de permitir la finalización de esta pena en el art. 92 CP. Con ello se está privando a la prisión permanente revisable de la aplicación de la libertad condicional, teniendo en cuenta que la finalidad de la revisión no es excarcelar anticipadamente, sino permitir la salida de prisión, aunque con condiciones, de una pena que de no revisarse será vitalicia.

Bibliografia: Cervelló Donderis, V. *Libertad condicional y sistema penitenciario*, Tirant lo Blanch, Valencia 2015. **Delgado Carrillo, L.** *Libertad condicional. Revisión crítica y propuestas de mejora desde un enfoque restaurativo y europeísta.* Madrid 2021. **García Albero R.** "La suspensión de la ejecución de las penas" en *Comentarios a la reforma de 2015* Dtor. G. Quintero Olivares, Navarra 2015. **Guisasola Lerma C.** "Libertad condicional" en Comentarios a la reforma del CP de 2015, Dtor. J. L. González Cussac 2ª Ed. Valencia 2015 **Guisasola Lerma C.** *La libertad condicional. Nuevo régimen jurídico conforma a la LO 1/2015 CP* Tirant lo Blanch, Valencia 2017. **Mata y Martín, R.** "Ámbitos de la ejecución penitenciaria afectados por la reforma del Código Penal. A propósito de la LO 1/2015" *Diario La Ley* nº 8713 **Nistal Burón, J.** "El nuevo régimen jurídico de la libertad condicional en la LO 1/2015 de reforma del Código Penal. De la teoría a praxis penitenciaria" *Revista Aranzadi Doctrinal* 5/2005. **Ortega Calderón, J. L.** "El nuevo régimen de la libertad condicional en el CP tras la reforma operada por LO 1/2015 de 30 de marzo". *Diario La Ley* nº 8652. **Rebollo Vargas, R.** "Algunos aspectos de la nueva regulación de la libertad condicional: algo más que conjeturas problemáticas" *RGDP* 26 (2016). **Salat Paisal, M.** "Libertad condicional" en *Comentarios a la reforma penal de 2015*, Dtor. G. Quintero Olivares, Navarra 2015.

Capítulo 15°

BENEFICIOS PENITENCIARIOS

1. Concepto y clases. 2. Adelantamiento de la libertad condicional. 3. Solicitud de indulto. 4. Breve referencia a la redención de penas por el trabajo.

1. CONCEPTO Y CLASES

Los beneficios penitenciarios son mecanismos que persiguen estimular la conducta del interno para contribuir a su reinserción social y mantener un clima positivo de convivencia en el establecimiento.

El art. 35 CP se refiere a los beneficios penitenciarios que supongan acortamiento de la condena, remitiendo su regulación a lo dispuesto en las Leyes y en el Código Penal, lo que obliga a acudir a la legislación penitenciaria. La LOGP no los define, sólo señala en el art. 76 2 c) que corresponderá su aplicación al Juez de Vigilancia, por ello hay que acudir a los arts. 202 y ss. RP donde se definen y enumeran. De esta manera, el art. 202 RP señala que son aquellas medidas que permiten la reducción de la duración de la condena impuesta en sentencia firme o la del tiempo efectivo de internamiento, contemplando como tales en el párrafo segundo el adelantamiento de la libertad condicional y el indulto particular.

Un tercer beneficio penitenciario es la redención de penas por el trabajo regulada en el art. 100 CP de 1973 que derogó el CP de 1995 pero que subsiste mientras haya internos cumpliendo penas con el CP anterior. El Código Penal de 1995 estableció un régimen transitorio para garantizar su continuidad en los cumplimientos conforme al CP anterior y para tenerla en cuenta en la comparación de penas en orden a la retroactividad de la ley penal más favorable.

Esta regulación de beneficios penitenciarios es bastante restringida ya que en el caso del adelantamiento de la libertad condicional el beneficio consiste en la posibilidad de acceder antes a este periodo previo a la libertad definitiva, que es concedido por el Juez de Vigilancia y, en el caso de la solicitud de indulto, el beneficio implica que lo solicite la Junta de Tratamiento a través del Juez de Vigilancia, pero en su caso quién ha de concederlo es el Gobierno, teniendo en cuenta que las otras vías de petición de indulto siguen abiertas a cualquier condenado.

Un beneficio a veces reclamado por la doctrina es la recuperación de la histórica figura de la rebaja de penas[253] por evolución favorable, sin embargo, la suspicacia que despierta cualquier acortamiento de la pena ha impedido cualquier avance en este sentido.

Su mayor problema es la difundida creencia de concesión general e indiscriminada desconocedora de la exigencia legal de concesión individualizada y motivada, lo que ha provocado una severa restricción que excluye, sin excepciones, la aplicación del adelantamiento de la libertad condicional a los supuestos de terrorismo y delitos cometidos en el seno de organizaciones criminales, obstaculizando con ello seriamente las posibilidades de reinserción social de estos internos. Su carácter excepcional, sin embargo, no impide mantener su naturaleza de derecho subjetivo cuando se den los requisitos legales, al igual que sucede con el indulto particular[254].

2. ADELANTAMIENTO DE LA LIBERTAD CONDICIONAL

Se trata de una modalidad de libertad condicional, a la que el Reglamento Penitenciario le reconoce la categoría de beneficio penitenciario. La nueva naturaleza en el Código Penal como suspensión de la ejecución requiere de una adaptación para evitar contradicciones y, de paso, dar cobertura legal a los beneficios penitenciarios por ser insuficiente su tratamiento reglamentario. En virtud del art. 205 RP, la Junta de Tratamiento podrá proponer al Juez de Vigilancia el adelantamiento de la libertad condicional de los penados que se encuentren en las siguientes condiciones:

– que estén clasificados en tercer grado: requisito común con el supuesto general.

---

253 Sanz Delgado, E. *Regresar antes: los beneficios penitenciarios*. Madrid 2007, pág. 45.

254 Sanz Delgado, E. *Regresar antes*... cit. págs. 92 y 112.

– que observen buena conducta: requisito común con el supuesto general.

– que hayan extinguido dos terceras partes de su condena: supone un adelantamiento al periodo temporal de tres cuartas partes previsto para el supuesto general.

– que hayan desarrollado continuadamente actividades laborales, culturales u ocupacionales conforme a lo establecido en el Código penal. Aquí debe entenderse, como ahora señala el Código Penal, que las actividades deben haber sido continuadas o con aprovechamiento que refleje un cambio de las circunstancias personales relacionadas con la actividad delictiva.

En el procedimiento previsto en el Reglamento Penitenciario se añade la necesidad de un pronóstico individualizado y favorable de reinserción social, algo ya no previsto en el Código Penal, pero que puede ser aconsejable que se mantenga en la propuesta que formule la Junta de Tratamiento al Juez de Vigilancia.

Como para el Reglamento Penitenciario se trata de un beneficio penitenciario que valora los factores positivos de la evolución del interno, se da como criterio el análisis de la participación del interno en las actividades educativas, deportivas, culturales y ocupacionales que estén recogidas en el catálogo de actividades programadas por los centros penitenciarios[255] y se asignan teniendo en cuenta sus carencias, necesidades e intereses, así como la realización de programas específicos e individualizados de tratamiento. Trimestralmente se hace una valoración de la participación del interno en puntos, para que en la revisión de grado semestral se puedan evaluar globalmente sus efectos para la concesión de beneficios penitenciarios en función de la asistencia, el esfuerzo y el rendimiento, siendo necesaria una valoración global destacada y/o excelente para que la Junta de tratamiento eleve la propuesta al Juez de Vigilancia.

Finalmente, hay que tener en cuenta que el art. 90.2 CP también permite adelantar este plazo hasta noventa días por cada año transcurrido de cumplimiento efectivo de condena siempre que concurran los siguientes requisitos: haber extinguido ya la mitad de la condena;

---

255 Las propone anualmente la Junta de Tratamiento para que las apruebe el Consejo de Dirección y las ratifique el Centro Directivo.

haber desarrollado continuadamente actividades laborales, ocupacionales o culturales; acreditar la participación efectiva y favorable en programas de reparación a las víctimas o programas de tratamiento o desintoxicación, en su caso. Aunque el Reglamento Penitenciario no la incorpore como tal, la vinculación de esta figura al adelantamiento de la libertad condicional en el art. 90 CP, permite considerarla también beneficio penitenciario, por ello la exclusión de su aplicación a condenados por terrorismo o delitos cometidos en el seno de organizaciones criminales, ha de ser una vez más criticada al no contemplar excepción alguna que les abra la posibilidad de alcanzar este beneficio, mientras tanto, cuando los requisitos sean favorables una opción es conceder el tercer grado con condiciones de cumplimiento similares a la libertad condicional hasta el cumplimiento de las ¾ de la condena, como hizo el Auto del Juzgado Central de Vigilancia Penitenciaria de 11.12.2009.

3. SOLICITUD DE INDULTO

En este caso el beneficio consiste en que sea la Junta de Tratamiento la que proponga el indulto del penado, lo que supone un aval por tratarse de una solicitud profesional sin vínculos personales con el interesado, que es previsible que tenga más facilidades para ser atendida. Para ello el art. 206 RP señala que la Junta de Tratamiento, previa propuesta del Equipo Técnico, podrá solicitar al Juez de Vigilancia que tramite el indulto particular para los penados en quienes concurran las siguientes circunstancias:

– buena conducta: se suele entender con cierta exigencia como ausencia de sanciones, incluso canceladas. Aunque se podría valorar interpretarlo en el reciente sentido jurisprudencial relativo a los permisos de salida, no son exactamente iguales ya que allí se exige ausencia de mala conducta y aquí buena conducta[256].

– desempeño de una actividad laboral normal, dentro o fuera del Establecimiento, que se considere útil para preparar la vida en liber-

---

[256] Solar Calvo, P. "El indulto penitenciario. Una perspectiva práctica" en *Guía práctica…* cit. pág. 666.

tad: se trata de una actividad laboral regular, constante y ordenada, que suponga un medio de vida para la vida en libertad.

– participar en las actividades de reeducación y reinserción social: este es uno de los supuestos que hacen dudar de la voluntariedad del tratamiento, ya que su valoración en este beneficio penitenciario puede suponer una cierta presión en la libertad de rechazar el tratamiento.

Todos estos requisitos deben concurrir de manera continuada y extraordinaria durante un tiempo mínimo de dos años, sin haber inconveniente para que en este plazo se incluyan periodos de preventivo, siempre que el beneficio se proponga como penado, ni ser relevante el grado de clasificación.

Para formular sus propuestas, las Juntas de Tratamiento deberán seguir las pautas recogidas en la Instrucción SGIP 17/2007 de 4 de diciembre sobre el beneficio penitenciario del indulto particular que matizan tanto los requisitos temporales como los valorativos. Respecto a los primeros, el periodo de dos años en los que se deben mantener los requisitos se añade que por cada año solo se podrá proponer el indulto parcial máximo de tres meses y, respecto a los segundos, se establece que la evaluación global de las actividades ha de ser excelente, al menos durante un año, y nunca inferior a destacada.

En la revisión de grado, la Junta de Tratamiento podrá proponer hasta tres meses de indulto por año de cumplimiento en el que se hayan dado estas circunstancias y, si el Juez de Vigilancia lo estima oportuno, tramitará el indulto en la cuantía que sea aconsejable, según el procedimiento de la Ley del ejercicio de la gracia de indulto de 18 de junio de 1870, reformada en 1988 (Ley 1/1988 de 14 de enero).

Hay que tener en cuenta que el carácter de beneficio que ostenta esta figura consistente en la propuesta de solicitud de indulto, no solo no otorga ningún derecho de concesión al interno, sino que deja una gran discrecionalidad para valorar el carácter extraordinario y merecedor del mismo, hasta el punto que cuando se deniega no es infrecuente que se amplíe el período a valorar, se incluyan requisitos no previstos, como la trayectoria delictiva, o se rechace si ya se disfruta de otras figuras como la libertad condicional, pese a que ambas pueden ser compatibles[257].

4. BREVE REFERENCIA A LA REDENCIÓN DE PENAS POR EL TRABAJO

Aunque ya son pocos los internos que siguen cumpliendo condena con el Código penal anterior, es conveniente hacer una breve referencia a la redención de penas por el trabajo regulada en el mismo, no sólo para conocer los efectos perversos que producía, sino también para clarificar su diferencia con las figuras existentes en la actualidad. El Informe General de la Secretaría General de Instituciones Penitenciarias de 2020 se indica que un 0.3% de internos cumplen condena todavía con el Código Penal derogado, lo que corresponde a 113 hombres y 7 mujeres.

El art. 100 del CP de 1944 regulaba esta figura que desarrollaban los arts. 65 a 73 del Reglamento de los Servicios de Prisiones de 1956 destinada a reducir un día de condena por cada dos días de trabajo en prisión. Inicialmente en 1937 se aplicaba exclusivamente a prisioneros de guerra y presos políticos, con el fin de poder reducir sus condenas por los trabajos realizados y, posteriormente, se amplió también a los presos comunes en 1939.

La Disposición Transitoria segunda del CP de 1995 establece que la redención de penas por el trabajo sólo se aplicará a los condenados por el Código Penal derogado y, en ningún caso, a los que se aplique el nuevo Código Penal. Por su parte, la Disposición Transitoria primera del RP además de repetir esta misma afirmación, añade que también se tendrá en cuenta para determinar la ley penal más favorable para el reo, estableciendo para ello una serie de pautas a seguir. Al margen de unos primeros problemas de interpretación[258], se entendió que los

---

[257] Solar Calvo, P. "El indulto penitenciario. Una perspectiva práctica" en Guía práctica... cit. pág. 668.

[258] Las STS 18.7.96 (5920) y STS 13.11.96 (8200) entendieron que los días ganados de redención hasta la entrada en vigor del nuevo Código Penal constituían una situación consolidada que pertenece al patrimonio penitenciario del recluso sin posibilidad de perderse por ser derechos adquiridos, de manera que éstos

sujetos que cometiendo los delitos antes de la entrada en vigor del CP de 1995 fueron juzgados y condenados conforme al CP anterior, a salvo de que les favoreciera el CP de 1995, les alcanzaría la redención de penas por el trabajo, sin embargo, si les favorecía el CP de 1995 se les aplicaría éste íntegramente, es decir, sin redenciones.

Este beneficio penitenciario reducía la condena impuesta por la realización de actividades laborales a los condenados por sentencia firme a penas de Reclusión, Prisión y Arresto Mayor, y también a preventivos desde 1983, de manera que por cada dos días de trabajo se abonaba un día de la condena que se tenía que cumplir. Sin embargo, resultaban excluidos quienes quebrantaran o intentaran quebrantar su condena[259] y quienes reiteradamente observaran mala conducta, entendiendo como tal la comisión de dos faltas graves o muy graves, lo que resultaba criticable por equiparar la consumación y la tentativa del quebrantamiento de condena y añadir la responsabilidad penal y disciplinaria a la pérdida de este beneficio[260].

Un segundo problema es que el Código Penal de 1944 en el art. 100 solo recogía la redención ordinaria, consistente en abonar un día de condena por cada dos de trabajo útil que podía ser retribuido o gratuito, intelectual o manual, dentro o fuera del Establecimiento, pero posteriormente por vía reglamentaria, se terminó optando por considerar como trabajo a efectos de redención a una serie de actividades no estrictamente laborables ni productivas como eran las culturales o intelectuales (estudios, creación literaria o artística...), los destinos o servicios de carácter auxiliar en el Establecimiento (cocina, enfermería...) y la contribución al buen orden y limpieza del centro, e incluso un segundo tipo de redención extraordinaria, cuyo inconveniente insoslayable es que no era recogido por el Código Penal, con lo cual se vulneraba el principio de legalidad por el hecho de que un

---

se debían mantener, y a partir de la aplicación del nuevo Código Penal ya la condena se cumplía íntegra. En el mismo sentido se pronunció la Reunión de Jueces de Vigilancia Penitenciaria de abril de 1996.

259 Los Jueces de Vigilancia exigían sentencia firme de quebrantamiento de condena.

260 Tal proceder fue respaldado por la STC 94/1986 de 8 de julio por entender que afecta a planos distintos: la pena castiga el delito de quebrantamiento de condena y la privación del beneficio es consecuencia del incumplimiento de una condición.

Decreto diera más amplitud a una figura regulada en una Ley. En virtud de tal tipo de redención extraordinaria, el esfuerzo realizado por la donación voluntaria de sangre o el auxilio prestado a las autoridades penitenciarias en situaciones de riesgo se podía valorar hasta un máximo de setenta y cinco días por año efectivo de cumplimiento y, además, según especiales circunstancias de laboriosidad, disciplina y rendimiento en el trabajo se podía abonar un día de redención por cada día de trabajo con un límite de ciento setenta y cinco días por cada año de cumplimiento efectivo de la pena.

La compatibilidad entre redenciones ordinarias y extraordinarias permitía reducciones generales desde un tercio hasta la mitad de la condena, al no haber interrupción por días festivos, enfermedad, bajas maternales o fuerza mayor, además, estas redenciones extraordinarias no eran tan excepcionales, ya que muchos reclusos se beneficiaban de ellas por la amplitud del término especial laboriosidad que permitía incluir en él desde los destinos auxiliares, hasta los trabajos productivos, o la participación en la escuela.

En la década de los 80 esta figura comenzó a caer en descrédito desde el punto de vista doctrinal por su origen histórico vinculado a la contienda civil, su concesión generalizada y el mal uso que se había hecho de ella permitiendo un vaciamiento desproporcionado de la pena, lo que llevó a su desaparición en el Proyecto de Código Penal de 1980, el Anteproyecto de 1983 y finalmente en el CP de 1995.

La importancia que ha tenido esta figura en los últimos años ha sido que ha facilitado la excarcelación de muchos reclusos condenados por terrorismo con el Código Penal anterior, ya que sus elevadísimas condenas se han visto sustancialmente recortadas por el automatismo de la figura, lo que no solo ha producido un gran rechazo social, sino discutibles pronunciamientos jurisprudenciales[261] que realizaban una interpretación forzada y errónea del cálculo del beneficio sobre la totalidad de la condena, probablemente con la finalidad de prolongar la estancia en prisión.

Bibliografía: Fernández Bermejo, D./Medina Díaz, O. "El beneficio penitenciario del adelantamiento de la libertad condicional en España. Análisis histórico-

---

[261] Vid. Referencia a doctrina Parot en cap. 8 epígrafe 3.2 *in fine*.

evolutivo de la institución" *Criminalidad,* vol. 58, nº 1, 2016. **García Arán, M.** "Los nuevos beneficios penitenciarios: una reforma inadvertida" *Revista Jurídica de Cataluña* vol. 82, nº 1, 1983. **Manzanares Samaniego, J. L.** "La redención de penas por el trabajo y su aplicación por los Jueces de Vigilancia" *REP* 236, 1986. **Sanz Delgado, E.** *Regresar antes: los beneficios penitenciarios.* Madrid 2007. **Solar Calvo, P.** "El indulto penitenciario. Una perspectiva práctica" en *Guía práctica de Derecho Penitenciario.* Dtor. J. León Alapont, Wolters Kluwer, Madrid, 2022.

Capítulo 16º

RÉGIMEN DISCIPLINARIO

1. PRINCIPIOS GENERALES DEL PROCEDIMIENTO DISCIPLINARIO

El régimen disciplinario lo constituyen las normas dictadas para mantener la convivencia pacífica en la prisión, cuya transgresión, formada por las infracciones disciplinarias, conlleva como consecuencia la aplicación de las correspondientes sanciones.

Mantener la disciplina es necesario en un centro penitenciario, como dispone el art. 41 LOGP al destacar como fines del régimen disciplinario garantizar la seguridad y conseguir una convivencia ordenada. Tales fines de disciplina y seguridad no son absolutos, sino que se encuentran condicionados a la organización de la vida comunitaria, a la protección de los bienes jurídicos de los internos y a los objetivos del tratamiento. En este último sentido, el art. 231 RP pretende que se estimule el sentido de responsabilidad y la capacidad de autocontrol.

Aunque el art. 231.2 RP establezca que el régimen disciplinario rige para todos los internos, cualquiera que sea su situación penitenciaria, es decir, preventivos o penados, tanto dentro como fuera del Establecimiento, durante un traslado, se encuentren de permisos o disfruten de salidas autorizadas, la finalidad de asegurar la convivencia interna del centro a la que se refiere el art. 41 LOGP exige limitarlo a los que se encuentran en su interior y excluir a los que se encuentren en el exterior por permisos, conducción o excarcelación, como vienen señalando los Jueces de Vigilancia, vgr. en Auto JV Zaragoza 3.2.2010 y se recoge en la Orden de servicios 1/2019 de 24 de enero[262]. Además, del régimen disciplinario se exceptúa a los internos de las unidades psiquiátricas, art. 188.4 RP, a los que no se les aplica con independencia de que por escasez de plazas se encuentren en centros ordinarios.

La potestad sancionadora de la Administración queda sujeta con matices a los mismos principios informadores del Derecho Penal al compartir su naturaleza de Derecho sancionador. Estos principios que van a regir son los de legalidad, tipicidad, *ne bis in idem*, culpabilidad, proporcionalidad, así como garantías procesales, tales como el derecho de defensa o el derecho de interponer recursos.

1.1. Principio de legalidad

El principio de legalidad en el Derecho sancionador exige que tanto el presupuesto como la consecuencia de una infracción estén contemplados en una ley como exigencia de seguridad jurídica, de este modo los ciudadanos pueden conocer con anterioridad las conductas prohibidas y sus sanciones, siempre que se trate de una ley general, con un rango suficiente que garantice esos fines colectivos. En virtud del art. 81 de la Constitución se entiende que las normas que afectan al desarrollo de los derechos fundamentales y las libertades públicas han de ser leyes orgánicas y, en consecuencia, las normas sancionadoras han de revestir tal cualidad.

La LOGP, sin embargo, se centra en recoger las sanciones disciplinarias que se pueden imponer descritas en el art. 42.2, limitándose a señalar que las infracciones se clasificarán en faltas graves, muy graves y leves y que los internos serán corregidos disciplinariamente en los casos establecidos en el Reglamento. Tal llamativa vulneración de la reserva de ley ha sido justificada por el Tribunal Constitucional en virtud de la relación de sujeción especial que expresa una capacidad de autoordenación de la Administración, STC 2/1987 de 21 de enero. Además, el catálogo de infracciones ni siquiera viene contemplado en el Reglamento de 1996, sino que se ha dejado vigente los arts. 108

262 Solar Calvo, P. "Consecuencias penitenciarias de la relación especial de sujeción. Por un necesario cambio de paradigma" *ADPCP* vol. LXXII, 2019, pág. 788.

a 111 del Reglamento de 1981, desaprovechando las reformas de la LOGP de 1995 y 2003 para incluirlas en la norma adecuada.

Un importante avance, sin embargo, es la mención expresa en el art. 232.3 RP 1996 de la prohibición de la aplicación analógica, lo que supone impedir la imposición de sanciones por hechos similares a los definidos reglamentariamente y la obligación de ajustarse taxativamente a la ley.

Por respeto al principio de legalidad, las restricciones regimentales impuestas por el centro por motivos de seguridad no pueden coincidir con las sanciones previstas legalmente, ni con los medios coercitivos ya que no gozan de las mismas garantías, lo que supone una referencia clara al art. 75.1 RP que recoge limitaciones regimentales que sólo necesitan autorización del Director y que carecen de límites temporales, debiéndose exigir una aplicación restrictiva, especialmente cuando se impone de oficio y no a petición del interno. Por este motivo, el Auto JV Madrid 2.2.2009 y Auto JV Madrid 30.7.2010, como muchos otros, anularon aislamientos impuestos por este precepto reglamentario, sin previo expediente sancionador, ni límite máximo de catorce días, posibilidad también mantenida por la XVII reunión de JV de 2008 al declarar que sólo se pueden imponer como limitaciones regimentales del art. 75.1 RP aquellas no previstas como sanción en el art. 233 RP.

1.2. Principio de culpabilidad

El RP de 1996 incluye una referencia expresa a la culpabilidad de los responsables en el art. 234, al mencionar los criterios a tener en cuenta para seleccionar la clase y duración de las sanciones, lo que puede ser extensible a la determinación de la responsabilidad.

Esto significa tener en cuenta los distintos planos de la culpabilidad:

– la imputabilidad como capacidad de reproche exige tener la capacidad mínima para entender la ilicitud de su conducta o actuar en consecuencia, lo que se entiende ausente cuando en el momento de la infracción el individuo se encuentra bajo un estado de intoxicación plena por la ingestión de alcohol o drogas tóxicas, padezca anomalía psíquica o trastorno mental transitorio o alteraciones en la percepción.

– el grado de voluntad, exige comprobar la presencia de dolo o imprudencia en la infracción cometida, lo que no sucede cuando se debe a un accidente fortuito, al desconocimiento de los hechos o de su ilicitud, o se deriva de responsabilidad objetiva ya que ha de tratarse de una responsabilidad individual de reproche.

– no debe de haber motivos que puedan hacer inexigible una conducta distinta a la realizada, como pueda ser una situación de miedo insuperable.

1.3. Principio de proporcionalidad

Como expresión de última ratio, el principio de proporcionalidad exige acudir a la sanción cuando sea necesario e imprescindible para la tutela del orden violado y siempre con la gravedad correspondiente a la entidad de los hechos ilícitos.

En relación a la necesidad, se ha de tener en cuenta que el art. 43.2 LOGP y el art. 255 RP permiten la suspensión de la efectividad de la sanción de aislamiento por distintos motivos, en el caso de la Ley se refiere más bien a un aplazamiento, sin embargo, en el Reglamento al vincularlo a la reeducación y reinserción permite pensar en un levantamiento que puede llevar a una reducción de la sanción, todo ello confirma el carácter de flexibilidad que ha de tener en la actualidad cualquier norma sancionadora.

En cuanto a la proporcionalidad como medida de la sanción a imponer es exigida en el art. 234 RP no sólo en lo relativo a los daños y perjuicios causados, sino también teniendo en cuenta el grado de ejecución alcanzado en los hechos y el de participación del interno en los mismos, lo que sin duda va a permitir individualizar mejor la sanción a la gravedad global de los hechos.

1.4. Principio ne bis in idem

De cada hecho ilícito sólo puede derivar una sanción cuando hay identidad de sujeto, hecho y fundamento jurídico (STC 2/1981 de 30 de enero). Para que de una sola conducta pueda derivar tanto responsabilidad penal como disciplinaria, por ser constitutiva tanto de infracción delictiva como disciplinaria, se ha de tener en cuenta la vulneración de distintos bienes jurídicos que permitan la doble sanción, de lo contrario se estará vulnerando el principio *ne bis in idem*.

Esto significa que si la actuación de un recluso es constitutiva de delito y, al mismo tiempo, lo es también de infracción disciplinaria, no podrá dar lugar conjuntamente a la imposición de una sanción penal y de una sanción disciplinaria, salvo que con esa única conducta sean dos los bienes jurídicos vulnerados y, por tanto, haya doble fundamento, ya que tanto en Derecho Penal como en Derecho Administrativo se protegen intereses generales, al no haber intereses particulares propios de la Administración, sino únicamente los que interesan a la colectividad.

Esto complica la diferencia en ciertos supuestos que el Código Penal como el Reglamento Penitenciario de 1981 consideran respectivamente infracciones delictivas y disciplinarias, es el caso de las lesiones, injurias, coacciones, daños... en ellos se ha querido salvar el respeto al principio *ne bis in idem* con la exigencia en el art. 232.4 RP 1996 de que sólo se podrá acumular una sanción disciplinaria a un hecho constitutivo de delito si el fundamento de la sanción es la seguridad y buen orden regimental. Ejemplo de ello es la STC 188/2005 de 7 de julio al manifestar que, para imponer una sanción disciplinaria a una conducta que ya fue objeto de condena penal, es indispensable que el interés jurídicamente protegido sea distinto y que la sanción sea proporcionada a esa protección.

Esta novedad del RP de 1996 quiere evitar la generalidad de la doble sanción que antes era autorizada por el Tribunal Constitucional bajo el argumento de la relación de sujeción especial, pero exige ser convenientemente motivado, teniendo en cuenta las dificultades que puede presentar la objetivación de un concepto tan discrecional.

En los casos en que quepa la doble sanción por ser el hecho constitutivo de delito, se comunica al Ministerio Fiscal y a la Autoridad Judicial para que inicien las diligencias de investigación (art. 284 LECR), ya que la Administración ha de esperar a que se pronuncien los Tribunales, respetar los hechos probados y someterse, en su caso, al control judicial. Tal exigencia no se respeta ante la posibilidad de la ejecución inmediata de la sanción que prevé el art. 44.3 LOGP y desarrolla el art. 252 RP ya que casi todos los supuestos en los que se permite no esperar al previo pronunciamiento judicial, son también constitutivos de delito[263].

1.5. *Garantías procesales: especial mención al derecho de asistencia jurídica*

Desde la STC 18/1982 de 18 de junio se entiende que las garantías procesales del art. 24.2 de la Constitución son aplicables en el seno del proceso penal y también en los procedimientos administrativos sancionadores. Por eso en el procedimiento disciplinario penitenciario han de regir los principios y garantías propios del proceso penal como el derecho a la tutela judicial, el derecho de defensa, el derecho de presunción de inocencia[264] o el derecho de asistencia jurídica.

Para cumplimentar el derecho de defensa el art. 242 RP i) establece que el interno podrá asesorarse por letrado, funcionario o cualquier persona que designe, si bien hay que tener en cuenta que se trata de una intervención letrada potestativa y no obligatoria, que se limita a la redacción del pliego de descargos, sin permitirse la presencia física del letrado en la Comisión Disciplinaria. De esta manera, pese a que en la aplicación de sanciones penitenciarias la asistencia jurídica tiene un especial rigor por la libertad ya restringida del recluso, no le alcanza el beneficio de justicia gratuita, por limitarse ésta a los procesos judiciales sin extenderse a los administrativos, como declaran la STC 83/1997 de 22 de abril y STC 42/2008 de 10 de marzo.

Asimismo, como el turno de oficio en la fase de ejecución sólo alcanza a las cuestiones jurídico-penales, sin incluir las estrictamente penitenciarias, los Servicios de orientación jurídica (SOJ) de los Colegios de Abogados se ocupan de garantizar el asesoramiento jurídico de los internos en los mismos centros penitenciarios con el fin de que los reclusos puedan realizar consultas sobre cualquier tema jurídico. Esta solución pretende paliar el abandono legal en que queda el condenado tras la firmeza de la sentencia, para atender las incidencias

263 De Solá Dueñas, A. "Principio *non bis in idem* y sanciones penitenciarias en el Ordenamiento penitenciario". *Revista Jurídica de Cataluña* 1989 nº4 pág. 975.

264 STC 66/2207 de 27 de marzo.

jurídicas que pueden surgir en prisión dada su gran trascendencia en el cumplimiento de la pena como pueda ser todo lo relativo a libertad condicional, beneficios penitenciarios, sanciones o clasificación...[265], siendo necesario que reciban el máximo apoyo económico e institucional con el fin de no debilitar un asesoramiento jurídico imprescindible para los internos.

2. INFRACCIONES PENITENCIARIAS

2.1. Clases

El RP de 1996 deja vigentes las infracciones que recogía el RP de 1981 en sus art. 108 a 111. Éstas se dividen en las siguientes:

Faltas muy graves (art. 108):

a) participar en motines, plantes o desordenes colectivos, o instigar a los mismos si éstos se hubieran producido.

b) agredir, amenazar o coaccionar a cualesquiera personas dentro del Establecimiento o a las autoridades o funcionarios judiciales o de Instituciones Penitenciarias, tanto dentro como fuera del Establecimiento, si el interno hubiera salido con causa justificada durante su internamiento y aquellos se hallaren en el ejercicio de sus cargos, o con ocasión de ellos.

c) agredir o hacer objeto de coacción grave a otros internos.

d) resistencia activa y grave al cumplimiento de las órdenes recibidas de autoridad o funcionario en ejercicio legítimo de sus atribuciones.

e) intentar, facilitar o consumar la evasión.

f) inutilizar deliberadamente las dependencias, materiales o efectos del Establecimiento o las pertenencias de otras personas, causando daños de elevada cuantía.

g) sustracción de materiales o efectos del Establecimiento o de las pertenencias de otras personas.

---

265 Sánchez Yllera, I."Tutela judicial efectiva en prisión" en *Vigilancia penitenciaria* (VI reunión JVP) CGPJ Madrid 1993 pág. 97.

h) divulgación de noticias o datos falsos, con la intención de menoscabar la seguridad del Establecimiento.

i) atentar contra la decencia pública con actos de grave escándalo y trascendencia.

Faltas graves (art. 109):

a) calumniar, injuriar, insultar y faltar gravemente el respeto y consideración debidos a las autoridades, funcionarios y personas del apartado b) del artículo anterior, en las circunstancias y lugares que en el mismo se expresan.

b) desobedecer las órdenes recibidas de autoridades o funcionarios en el ejercicio legítimo de sus atribuciones o resistirse pasivamente a cumplirlas.

c) instigar a otros reclusos a motines, plantes o desórdenes colectivos, sin conseguir ser secundados por éstos.

d) insultar a otros reclusos o maltratarles de obra.

e) inutilizar deliberadamente las dependencias, materiales o efectos del establecimiento o las pertenencias de otras personas causando daños de escasa cuantía, así como causar en los mismos bienes, daños graves por negligencia temeraria.

f) introducir, hacer salir o poseer en el establecimiento objetos que se hallaren prohibidos por las normas de régimen interior.

g) organizar o participar en juegos de suerte, envite o azar, que no se hallaren permitidos en el Establecimiento.

h) divulgar noticias o datos falsos, con la intención de menoscabar la buena marcha regimental del Establecimiento.

i) la embriaguez producida por el abuso de bebidas alcohólicas autorizadas que cause grave perturbación en el Establecimiento o por aquellas que se hayan conseguido o elaborado de forma clandestina, así como el uso de drogas tóxicas, sustancias psicotrópicas o estupefacientes, salvo prescripción facultativa.

Faltas leves (art. 110):

a) faltar levemente la consideración debida a las autoridades, funcionarios y personas del apartado b) del artículo 108 en las circunstancias y lugares que en el mismo se expresan.

b) la desobediencia de las órdenes recibidas de los funcionarios de Instituciones Penitenciarias en ejercicio legítimo de sus atribuciones que no causen alteración de la vida regimental y de la ordenada convivencia.

c) formular reclamaciones sin hacer uso de los cauces establecidos reglamentariamente.

d) hacer uso abusivo y perjudicial de objetos no prohibidos por las normas de régimen interior.

e) causar daños en las dependencias, materiales o efectos del Establecimiento o en las personas por falta de diligencia o cuidado.

f) cualquier otra acción u omisión que implique incumplimiento de los deberes y obligaciones del interno, produzca alteración en la vida regimental y en la ordenada convivencia y no esté comprendida en los supuestos de los arts. 108 y 109, ni en los apartados anteriores de este artículo.

De toda esta extensa lista de faltas se pueden hacer una serie de consideraciones críticas como la no diferencia entre conductas de autoría y de participación, o entre conductas de consumación y actos preparatorios; la abundancia de términos indeterminados (gravedad, cuantía...); la referencia a términos morales; la posibilidad de analogía y la coincidencia con conductas delictivas o con meros incumplimiento formales carentes de lesividad, todo lo cual es consecuencia del desfase de su regulación y la necesidad de su revisión y actualización.

3. SANCIONES PENITENCIARIAS

El art. 42.2 LOGP enumera someramente las distintas sanciones, desarrollando algo más la sanción de aislamiento en sede reglamentaria.

3.1. *Clases*

No existe ningún tipo de clasificación, sino tan sólo una enumeración que, de mayor a menor restricción de derechos, recoge las sanciones que pueden imponerse como consecuencia de la comisión de infracciones disciplinarias.

Las sanciones permitidas son:

a) sanción de aislamiento hasta catorce días, es la única regulada en la LOGP en el art. 43, aunque luego se desarrolla en el Reglamento.

b) aislamiento de hasta siete fines de semana.

c) privación de permisos de salida por un tiempo no superior a dos meses. Esta sanción puede ser de aplicación desigual, ya que no todos los internos los pueden disfrutar y debe aplicar de forma restringida sólo a permisos de salida ordinarios y no a toda salida del establecimiento.

d) limitación de las comunicaciones orales al mínimo de tiempo previsto reglamentariamente, durante un mes como máximo. Las Reglas Penitenciarias Europeas indican que no se pueden prohibir totalmente los contactos con la familia.

e) privación de paseos, actos recreativos comunes, en cuanto sea compatible con la salud física y mental, hasta un mes como máximo. Esta sanción adolece de una gran indeterminación, se cumple en la celda del interno, pero no debe confundirse con el aislamiento sino sólo suprimir los actos recreativos o de ocio, sin extenderse a las demás actividades programadas como puedan ser actividades deportivas, de destino o laborales.

f) amonestación.

En esta larga lista de sanciones lo más criticable es que casi todas privan o restringen la libertad, lo que le hace ser un catálogo bastante severo y que en su mayoría carecen de descripción normativa lo que les deja en una absoluta indefinición.

3.2. Especial consideración de la sanción de aislamiento. Problemas constitucionales

La sanción de aislamiento se cumple en el compartimento que habitualmente ocupe el interno, salvo que lo comparta con otros, en cuyo caso se alojará en otro de semejantes medidas y condiciones, de modo que quedan prohibidas las llamadas celdas de castigo. Para su cumplimiento se necesita informe médico, vigilándose diariamente para controlar su salud física y mental, de manera que el médico pueda informar sobre la necesidad de suspenderla o modificarla.

No pueden cumplirla los enfermos, las mujeres gestantes, las madres seis meses después del parto, las mujeres lactantes, y las que tienen a sus hijos consigo. El Reglamento Penitenciario no dice nada de las comunicaciones, que en el anterior estaban restringidas, con lo cual se entiende que rige el mismo régimen que los demás internos. La Instrucción DGIP 4/2005 de 16 de mayo excluye las comunicaciones intimas, familiares y de convivencia durante la sanción de aislamiento o de fin de semana, para lo cual indica que se procure no hacer coincidentes las fechas de cumplimiento; si por ser de inmediata ejecución la sanción no se puede demorar, se aplaza la comunicación avisando a los familiares por teléfono y en caso de no poder evitar el desplazamiento, se autoriza una comunicación oral de veinte minutos. Cabe su suspensión en atención a fines de reeducación y reinserción social.

Esta breve regulación no detalla el contenido de la sanción, es decir, las actividades que el recluso puede llevar a cabo o los derechos que le son suspendidos, para ello hay que acudir al art. 254.5 RP que contiene algunos datos más, como las dos horas diarias de paseo en solitario del recluso o la prohibición de recibir paquetes del exterior o adquirir productos del economato, salvo los autorizados expresamente por el Director.

La sanción de aislamiento, por su importancia y gravedad, despierta el mayor interés doctrinal y judicial por sus posibles problemas constitucionales con el principio de legalidad y el de proporcionalidad.

En primer lugar, se critica que el desarrollo de esta sanción venga en el Reglamento y no en la Ley, ya que el aislamiento es una privación del derecho a la libertad que debería ser regulado íntegramente por una ley orgánica, sin embargo, el Tribunal Constitucional desde la STC 2/1987 de 21 de enero lo viene permitiendo bajo la consideración de que la relación de sujeción especial otorga esta capacidad normativa a la Administración. En sentido contrario, sin embargo, en la STC 119/96 de 8 de julio el voto particular emitido por el Magistrado Pi-Sunyer al que se adhirió el Magistrado Vives Antón, sostenía que las restricciones relevantes del derecho a la libertad como ocurre con la sanción de aislamiento deberían tener una adecuada cobertura legal.

También se ha criticado su posible vulneración con el art. 25.3 de la Constitución que impide a la Administración imponer sanciones que impliquen directa o indirectamente privación de libertad, lo que ha sido negado por el Tribunal Constitucional (STC 2/1987 de 21 de enero) bajo la consideración de que no se trata de una pena privativa de libertad, sino de una modificación de las condiciones de estancia en la prisión, que quedan por tanto bajo la competencia administrativa.

Y, finalmente, han surgido también críticas respecto a su posible consideración de trato inhumano y degradante, vulnerando con ello el art. 15 de la Constitución, lo que una vez más se ha rechazado por entenderse que la sanción en sí misma no lo es, sino que, en su caso, lo será sólo si se desprende de las condiciones de cumplimiento, STC 2/1987 de 21 de enero.

3.3. Reglas de medición

Para seleccionar la sanción a imponer no existe una correspondencia entre las infracciones y las sanciones, sino que el Reglamento Penitenciario se limita a indicar las sanciones entre las que se puede elegir, en función de la gravedad de las faltas:

– en faltas muy graves se puede imponer sanción de aislamiento en celda de seis a catorce días y sanción de aislamiento de hasta siete fines de semana.

– en faltas graves se puede imponer sanción de aislamiento en celda de lunes a viernes por tiempo igual o inferior a cinco días, privación de permisos de salida por tiempo igual o inferior a dos meses, limitación de las comunicaciones durante un mes como máximo, o privación de paseos y actos recreativos comunes desde tres días a un mes como máximo.

– en faltas leves sólo se puede imponer privación de paseos y actos recreativos comunes hasta tres días de duración y amonestación.

Dentro de estas limitaciones se ha de elegir la sanción más adecuada teniendo en cuenta que la sanción de aislamiento sólo se aplica en los casos en que se manifieste una evidente agresividad o violencia por parte del interno, o cuando éste reiterada y gravemente altere la normal convivencia en el centro (art. 42.4 LOGP).

Otros criterios a tener en cuenta para determinar la clase y duración de la sanción, son la naturaleza de la infracción, la gravedad de los daños y perjuicios ocasionados, el grado de ejecución de los hechos, la culpabilidad de los responsables, el grado de participación y demás circunstancias concurrentes, art. 234 RP. En caso de repetición de la infracción, art. 42.3 LOGP y art. 234.1 RP, las sanciones pueden incrementarse en la mitad de su máximo, siempre que las anteriores sean firmes por infracciones graves o muy graves y no hubieran sido canceladas.

En los supuestos de concurso de infracciones, el Reglamento Penitenciario ha establecido unos criterios para graduar la duración de la sanción dependiendo de que se trate de concurso real o medial o infracción continuada. Si se trata de concurso de infracciones se imponen todas las sanciones correspondientes para su cumplimiento simultáneo, si es posible, de lo contrario se cumplen por orden de gravedad sin que el máximo de cumplimiento exceda del triple del tiempo que corresponda a la más grave, ni de cuarenta y dos días consecutivos en caso de aislamiento en celda, art. 42.5 LOGP, 236 RP. Si un mismo hecho constituye dos o más faltas o una es medio necesario para cometer otra, se aplica en su límite máximo la sanción de la falta más grave, salvo que resulte de menor gravedad la suma de todas las infracciones. Finalmente, si la infracción es continuada por infringir un mismo o semejante precepto en ejecución de un plan preconcebido o aprovechando idéntica ocasión, se impone la infracción más grave en su límite máximo.

Como otras consecuencias de la infracción también se prevé el decomiso de las sustancias y objetos prohibidos y la reparación de los daños materiales e indemnización de personas perjudicadas, art. 238 y 239 RP.

4. PROCEDIMIENTO DISCIPLINARIO

4.1. *Fases*

a) *inicio*: Cuando existan indicios de conductas constitutivas de faltas disciplinarias, el Director del Establecimiento acordará de oficio y motivadamente la iniciación del procedimiento sancionador. Ese conocimiento puede haber llegado por el parte de un funcionario informado por el Jefe de Servicios, por petición razonada de un órgano administrativo que no sea superior jerárquico, por la denuncia escrita de persona identificada que exprese el relato de hechos y por orden de un órgano administrativo superior jerárquico. El Director también podrá acordar la apertura de una información previa que se practique por un funcionario designado por aquél, quien elevará informe de las diligencias practicadas; en los casos en que la apertura se inicie por la denuncia de un interno se realizará siempre esta información previa.

b) *instrucción*: El Director nombrará a un instructor entre los funcionarios, que no sea quien haya practicado la información previa, ni quien esté implicado en los hechos. El instructor realizará un pliego de cargos en el que deberán constar los siguientes datos:

– procedimiento (forma de iniciación del procedimiento, número de identificación del instructor y puesto de trabajo que ocupa, órgano competente para resolver...).

– hechos (identificación de los hechos y de la persona imputada, calificación jurídica, medidas cautelares acordadas...).

– indicación del plazo de tres días hábiles para presentar pliego de descargos o comparecer y hacerlo verbalmente ante el Instructor; además, en cualquier momento antes del trámite de audiencia puede presentar documentos y otros elementos de prueba. Si se deniegan las pruebas implícita e inmotivadamente se vulnera este derecho del interno.

– información del derecho a poder asesorarse de letrado, funcionario o persona por él designada para la redacción del pliego de descargos.

La STC 181/1999 de 11 de octubre anuló el acuerdo sancionador que imponía una sanción a un interno, así como los autos del Juez de Vigilancia que lo confirmaban, porque aquel había solicitado ser asesorado por el jurista del centro y al no haber obtenido respuesta, se vulneró su derecho de defensa.

c) *tramitación*: dentro de los diez días siguientes a la presentación del pliego de descargos o comparecimiento verbal se practicarán las pruebas pertinentes. Finalizada la instrucción del expediente, antes de dictar la resolución se le darán diez días al interesado para que presente la documentación que estime oportuna y, a continuación, el

Instructor hará una propuesta de resolución que elevará a la Comisión Disciplinaria.

d) *resolución*: Reunida la Comisión Disciplinaria escuchará las alegaciones verbales del interno y acto seguido declarará la no responsabilidad o impondrá motivadamente la sanción, lo que no puede ser más tarde de tres días después de la iniciación del expediente. El acuerdo sancionador deberá contener los datos de lugar y fecha del acuerdo, órgano que lo adopte, número de expediente y resumen de los actos procesales realizados, relación de hechos, calificación jurídica, sanción impuesta, número de votos y mención de la posibilidad de recurrir. El mismo día o el siguiente se le notificará al interno.

La sanción de aislamiento de más de catorce días (individualmente o por acumulación de varias) sólo se puede imponer con la aprobación del Juez de Vigilancia.

e) *procedimiento abreviado*: es sólo para faltas leves con el fin de reducir y simplificar los trámites, lo regula el art. 251 RP. Si el Director considera que la falta es leve, se inicia este procedimiento en el que el parte del funcionario ya actúa como pliego de cargos, se notifica al interno y en diez días han de presentarse las alegaciones y pruebas, a continuación, el propio Director dicta la resolución, lo que contradice la necesidad legal de que la sanción la imponga un órgano colegiado, art. 44.1 LOGP.

f) *ejecución*: Los acuerdos sancionadores no se pueden ejecutar hasta que no se resuelva el recurso interpuesto ante el Juez de Vigilancia o hasta que no haya transcurrido el plazo para su impugnación, art. 252 RP. Sin embargo, cuando se trate de actos de indisciplina grave y se entienda que la sanción no puede demorarse, se ejecutarán inmediatamente si se trata de alguna de las seis primeras faltas muy graves, previsión ya criticada anteriormente, sin olvidar que las sanciones de aislamiento de más de catorce días de duración han de ser autorizadas por el Juez de Vigilancia con lo cual hasta que no se dé esa aprobación no se pueden ejecutar, ni siquiera de manera inmediata. Para evitar perjuicios al interno sancionado, si la sanción cumplida inmediatamente es anulada por el Juez de Vigilancia, se podrá abonar el tiempo cumplido indebidamente al cumplimiento de otras sanciones posteriores, siempre que sean de conductas anteriores a las sancionadas de manera errónea, art. 257 RP.

Contra el acuerdo de ejecución inmediata el interno podrá interponer queja ante el Juez de Vigilancia, con independencia del recurso interpuesto.

Finalmente, existen supuestos de suspensión, reducción y revocación de las sanciones y en los arts. 258 y ss. RP se regulan los plazos de prescripción y cancelación de las sanciones. La libertad definitiva y provisional del interno extingue automáticamente su responsabilidad disciplinaria, que no puede abonarse en ingresos posteriores, art. 259 RP.

En los últimos años está adquiriendo mucha relevancia la utilización de la mediación penitenciaria entre internos para superar las diferencias producidas en reyertas y desencuentros y encontrar un espacio de diálogo que permita mejorar la convivencia[266], lo que puede llevar a conseguir la revocación de la sanción, la cancelación de la inscripción o incluso una nota meritoria, ejemplo de ello es el Auto JV Madrid 13.06.2008 que revocó la sanción de aislamiento en celda impuesta a un interno por una pelea, al valorar el esfuerzo realizado por su participación en un proceso de mediación en el que firmó un acta de reconciliación y reconocer el efecto resocializador de esa actitud conciliadora.

4.2. Recursos

Contra el acuerdo sancionador de la Comisión Disciplinaria el interno puede interponer recurso de alzada ante el Juez de Vigilancia, verbalmente en el momento de la notificación o por escrito en cinco días hábiles siguientes. Si la resolución del Juez de Vigilancia es denegatoria, sólo cabe otro de reforma ante el mismo órgano sin que quepan ya más recursos, ya que al tratarse de una resolución resolutoria de un recurso de apelación (por alzada) contra una resolución administrativa ya no cabe apelación, como dispone la disposición adicional 5ª LOPJ y recuerda la STC 169/1996 de 29 de octubre. Sólo en el caso de que se trate de una sanción de aislamiento de más de catorce días cabe apelación, ya que en este caso el Juez de Vigilancia

---

266 Chaves Pedrón, C. "Mediación penitenciaria" *Guía práctica*... cit. pág. 172.

es quien la aprueba directamente, sin resolver un recurso de un acuerdo administrativo previo.

Tal como se ha dicho anteriormente la presentación de dicho recurso suspende la ejecución de la sanción, art. 44.3 RP, salvo que se trate de un acto de indisciplina grave, en que la corrección no pueda demorarse, siempre que corresponda a una de las seis primeras faltas del art. 108 RP 1981.

Ante la crítica a la contestación estereotipada de los recursos, las STC 195/1995 de 19 de diciembre y STC 128/1996 de 9 de julio entendieron que el mero uso de impresos, aunque desaconsejable, no implica falta de motivación, sino que se ha estar al caso en concreto, sin embargo, las STC 60/1997 de 18 de marzo y STC 2/1999 de 25 de enero recuerdan que el auto de contestación del recurso ha de ser motivado, lo que no ocurre cuando se trata de escritos en su totalidad ya impresos (por ser formularios estereotipados), utilizables para todo tipo de impugnación, a salvo del nombre del interno y las fechas de los hechos.

5. USO DE MEDIOS COERCITIVOS

Los medios coercitivos son mecanismos que ayudan a mantener la seguridad y la convivencia de los centros, todos ellos tienen carácter preventivo para restablecer la normalidad por el tiempo estrictamente necesario, por eso son regulados dentro del apartado de seguridad de los centros, lo que ocurre es que su estrecha vinculación con la disciplina aconseja estudiarlos en este lugar.

Es necesario que se impongan como consecuencia de actos individuales y no a grupos de internos (por ejemplo, esposar a los clasificados en primer grado cuando salen al patio). El art. 72 RP ha reforzado las garantías de su excepcionalidad al declarar que se impongan de manera proporcionada al fin pretendido, cuando no haya una manera menos gravosa de conseguir la misma finalidad, por el tiempo estrictamente necesario y sin que sea una sanción encubierta, ya que no hay que olvidar que en su imposición no se siguen las garantías del procedimiento disciplinario.

Los autoriza el Director, salvo en casos urgentes en que se le comunica inmediatamente, que lo ha de poner en conocimiento del Juez de Vigilancia, en los casos señalados en el art. 45 LOGP:

– para impedir actos de evasión o violencia de los internos.

– para evitar daños de los internos a sí mismos, o a otras personas o cosas.

– para vencer la resistencia activa o pasiva de los internos a las órdenes del personal penitenciario en el ejercicio de su cargo.

Las armas de fuego están expresamente prohibidas en las funciones de vigilancia de los funcionarios en el art. 45.4 LOGP. En cuanto a los medios permitidos, sin embargo, no los menciona la LOGP, sino el art. 72 RP, admitiendo como tales los siguientes:

– aislamiento provisional: debe ser excepcional para casos de agresividad manifiesta o excitación nerviosa grave, por eso en cuanto desparezca, debe levantarse el medio coercitivo.

– fuerza física personal: ha de ser proporcionada a la violencia que trata de impedir.

– defensas de goma: excepcionalmente para motines o revueltas violentas.

– aerosoles de acción adecuada: de uso totalmente excepcional, son gases lacrimógenos que no produzcan daños.

– esposas: para frenar la agresividad del interno.

Si el Juez de Vigilancia entiende que no es ajustada a Derecho la medida, ordenará que se deje sin efecto, pudiendo incluso ser constitutiva de delito su imposición indebida o innecesaria, art. 533 CP. La STC 129/1995 de 14 de octubre ratificó la decisión del Juez de Vigilancia de declarar ilegal la medida de aislamiento impuesta a trece internos, por el incuestionable control judicial al que está sometida la Administración.

En graves alteraciones del orden con peligro inminente para las personas o las instalaciones, el Director puede recabar provisionalmente el auxilio de las Fuerzas de Seguridad de guardia en el Establecimiento, lo que debe ser utilizado en casos de absoluta excepcionalidad.

6. RECOMPENSAS

Los actos de buena conducta, espíritu de trabajo y sentido de responsabilidad en el comportamiento personal de los internos y en las actividades organizadas del Establecimiento, pueden ser estimulados con cualquiera de las recompensas que cita el art. 263 RP:

– comunicaciones especiales y extraordinarias adicionales.

– becas de estudio, donación de libros y otros instrumentos de participación en las actividades culturales y recreativas.

– prioridad en las salidas programadas.

– reducción de las sanciones impuestas.

– premios en metálico.

– notas meritorias.

– cualquier otra análoga.

Su concesión la decide la Comisión Disciplinaria que la anotará en el expediente personal del interno, para que surta efectos positivos entre los que destaca que se reduzcan hasta la mitad los plazos de cancelación de las sanciones, art. 261 RP.

Bibliografía: Garrido Martínez, A./López Araujo, J. F. *El procedimiento sancionador. Un análisis sistemático. REP* nº 248-2000. **De Sola Dueñas, A.** "Principio *non bis in idem* y sanciones disciplinarias en el Ordenamiento Penitenciario". *Revista Jurídica de Cataluña* 1989. **Grijalba López, J. C.** "Los medios coercitivos en los establecimientos penitenciarios" *Revista La Ley*, 1489, 1986. **Herrero Herrero, C.** "Registros y otras indagaciones de instrumentos de prueba en el ámbito corporal de las personas" *BIMJ* 1576, 1990. **Renart García, F.** *El régimen disciplinario en el ordenamiento penitenciario español: luces y sombras.* Alicante 2002. **Roig Bustos, L.** "La sanción de aislamiento en celda en el Derecho Penitenciario español" *Revista Jurídica La Ley* nº 977, 1984 **Sánchez Yllera, I.** "Tutela judicial efectiva en prisión" en *Vigilancia penitenciaria* (VI reunión JVP) CGPJ Madrid 1993. **Solar Calvo, P.** "Régimen disciplinario en las cárceles: cuestiones que motivan su reforma" *Diario La Ley* 7440, 2010. **Solar Calvo, P.** "La necesaria reforma del régimen disciplinario en prisión. *Diario La Ley* n 9198 de 16 de mayo de 2018. **Téllez Aguilera, A.** "El régimen disciplinario penitenciario". *La Ley Penal: revista de Derecho penal, procesal y Penitenciario* nº 8, 2004.

Capítulo 17º

LA EJECUCIÓN DE LAS MEDIDAS DE SEGURIDAD PRIVATIVAS DE LIBERTAD

1. PRESUPUESTOS DE APLICACIÓN DE LA MEDIDA DE SEGURIDAD

Las medidas de seguridad se basan en la peligrosidad criminal, entendida como probabilidad de comisión de nuevos delitos en el futuro y, a diferencia de las penas, se orientan a la prevención. Su origen va ligado a la necesidad de dar una respuesta penal a los sujetos que por no ser imputables no pueden cumplir una pena, pero presentan un riesgo delictivo.

Tras la entrada en vigor de la Constitución de 1978 el sistema de medidas de seguridad anterior se vio seriamente afectado ya que sus postulados de duración indeterminada, cumplimiento acumulado o estados peligrosos predelictuales chocaban abiertamente con las nuevas garantías penales. La reforma de 1983 eliminó el internamiento obligatorio para inimputables y estableció el sistema vicarial para semiimputables consistente en la imposición conjunta de pena y medida de seguridad con cumplimiento previo y abonable de la medida de internamiento[267]. Siguiendo esta nueva orientación, el Código Penal de 1995 reformó de forma integral todo el sistema de medidas de seguridad para dotarles de las mismas garantías de seguridad jurídica que las penas (legalidad art. 1.2, jurisdiccionalidad arts. 3.1 y 3.2 y

---

[267] Especialmente relevantes en la reforma de las medidas de seguridad fueron las STC STC 23/86 de 14 de febrero y STC 131/87 de 20 de julio.

proporcionalidad art. 6.2) y establecer como presupuestos de su aplicación la comisión de un delito, la exención de responsabilidad por alguno de los tres primeros números del art. 20 CP y la probabilidad de cometer nuevos delitos, lo que da lugar a la peligrosidad criminal (arts. 95 y 101 y ss. CP).

Los presupuestos de aplicación de las medidas de seguridad vienen recogidos en los arts. 6 y 95 CP:

– que se haya cometido un hecho previsto como delito, lo que antes excluía a las faltas, pero ahora incluye los delitos leves.

– que se pueda deducir de los hechos y circunstancias personales del sujeto la probabilidad de comisión de nuevos delitos, lo que debe determinarse por medio de oportunos informes periciales.

– que al tiempo de cometer la infracción delictiva el sujeto se encuentre en alguno de los supuestos del art. 20 CP: a) padecer cualquier *anomalía o alteración psíquica* que le impida comprender la ilicitud del hecho o actuar conforme a esa comprensión; b) encontrarse en *trastorno mental transitorio* cuando no se hubiera provocado de propósito para delinquir, c) estar en estado de *intoxicación plena* por el consumo de bebidas alcohólicas, drogas tóxicas, estupefacientes, sustancias psicotrópicas u otras que produzcan efectos análogos, siempre que no haya sido buscado con el propósito de cometerla o no se hubiese previsto o debido prever su comisión, o se halle bajo la influencia de un *síndrome de abstinencia*, a causa de su dependencia de tales sustancias, que le impida comprender la licitud del hecho o actuar conforme a esa comprensión; d) sufrir *alteraciones en la percepción* desde el nacimiento o desde la infancia, teniendo alterada gravemente la conciencia de la realidad[268].

Si cualquiera de estas situaciones hubiera dado lugar a un supuesto de semiimputabilidad, la medida de seguridad podría acompañar a la pena impuesta y se cumpliría mediante el sistema vicarial, en virtud del cual la medida se cumple antes que la pena y, a continuación, si es necesario, se cumple la pena abonando el tiempo ya cumplido, art. 99 CP. En estos casos, el art. 104 CP permite imponer medida de in-

---

268 Como excepción al sistema general de medidas de seguridad, la libertad vigilada responde a un nuevo modelo de medidas de seguridad dirigido a la peligrosidad postpenitenciaria de sujetos imputables.

ternamiento junto a la pena, sólo si la pena impuesta es privativa de libertad y sin que exceda su duración de la pena prevista legalmente para el delito cometido.

Las medidas de seguridad pueden ser privativas de libertad y no privativas de libertad, las primeras sólo se pueden imponer si son necesarias y el delito cometido se castiga con pena privativa de libertad, art. 95.2 y 104 CP, siendo especialmente importantes para el Derecho Penitenciario por quedar su ejecución dentro de su objeto de estudio, en los demás casos solo se podrán imponer las medidas no privativas de libertad reguladas en el art. 105 CP.

Los internamientos no pueden tener una duración superior a la pena privativa de libertad que se hubiere podido imponer al sujeto de ser responsable, pudiendo consistir en internamientos psiquiátricos, en centros de deshabituación y en centros de educación especial que quedan abiertos durante su ejecución a posibles cambios con la posibilidad de mantenerlos, decretar su cese, sustituirlos o dejarlos en suspenso en atención a la progresión del sujeto y resultados obtenidos (art. 97 CP).

2. CLASES DE MEDIDAS PRIVATIVAS DE LIBERTAD

2.1. Internamiento en centro psiquiátrico

El art. 101 CP se refiere al internamiento de los exentos de responsabilidad conforme al art. 20.1 CP en un establecimiento para tratamiento médico o educación especial *adecuado* al tipo de anomalía o alteración psíquica lo que significa que:

– puede inducir a pensar que no sea necesario que se trate de centros penitenciarios.

– no menciona la posibilidad de que sean públicos o privados, como hace en el nº 2, lo que no debería impedir su aceptación, siempre que se trate de centros acreditados u homologados[269].

---

[269] Racionero Carmona, F. *Derecho Penitenciario y privación de libertad.* cit. pág. 99.

La posibilidad de que los centros psiquiátricos penitenciarios existentes en nuestro país no puedan acoger a todos los internos, podría llevar a plantearse su ingreso en hospitales psiquiátricos comunes[270], cuyo mayor problema sería garantizar unas medidas de seguridad adecuadas; la alternativa es que se mantengan a la espera de plazas en centros penitenciarios no psiquiátricos, donde no se les prestaría la asistencia adecuada.

El art. 11 LOGP establece que los centros psiquiátricos son establecimientos especiales, concebidos con total independencia de los de cumplimiento y preventivos por su carácter preferentemente asistencial y el art. 184 RP denomina a los centros psiquiátricos como establecimientos o unidades psiquiátricas penitenciarias, permitiendo el ingreso en ellos en los siguientes casos:

a) detenidos o presos con patologías psiquiátricas cuando la *autoridad judicial* decrete su ingreso para observación con el fin de emitir informe que pueda ser reclamado por la autoridad judicial. En este supuesto no se incluye el internamiento psiquiátrico como medida cautelar durante el cumplimiento de prisión preventiva, algo que permitían los Tribunales y que la STC 84/2018 de 16 de julio rechazó por su falta de cobertura legal[271].

En virtud del art. 381 LECR si el Juez de Instrucción observa indicios de enfermedad mental en el procesado, le someterá a observación de los médicos del Establecimiento donde estuviera preso, u otro público, si estuviera en libertad, o fuera más adecuado. La información médica que obtenga el Juez en estos casos, servirá para precisar la concurrencia o no de la eximente de anomalía o alteración psíquica en el momento de los hechos, es decir, para determinar su imputabilidad y, tras ello, teniendo en cuenta que se trata de una finalidad de observación, y no de cumplimiento de la medida cautelar, con el informe de los especialistas, el Juez lo pondrá en libertad o decidirá su mantenimiento en prisión, sin que el Centro Directivo pueda acordar el internamiento, que sólo compete a la autoridad judicial.

---

270 En contra, Javato Martín, A. "La ejecución de la medida de seguridad de internamiento psiquiátrico" en *Salud mental y privación de libertad. Aspectos jurídicos e intervención* (Dtor. R. Mata), Bosch, Madrid, 2021, pág. 63.

271 Javato Martín, A. "La ejecución ..." cit. 2021, pág. 58.

b) sujetos a quienes por aplicación de una eximente completa o incompleta el *Tribunal sentenciador* les haya impuesto una medida de seguridad de internamiento en un centro psiquiátrico penitenciario, lo que es el verdadero cometido de estos Establecimientos. En este caso el Centro Directivo elige el establecimiento pertinente dando cuenta al Juez de Vigilancia. Conforme al texto de la LOGP surgían dudas respecto a la necesidad de que los internados judiciales fueran ingresados necesariamente en psiquiátricos penitenciarios[272] por tratarse de sujetos absueltos cuyo tratamiento debería remitirse a la sanidad pública, sin embargo, el contenido actual del art. 184 es sumamente claro al respecto.

c) penados y, por tanto, declarados en su día imputables, a quienes durante el cumplimiento de su condena por enfermedad mental sobrevenida se les haya impuesto una medida de seguridad por el Tribunal sentenciador. Este artículo reglamentario chocaba con la anterior redacción del art. 60 CP que no permitía la imposición de medida alguna en estos casos, sino sólo la suspensión de la ejecución de la pena privativa de libertad para que el penado recibiera asistencia médica precisa. La redacción actual permite la posibilidad de que el Juez de Vigilancia imponga una medida de seguridad, si bien sin las suficientes garantías de jurisdiccionalidad (art. 3.1 CP) ya que se trata de algo más que una mera sustitución.

Como el internamiento psiquiátrico de los enajenados dejó de ser obligatorio en 1983, pasando a ser impuesto sólo en los casos necesarios y siempre que por el delito cometido se hubiera podido imponer pena privativa de libertad, se debe justificar tales extremos, vgr. la STS 9.2.1996 (834) eligió la medida de tratamiento ambulatorio, precisamente porque los internamientos anteriores no habían surtido efecto, mientras que la STS 6.3.2012 (R. 2975) se decantó por el internamiento por la posibilidad de repetición de actos similares, su carencia absoluta de medios de vida, y la necesidad de proporcionarle un tratamiento prolongado y vigilado.

Si se trata de un inimputable con eximente completa el internamiento no puede exceder del tiempo que hubiera durado la pena pri-

---

272 Garrido Guzmán, L. "Tratamiento penitenciario de la enajenación mental". *Psiquiatría legal y forense* Vol. II (Dtor. S. Delgado Bueno) Madrid 1994 pág. 38.

vativa de libertad si hubiera sido declarado responsable el sujeto, tomando como referencia la penalidad abstracta, siguiendo la regla del art. 6.2 CP respecto a las medidas de seguridad en general y la Consulta FGE 5/1997 de 24 de febrero. En la sentencia se habrá fijado ese límite máximo que debe ser el necesario para prevenir la peligrosidad, sin olvidar que en cualquier momento se puede interrumpir o sustituir por otro tipo de medidas.

Si se hubiera aplicado una eximente incompleta no puede exceder de la pena prevista por el Código para el delito (art. 104 CP) con lo que también se está refiriendo a la pena abstracta, como señala la STS 9.6.1998 (5159) al aclarar que el límite previsto en el art. 104 CP no es respecto a la pena concreta, sino a la abstracta.

2.2. *Internamiento en centro de deshabituación*

Pueden ser públicos o privados acreditados, para ello la Administración Penitenciaria ha de celebrar Convenios con otras Administraciones Públicas y entidades colaboradoras.

Ni la LOGP ni el RP mencionan este tipo de establecimientos, pero pueden incluirse en el capítulo de centros hospitalarios. Lo que menciona el art. 182 RP es el internamiento en centros de deshabituación para reclusos de tercer grado que necesiten tratamiento específico, pero esto no es una medida de seguridad, sino la posibilidad de un tercer grado de cumplimiento en el exterior, pese a que el último párrafo invita a la confusión al referirse a las medidas de seguridad, cuando el resto del artículo se dirige a la aplicación a internos clasificados en tercer grado.

El Código Penal no permite la aplicación de una medida de seguridad en los casos de atenuante, lo que podría resultar adecuado no sólo cuando se trata de una atenuante analógica a la de eximente incompleta, sino especialmente cuando se trata de la atenuante de grave adicción a las mismas sustancias que recoge la eximente de drogadicción, art. 21.2 CP. Para cubrir esta laguna el Tribunal Supremo en diversas sentencias, ha admitido la aplicación en estos casos de medida de seguridad, de esta manera en STS 13.6.90 (6527) denuncia la incongruencia de que se permitan medidas terapéuticas de internamiento y tratamiento para la eximente incompleta y se nieguen para la atenuante analógica (incluso siendo muy cualificada), consiguiendo además que por la reducción de la pena resulte inoperante cualquier terapia prolongada; ante ello abre la vía para que los Jueces y Tribunales apliquen, si lo estiman procedente, medidas sustitutorias de internamiento y tratamiento en la atenuante analógica de enajenación mental, ya que su análoga significación con la eximente completa o incompleta no es sólo identidad de sustrato fáctico, sino también de respuesta punitiva. También la STS 25.10.94 (8353) y STS 11.4.2000 (2699) entienden que las consecuencias penales de la atenuante analógica han de ser iguales que las de la eximente, menos el art. 66 CP, ya que criterios de legalidad, reinserción y resocialización así lo avalan.

El problema de esta línea jurisprudencial es la vulneración que supone del principio de legalidad ya que se está haciendo una interpretación del art. 21.7 CP que va más allá de su sentido literal por muy beneficioso que sea para el reo, con el riesgo de quedar a expensas del criterio judicial.

En todo caso hay que diferenciar la medida de seguridad de internamiento para la deshabituación con el tratamiento médico del interno drogodependiente, como recuerda la STS 11.11.94 (8911) en la que, pese a rechazar el internamiento, no descarta el tratamiento adecuado dentro del establecimiento penitenciario, lo que ya pasa a encuadrarse dentro de los programas de tratamiento de los centros penitenciarios.

2.3. Internamiento en centro de educación especial

Este tipo de centro no lo menciona la LOGP ni el RP, sólo el CP y curiosamente también la Instrucción 19/2011 SGIP al regular el cumplimiento de las medidas de seguridad competencia de la Administración Penitenciaria.

3. CARACTERÍSTICAS DE SU EJECUCIÓN

3.1. Aspectos de su cumplimiento

El RD 840/2011 de 17 de junio que regula las circunstancias de ejecución de las medidas de seguridad, establece que la Administración Penitenciaria será la competente para la ejecución de los internamientos en establecimientos o unidades psiquiátricas penitenciarias, sin hacer mención alguna de los internamientos en centros de deshabituación y centros educativos especiales, ni extender la competencia penitenciaria a los casos en los que se cumpla en centro no penitenciario. La Junta de Tratamiento del centro de destino elaborará el Programa Individualizado de Reinserción (PRI) que comunicará al Juez de Vigilancia en un plazo de tres meses, lo que resulta excesivo teniendo en cuenta que ni siquiera necesita la aprobación judicial, y tras ello el control de su ejecución lo llevará el Juez de Vigilancia.

En el momento del ingreso el paciente es atendido por el facultativo de guardia, quien a la vista de los informes del centro de procedencia y del reconocimiento que se le practique, dispondrá lo conveniente para el destino, dependencia más adecuada y tratamiento a seguir. Una vez haya ingresado el sujeto, el equipo que le atienda presentará un informe a la Autoridad judicial en el que formulará su propuesta de diagnóstico y evolución tras el tratamiento, pronóstico y necesidad de mantenimiento, cese o sustitución del internamiento, separación, traslado a otro Establecimiento, programa de rehabilitación, aplicación de medidas especiales de ayuda o tratamiento o a tener en cuenta a la salida del centro.

La Instrucción SGIP 19/2011 de 16 de noviembre que regula el cumplimiento de las medidas de seguridad competencia de la Administración Penitenciaria, se ocupa de los aspectos organizativos y de intervención de las medidas de seguridad de internamiento, algo necesario, ya que hasta no hace mucho la regulación normativa era bastante escasa, teniendo especial relevancia los aspectos relativos a la intervención en el ámbito penitenciario y las medidas a adoptar en caso de cumplimiento definitivo de la medida.

En el Programa Individual de Reinserción (PIR) han de constar los objetivos de la intervención, las actividades terapéuticas que se pretende llevar a cabo, el diagnóstico y tratamiento médico de la dolencia o trastorno, las condiciones y características de las comunicaciones y salidas que se prevean que vaya a disfrutar el interno. Todo ello es importante ya que las características de su modalidad de cumplimiento, como señalan los arts. 183 y ss. RP tienen diferentes condiciones a las de los internos ordinarios, debido al carácter de enfermos y no de reclusos propiamente dichos, lo que justifica las siguientes diferencias:

– la separación se lleva a cabo en atención a las necesidades asistenciales de cada paciente.

– no se les clasifica y, por tanto, no pueden acceder al tercer grado ni a la libertad condicional.

– las comunicaciones con el exterior son individualizadas por el programa de rehabilitación de cada paciente, art. 190 RP.

– no hay régimen disciplinario, sin embargo, los medios coercitivos los deciden los facultativos pese a la restricción de derechos que suponen, art. 188.3 RP[273]. La exigencia de dar conocimiento a la autoridad judicial no exime de la vulneración que supone que no sea éste quien acuerde su práctica.

– las salidas al exterior deben contar con la autorización del Juez de Vigilancia, aunque expresamente no se exija, en este sentido Auto TS 16.12.2009 (R. 16147/2010).

– cada seis meses el Equipo Técnico ha de revisar la situación de los enajenados, informando al Juez y al Ministerio Fiscal, art. 187 RP, y al menos una vez al año, se ha de informar al Juez de Vigilancia proponiendo el mantenimiento o no de la medida.

– aunque el internamiento sea forzoso el tratamiento debe ser voluntario y cualquier intervención corporal ha de contar con la autorización judicial.

– el seguimiento y control de las medidas de seguridad privativas de libertad lo realiza el Juez de Vigilancia, según dispone el art. 98 CP, con cierta confusión con las competencias del Tribunal sentenciador.

En la práctica es muy preocupante la escasez de centros o departamentos psiquiátricos penitenciarios lo que provoca que muchos internos se encuentren en centros penitenciarios comunes. La alternativa no parece que sea la construcción de nuevos centros, por el rechazo al modelo de internamiento cerrado, sino la preferencia del tratamiento de la salud mental en centros abiertos para mantener los vínculos familiares.

---

273 Barrios Flores, L. F. "Uso de medios coercitivos en los ámbitos sanitario y sociosanitario" *Derecho y salud* Vol. 29, nº extra 1, 2019, pág. 66.

Dado que el cumplimiento definitivo de la medida puede provocar un problema de atención psiquiátrica para el ex-interno que no haya conseguido la curación de su dolencia, la colaboración de familiares y, en su defecto, asociaciones destinadas a la atención de ex reclusos o enfermos con trastornos mentales es fundamental, especialmente para evitar el desamparo y procurar la atención adecuada, lo que también implica, en su caso, ponerlo en conocimiento de la Fiscalía de incapacidades o utilizar el recurso del art. 763 LEC de internamiento civil no voluntario ante la jurisdicción civil correspondiente.

3.2. Revisión de la medida

Según el art. 97 CP durante la ejecución de la sentencia el Juez o Tribunal sentenciador, previa propuesta del Juez de Vigilancia a través de sus informes anuales, podrá mantener, cesar, sustituir o suspender la medida en atención a los resultados, lo que se hará mediante procedimiento contradictorio.

De esta manera las posibilidades son:

– continuar la medida de seguridad

– cumplirla hasta su finalización y después proceder a la excarcelación, aunque persista la peligrosidad.

– cesar la medida de seguridad si desaparece la peligrosidad criminal.

– sustituirla por otra más adecuada, que puede ser más o menos restrictiva.

– suspenderla hasta que termine. Si retrocede o delinque se revoca la suspensión.

3.3. Quebrantamiento

Si se quebranta una medida de seguridad privativa de libertad hay que distinguir si el sujeto es inimputable o semiimputable. En el primer caso la inimputabilidad del mismo impide que se deduzca de ello responsabilidad penal, con lo cual se procederá al reingreso del sujeto en el mismo centro del que se hubiera evadido o en otro; en el caso de semiimputables se deducirá testimonio por quebrantamiento de condena, art. 100 CP.

Si se quebrantan otro tipo de medidas el Juez puede sustituir la quebrantada por otra de internamiento siempre que fuera necesario y esté prevista para el supuesto de que se trate. Antes, el silencio legal impedía en estos casos deducir testimonio por quebrantamiento, pero la redacción actual del art. 100 CP ya lo exige expresamente a ambos supuestos.

4. DEMENCIA SOBREVENIDA

Este supuesto a diferencia de los anteriores va a actuar sobre sujetos imputables condenados por sentencia firme, en los que se aprecie "una situación duradera de trastorno mental grave que les impida conocer el sentido de la pena", es decir, se trata de regular la situación penitenciaria de un interno declarado en su día imputable que presenta signos de inimputabilidad durante el cumplimiento de la condena.

Hasta la reforma de la Ley 15/2003 de 25 de noviembre, el art. 60 CP ordenaba suspender la ejecución de la pena privativa de libertad garantizando la asistencia médica precisa hasta que recobrara la salud mental, en cuyo caso cumpliría la pena, salvo que el Tribunal por razones de equidad la diera por extinguida o la redujera por ser ya innecesaria o contraproducente. Esta solución legalmente debía suponer la excarcelación y, en su caso, tratamiento médico en un centro del exterior o internamiento civil, sin embargo las autoridades penitenciarias seguían utilizando la práctica anterior de sustituir la pena por internamiento[274].

La redacción actual del art. 60 CP ha dado al Juez de Vigilancia unas atribuciones que exceden de sus posibilidades:

– en primer lugar, es el competente para suspender la ejecución de la pena, lo que no encaja con el art. 80 CP que en el supuesto general lo remite a los Tribunales sentenciadores.

---

[274] Balaguer Santamaría, J. "Régimen jurídico de los enfermos mentales en el sistema penitenciario español". *Psiquiatría Forense. Jornadas sobre Psiquiatría Forense.* Centro de Estudios Judiciales. Colección Cursos vol. 3 Madrid 1994 cita casi un tercio en 1989 en el Establecimiento de Alicante por aplicación de éste supuesto y otros análogos como el archivo o sobreseimiento por el mismo motivo.

– en segundo lugar, le permite decretar la imposición de una medida de seguridad privativa de libertad no más gravosa que la pena sustituida, lo que conduce a una situación complicada, ya que los Jueces de Vigilancia no imponen sentencias, ni está previsto un procedimiento contradictorio similar al previsto en el art. 97 CP para las modificaciones de las medidas de seguridad impuestas, ni parece adecuado que se imponga mediante auto teniendo en cuenta que la imposición de una medida de seguridad requiere sentencia firme y procedimiento contradictorio. Una solución sería entenderlo como un supuesto de sustitución, en cuyo caso se debería declarar expresamente, de lo contrario donde hay necesidad específica de tratamiento psiquiátrico se está permitiendo un internamiento sin suficientes garantías.

La escasez de centros penitenciarios psiquiátricos en estos casos puede ser un inconveniente, por ello la Instrucción SGIP 2/2020 de 11 de junio que regula el procedimiento de actuación penitenciaria para la aplicación de este precepto, incide en que los Equipos Técnicos destaquen en sus informes los recursos comunitarios no penitenciarios que pudieran ser más convenientes para el paciente desde un punto de vista terapéutico, para evitar los perjuicios terapéuticos que llevan los internamientos psiquiátricos por el alejamiento del interno de su entorno social de referencia. En esta misma Instrucción apunta la posibilidad de aplicar el art. 60 CP también a los casos de discapacidad intelectual citando el Auto de 07.05.12 JVP de Bilbao y el Auto de 03.07.09 JP n. 1 de Baracaldo, lo que permitiría el traslado a los módulos especializados de los centros penitenciarios de Segovia y Madrid VII.

Otra vía de ampliación es la que plantea Ríos Martín[275] para que alcance a los casos en los que desestimada la aplicación de eximente se hubiera aplicado una atenuante (por ejemplo grave adicción a las drogas 21.2 CP), que no permite la aplicación de medida de seguridad, y de esta manera suspender la ejecución de la pena seguida de un internamiento hasta la rehabilitación.

Bibliografía: Balaguer Santamaría, J. “Régimen jurídico de los enfermos mentales en el sistema penitenciario español”. *Psiquiatría Forense. Jornadas sobre Psi-*

[275] Ríos Martín, J. C. *Manual de ejecución penitenciaria*. cit. pág. 469.

quiatría Forense. Centro de Estudios Judiciales. Colección Cursos vol. 3 Madrid 1994. **Barrios Flores, L. F.** "El empleo de medios coercitivos en prisión. Indicaciones regimental y psiquiátrica" *REP* nº 253, 2007. **Barrios Flores, L. F.** "Sobre la institución psiquiátrica penitenciaria". *Revista de la asociación española de neuropsiquiatría*, fascículo 2, 2007. **Barrios Flores, L. F.** "El internamiento psiquiátrico penal en España: situación actual y propuestas de futuro" *Notas de salud mental*, 2021, vol. XVII nº 64, **García Arán, M.** *Medidas de internamiento* en Vives Antón /Manzanares Samaniego. Estudios sobre el CP 1995. Parte General. CGPJ Madrid 1996. **Garrido Guzmán, L.** "Tratamiento penitenciario de la enajenación mental". *Psiquiatría legal y forense* Vol. II Dtor. S. Delgado Bueno Madrid 1994 **Javato Martín, A.** "La ejecución de la medida de seguridad de internamiento psiquiátrico" en *Salud mental y privación de libertad. Aspectos jurídicos e intervención* (Dtor. R. Mata), Bosch, Madrid, 2021. **Mata y Martín, R.** (Dtor) *Salud mental y privación de libertad. Aspectos jurídicos e intervención*, Bosch, Madrid, 2021. **Mateo Ayala** *La medida de seguridad de internamiento psiquiátrico. Su ejecución y control.* Madrid 2004. **Torres González, F. Barrios Flores, L.** *Libertades fundamentales, derechos básicos y atención al enfermo mental.* Ministerio de Sanidad 2007.

Capítulo 18º

LIQUIDACIÓN DE CONDENA

1. CUESTIONES PREVIAS

Según el art. 798.1 LECR a partir de la firmeza de la sentencia se ha de proceder a su ejecución, salvo que se haya solicitado el indulto (art. 4 CP) o la suspensión de la ejecución (art. 80 CP).

Una vez que la sentencia condenatoria es firme, sin que quepan más recursos frente a ella, se notifica al interno y al centro penitenciario donde se encuentre. Seguidamente, desde el Juzgado o Tribunal, previo dictamen del Ministerio Fiscal, se remite al centro penitenciario la liquidación de condena donde consta el cálculo de tiempo que ha de durar la condena desde su inicio hasta que se extinga su cumplimiento[276].

A esa condena total que ha de cumplir el condenado se le ha de restar la prisión preventiva ya cumplida, de forma que la diferencia entre ambas será el tiempo que queda de cumplimiento. Si la prisión preventiva es de la misma causa la abona el Juez o Tribunal sentenciador, si es de causa distinta la abona el Juez de Vigilancia, previa audiencia del Ministerio Fiscal; en este último caso es necesario que dicha prisión preventiva sea posterior a los hechos delictivos que han dado lugar a la pena que se pretende abonar.

[276] Tena Sánchez, A. *La liquidación de la pena privativa de libertad*. Ponencia del curso La liquidación de la pena privativa de libertad Valencia 2 y 3 de abril de 1998.

Otras figuras a tener en cuenta, si las hay, son el indulto, el cumplimiento de una medida de seguridad, los posibles beneficios penitenciarios que puedan variar la fecha de extinción de la condena, los permisos de salida, el tercer grado y la libertad condicional.

Con todos estos datos la liquidación de condena sirve para calcular las siguientes fechas:

– libertad definitiva: cuatro cuartas partes de la condena, 4/4

– permisos de salida: una cuarta parte de la condena, ¼

– tercer grado: mitad de la condena, 1/2

– libertad condicional: tres cuartas partes de la condena, 3/4

– adelantamiento libertad condicional: dos tercios de la condena, 2/3

– supuestos especiales del art. 78: cuatro quintas partes de la condena, 4/5 y siete octavas partes de la condena, 7/8

1.1. Contenido de la liquidación judicial y de la liquidación penitenciaria

La *liquidación judicial* la realiza el secretario del letrado de la Administración de Justicia (LAJ), la notifica al Ministerio Fiscal para que informe y finalmente se comunica al centro penitenciario y al interno. En esta liquidación no constan los beneficios penitenciarios que se pueden obtener durante la condena, para ello los centros penitenciarios efectúan después una nueva liquidación, en la que constan los beneficios obtenidos por el interno, que ha de ser aprobada por el Juez de Vigilancia.

De esta manera, el contenido de la liquidación judicial lo forma la condena total expresada en años, meses y días; el indulto; los periodos de prisión preventiva abonables; las fechas de inicio y de extinción de la condena.

El procedimiento a seguir es el siguiente:

– se recibe en el centro penitenciario el testimonio de sentencia en el que se fija la duración de la condena.

– a continuación, la oficina de Régimen revisa el expediente del interno para ver si ha estado preso por esta causa.

– se eleva a la autoridad judicial solicitud de liquidación de condena indicando los periodos de prisión preventiva que consten y la fecha posible de inicio de cumplimiento.

– se fija la fecha de inicio y de extinción.

En cuanto a la *liquidación penitenciaria*, una vez se ha recibido en el centro penitenciario la liquidación judicial, la oficina de Régimen efectúa los cálculos correspondientes de los permisos de salida, tercer grado, libertad condicional y beneficios penitenciarios, que han de ser aprobados por el Juez de Vigilancia.

Con el CP de 1995 la fecha de extinción de la condena en la liquidación judicial y en la efectuada por el centro penitenciario no varía, sin embargo, con el CP anterior no eran coincidentes por la redención de penas por el trabajo, que acortaba considerablemente la condena impuesta.

1.2. Criterios para elaborar la liquidación

Para fijar la duración total de la condena se tiene en cuenta la pena en los años, meses y días que ha de cumplir el preso, dando un total de la condena en días.

A continuación, se cuentan los periodos de prisión preventiva que se han de abonar en días y se restan los días de prisión preventiva cumplidos al total de la condena.

A esta nueva cantidad total se le resta el tiempo indultado, el tiempo cumplido de medida de seguridad, y los beneficios penitenciarios.

Finalmente, desde la fecha de inicio, se suman los días de condena para obtener el día de extinción, de esta manera la condena total menos los días cumplidos de prisión provisional nos dará el tiempo que queda por cumplir.

2. CÁLCULO DE LAS FECHAS DE LAS FECHAS MÁS RELEVANTES

2.1. Duración total, inicio y fin de la condena

a) Duración total: para el cálculo de la duración total de la condena se ha de llevar toda la cantidad a días, contando los años de 365 días[277] y los meses de 30; cuando se ha de calcular el tiempo que queda por cumplir y, por tanto la fecha de la excarcelación, sin embargo, se tiene en cuenta la duración natural de los meses y los años bisiestos.

En cuanto a los años hay alguna opinión que prefiere contabilizar el año de 360 días, pero como el Código Penal no hace mención alguna del cómputo de la pena de prisión, a diferencia de la de multa, es preferible atender a la regla general.

Los meses no son de fecha a fecha, como señala el Código Civil, sino que se cuentan de 30 días.

Ejemplo: 4 años de condena x 365 días = 1460 días

1 año, un mes y un día = 365+30+1 = 396 días

Si se ha concedido indulto se transforma en días el tiempo indultado y se deduce de la condena total.

Ejemplo: 1 año de indulto sobre la primera de las condenas anteriores sería 1460-365 = 1095 días.

Otra posibilidad que modifica la duración total de la condena es que se haya impuesto medida de seguridad junto a la pena y tenga que abonarse la medida ya cumplida, art. 99 CP.

Ejemplo: dos meses de medida de seguridad sobre la condena de 1460 días serían 1460-60=1400 días.

b) *Fecha de inicio*: Si el sujeto está preso la condena se inicia el día de la fecha de la firmeza de la sentencia condenatoria. Si no lo está, cuando ingrese en el centro penitenciario, art. 38 CP.

Si se está cumpliendo otra condena se enlaza para cumplirla a continuación, empezando a cumplirla el día siguiente a la extinción de la que ya estaba cumpliendo.

El día de entrada, igual que el de salida, se cuenta completo cualquiera que sea la hora de ingreso.

La fecha de inicio más los días que ha de cumplir, da como resultado la fecha de extinción.

---

277 Montero Hernández, T. "Práctica jurídica penitenciaria: las liquidaciones de condena" *Revista de Derecho Penal*, 10 (2008) pág. 2 señala que la falta de procedimiento reglado para la computación del año, motivó la Consulta FGE 2/1989 de 26 de Abril.

c) *fecha de extinción*: El tiempo que queda por cumplir se obtiene sumando a la fecha de inicio la duración de la condena en tiempo real, es decir, teniendo en cuenta en los meses los días naturales que tienen 28, 29, 30 o 31 días y los años bisiestos (cada cuatro años el mes de febrero tiene un día más, lo que sucede en 2000-2004-2008-2012-2016-2020-2024... El día de salida, como antes se ha señalado, se cuenta completo, independientemente de la hora en que se produzca la excarcelación.

De esta manera, se va contando en cada año los días que se han de cumplir teniendo en cuenta los bisiestos: 2000: 366 días, 2001: 365 días, 2002: 365 días, 2003: 365 días... cada mes los días que tiene: enero 31, febrero 28 (salvo bisiesto), marzo 31...y así sumando sucesivamente se llega al final de la pena.

2.2. *Abono de prisión preventiva*

La prisión preventiva cumplida se puede abonar a la misma causa como días ya cumplidos de la sentencia condenatoria, o bien, abonarla a otras causas diferentes si la causa por la que se dictó la prisión provisional se hubiera sobreseído, archivado, prescrito, absuelto o la pena impuesta fuera inferior a la prisión preventiva ya cumplida.

El art. 58 CP dispone que el tiempo de privación de libertad sufrido preventivamente se abonará en su totalidad para el cumplimiento de la pena o penas impuestas en la causa en que dicha privación ha sido acordada, en cuyo caso la competencia para realizar el abono será del Tribunal sentenciador, mientas que el abono en causa distinta, lo acordará el Juez de Vigilancia previa audiencia del Ministerio Fiscal, siempre que dicha medida cautelar se dictase posteriormente a los hechos delictivos a los que se pretende abonar. La finalidad de esta última posibilidad es que al tiempo de la comisión del hecho delictivo de la nueva causa el sujeto no supiese que tenía una prisión preventiva abonable.

La regla general es que se abone la prisión preventiva sufrida por la misma causa o, si se trata de concurso real de delitos, se pueda abonar a otra pena de las que forman la condena total, tanto en la misma sentencia, como si la acumulación ha sido después. Por su parte, la posibilidad de que se pueda abonar a causa distinta, facilita que una prisión provisional injusta en lugar de indemnizarse económicamente se abone a otra causa en la que sí haya habido condena, siempre que, como se ha señalado anteriormente, la prisión provisional no sea anterior a los hechos delictivos, lo que facilitaría un espacio de impunidad al abonar el periodo preventivo ya cumplido, como señalan las STS 13.3.93 (2384), STS 2.7.93 (5701) y STS 26.4.94 (3440).

En estos casos se fija como criterio que al cometer los nuevos hechos el sujeto no supiera que tenía una prisión preventiva abonable, sin embargo, una interpretación más amplia es la propuesta por Ríos Martín[278] consistente en que se pueda abonar la prisión preventiva cumplida hasta el momento en que se notifica la absolución de esos hechos que la provocaron, de manera que a los hechos cometidos después de esa primera prisión preventiva pero antes de conocer su sentencia absolutoria, se les pueda abonar la preventiva cumplida injustamente ya que el reo todavía no sabía si le iba o no a ser abonable a otras causas.

El tiempo abonable es tanto el cumplido en prisión provisional como el de detención, es decir, cualquier privación de libertad decretada judicialmente, teniendo en cuenta que los periodos de preventiva cumplidos han de ser valorados con la extensión real de los respectivos meses de 28, 29, 30 o 31 días para saber el tiempo exacto cumplido, por ejemplo, una prisión preventiva cumplida desde el 25 marzo hasta el 7 de abril son catorce días, porque marzo tiene treinta y un días.

Como el art. 59 CP permite la compensación de las medidas cautelares sufridas que tengan distinta naturaleza que la prisión, el Acuerdo del Pleno del TS de 19 de diciembre de 2013 dispuso que las comparecencias periódicas ante órgano judicial como medida cautelar asociada a la libertad provisional pueden ser compensadas por este artículo. Esta solución es la que adoptó la STS 1045/2013 de 7 de enero al admitir la compensación de los días de comparecencia *apud acta* para garantizar la libertad provisional, alegando el deber

---

278 Ríos Martín, J. C. *Manual*...cit. pág. 270. Gil López, A. F. "El abono de prisión preventiva y la refundición de condenas". *Cuadernos de Derecho Penitenciario* nº2 febrero 1998 pág. 10 y ss.

legal de compensar toda restricción de derechos sufrida con carácter cautelar, por ello entiende razonable y equilibrado compensar un día de prisión por diez comparecencias realizadas los días 1 y 15 de cada mes durante dieciocho meses.

Por último, también hay que tener en cuenta que desde la LO 5/2010 de 22 de junio de reforma del Código Penal se prohíbe expresamente el doble abono para evitar que un mismo periodo de privación de libertad sea al mismo tiempo abonado como prisión preventiva de una causa y cumplimiento de otra. La razón de ello es que antes de esa fecha, el art. 58.1 CP arrastraba una defectuosa redacción que permitía el cumplimiento simultáneo producido por estar un sujeto preventivo por una causa y penado por otra al mismo tiempo. La autorización por el silencio del precepto fue ratificada en STC 57/2008 de 28 de abril que, fiel al texto legal, estableció que el tiempo de prisión preventiva cumplida se debía abonar a la misma o diferente causa, aunque coincidiera con cualquier privación de libertad impuesta en otra causa, ya que lo contrario no lo permitía la redacción del art. 58 vigente en ese momento. Fueron vanos los esfuerzos de la STS 1391/2009 de 10 de diciembre por evitar dicho cumplimiento simultáneo, por falta de cobertura legal, lo que de forma expresa se recoge el art. 58 CP desde 2010.

2.3. *Permisos de salida*

El cálculo de una cuarta parte de la condena para obtener permisos se ha de hacer teniendo en cuenta los días ya cumplidos en prisión preventiva. Es decir, se calcula una cuarta parte de la condena total y en los días que ha de cumplir para poder disfrutar de un permiso, se descuentan los ya cumplidos en prisión preventiva.

Ejemplo: En una condena de un año (365 días) la cuarta parte son 91 días a los que se le restará la preventiva ya cumplida, si se trata de los 14 días del ejemplo anterior quedará 77 días que son los que han de transcurrir antes de disfrutar de un permiso.

Si el interno está cumpliendo varias condenas, el cálculo de la cuarta parte para la obtención de permisos se ha de hacer de la suma de todas las condenas impuestas, como indica el art. 154 RP, al referirse a condena o condenas y expresamente se indica para la libertad condicional en el art. 193 RP[279].

2.4. *Tercer grado*

En las penas de más de cinco años si se ha impuesto el periodo de seguridad se deberá cumplir la mitad de la condena antes de acceder al tercer grado, descontando igual que en el supuesto anterior los días cumplidos en prisión preventiva.

Ejemplo: sobre una pena de seis años se han de cumplir tres para poder acceder al tercer grado.

2.5 *Libertad condicional*

El procedimiento de formación del expediente se regula en el art. 195 RP, siempre teniendo en cuenta que en la actualidad la libertad condicional deberá tener una duración entre dos y cinco años y no ser de menor duración que la pena pendiente de cumplimiento.

a) *supuesto ordinario 3/4*: la cantidad total de la condena se divide por cuatro, la cantidad resultante se resta de la total y el resultado obtenido es lo que se ha de cumplir para poder obtener la libertad condicional.

Ejemplo: veinte años de condena, 20:4 = 5, 20-5 = quince años de cumplimiento para poder obtener la libertad condicional.

b) *adelantamiento 2/3*: se divide la condena total por tres y, a continuación, la cantidad resultante se resta de la total, dando el tiempo que ha de cumplir hasta obtenerla.

Ejemplo: nueve años de prisión = cuando se hayan cumplido seis años se podrán cumplir los tres restantes en libertad condicional.

c) *adelantamiento cualificado*: art. 91.2 CP Una vez cumplida la mitad de la condena se puede adelantar el cómputo de los 2/3 hasta 90 días por cada año transcurrido de cumplimiento efectivo.

Ejemplo: En la condena anterior de nueve años de prisión, una vez cumplidos cuatro años y medio de condena se podrá adelantar 90

---

279 Montero Hernández, T. "Práctica ... cit. pág. 16.

días por cada año cumplido (405 días) lo que permitirá trece meses y diez días antes de los seis años disfrutar de libertad condicional.

d) *supuesto para primarios: art. 91.3 CP:* es este caso los condenados a penas de hasta tres años de prisión podrán disfrutar de libertad condicional al cumplir la mitad de la condena, sin embargo, como el periodo restante es menor del límite mínimo de libertad condicional establecido por el Código penal en dos años, no será posible concederla, perdiendo este derecho los penados, salvo que admitan cumplir un periodo mayor, algo inadmisible por legalidad y seguridad jurídica

3. ACUMULACIÓN Y REFUNDICIÓN DE CONDENAS

3.1. Criterios del art. 76 CP para la acumulación

Ante las largas condenas que a veces se ven obligados a cumplir los reclusos por las numerosas sentencias que pesan sobre ellos, hay una tendencia a limitar su duración para reducir el tiempo de permanencia en la cárcel, si bien en esta operación hay que distinguir las figuras de la acumulación y refundición de condenas, siguiendo la STS 885/2016 de 24 de noviembre.

En virtud de la referida sentencia, la acumulación de condenas es la fijación de límites de cumplimiento de varias condenas que se estén ejecutando, valorando la posibilidad de enjuiciamiento conjunto en un mismo proceso de tales condenas con criterios de conexidad temporal. Con ello se concreta el tiempo máximo de cumplimiento por aplicación de los límites legales o con máximos absolutos de privación de libertad por razones humanitarias y de proscripción de penas degradantes.

La refundición de condenas es una figura penitenciaria que permite la unidad de ejecución de varias condenas que se estén cumpliendo para simplificar el cómputo de los plazos para obtener la libertad condicional; para ello se suman todas las penas para considerarlas como una sola a efectos de la aplicación de tal libertad condicional. art. 193.2 RP.

Para fijar los límites penológicos de cumplimiento el Código Penal establece las siguientes reglas del concurso real:

– *acumulación material*: en al art. 73 CP dispone que al responsable de dos o más delitos o faltas[280] se le impondrán las penas de todos ellos para su cumplimiento simultáneo si fuera posible. Si no es posible el cumplimiento simultáneo, se seguirá el orden de su respectiva gravedad para su cumplimiento sucesivo, art. 75 CP.

Como consecuencia de este cumplimiento sucesivo se puede llegar a penas muy elevadas, por ello en el art. 76 CP se establecen unos límites como correctivos que operan con ciertas diferencias desde el CP de 1870.

– *acumulación jurídica*: como límite a ese cumplimiento sucesivo se establece un límite absoluto y otro relativo, el relativo es que no puede exceder del triple de la más grave de las penas del concurso y el absoluto que en ningún caso supere los veinte años. Esos veinte años de pena máxima pasan a ser veinticinco si en el concurso hay al menos un delito castigado con pena de prisión de hasta veinte años, pasan a ser treinta si en el concurso hay al menos un delito castigado con pena de prisión superior a veinte años y pasan a ser cuarenta si en el concurso hay dos o más delitos castigados con pena de prisión de más de veinte años o bien cuando el concurso sea de dos o más delitos de terrorismo y al menos uno de ellos esté castigado con pena de prisión superior a veinte años. A esto se ha añadido en 2105 la previsión de límites específicos cuando haya una prisión permanente revisable que remiten al régimen de suspensión del art. 92 y al art. 78 bis CP.

Para evitar que dicha acumulación jurídica se aplicara sólo a los supuestos delictivos enjuiciados en un solo proceso, en 1967 se añadió el requisito de la conexidad con el fin de facilitar que alcanzaran los topes concursales también a los supuestos que, sin haberlo sido, se hubieran podido juzgar conjuntamente.

Entender que los hechos podían haber sido juzgados conjuntamente por conexidad exigía en términos procesales analogía o relación entre sí a juicio del Tribunal, con lo cual lo que pretendía ampliar, acabó siendo una nueva restricción[281]. De esta forma durante años los

---

280 Hay que tener en cuenta la supresión de las faltas por LO 1/2015 de 30 de marzo de reforma del CP.

281 González Cussac, J. L. en *Comentarios al Código Penal de 1995* (Dtor. T. Vives Antón) Valencia 1996 pág. 436.

requisitos exigidos eran homogeneidad de los tipos delictivos, identidad del bien jurídico afectado, forma de ejecución o circunstancias de tiempo y lugar, es decir, básicamente semejanza entre los delitos y proximidad temporal, lo que dejaba fuera los hechos cometidos en distintos lugares y las condenas ya cumplidas.

Esto supone confundir la conexidad como requisito procesal con la base del concurso real que son los principios de proporcionalidad, humanidad y resocialización dirigidos a evitar penas inhumanas por su excesiva duración y por eso paulatinamente se ha ido abandonando esa rigidez para favorecer su aplicación. Así se demuestra en numerosas sentencias del Tribunal Supremo que favorecen al máximo la acumulación jurídica al margen de la conexidad, primando la racionalidad en el cumplimiento de las penas excesivamente largas por su vulneración del mandato resocializador del art. 25.2 CE y por su consideración de trato inhumano y degradante STS 27.1.1995 (263), STS 30.1.1998 (666), STS 24.7.2000 (6774).

De esta forma se ha ido consolidando la utilización de la acumulación solo temporal limitada a la mera posibilidad de enjuiciamiento conjunto, vgr. STS 30.5.1992 (5034) y STS 27.4.1994 (4400), que deja fuera exclusivamente a los hechos ya sentenciados al producirse unos nuevos hechos delictivos, y mantiene que el sentido de la acumulación jurídica es la proporcionalidad y la resocialización ya que una duración excesiva de la pena de prisión puede dificultar e imposibilitar la reinserción social. El Acuerdo del Pleno del TS de 29 de noviembre de 2005 ya abogó en este sentido por entender que lo relevante es la conexidad temporal, excluyendo solo los hechos ya sentenciados al iniciarse el periodo de acumulación y los cometidos después de la sentencia de referencia.

Esta línea es la que siguió la reforma de 2015 que suprimió definitivamente el desfasado criterio de conexidad y se acogió solo al temporal, permitiendo únicamente la acumulación de los hechos cometidos antes de la fecha de enjuiciamiento de la condena que se toma como referencia, que es la más antigua. En esta compleja e innecesaria redacción, pues hubiera sido suficiente indicar posibilidad de enjuiciamiento conjunto, se plantea la duda de cuál es la fecha del enjuiciamiento ¿el día de inicio? ¿el último día? ¿durante las sesiones? para cuya solución el Acuerdo del Pleno no jurisdiccional de la sala segundad del Tribunal Supremo de 3 de febrero de 2016 fijó como fecha la de la sentencia de instancia por criterios de certeza, ante la imposibilidad de conocer la fecha del juicio, así lo expresa ya la STS 142/2016 de 25 de febrero, asumiendo como único criterio el temporal o cronológico y concretando el momento de su determinación.

De esta manera, tomando como referencia la sentencia más antigua, se permite acumular todas las condenas de distintos procesos siempre que se trate de hechos cometidos antes de esa sentencia, por tanto, se excluyen los ya hechos sentenciados antes de esa sentencia y los hechos cometidos después de la fecha de esa sentencia. Este cambio al criterio exclusivo cronológico ha sido bien recibido, pese a la compleja redacción del art. 76.2 CP, por dejar clara la voluntad del legislador de evitar la impunidad de conductas delictivas posteriores y rechazar las penas muy largas de prisión por los nefastos efectos que producen.

Con el fin de ampliar las posibilidades de acumulación también se permite acumular penas suspendidas si se favorece al reo[282], vgr. STS 780/2017 de 30 de noviembre, y penas ya ejecutadas; la finalidad es no penalizar al reo por la falta de celeridad de la Justicia que debió enjuiciar cada hecho delictivo en el momento de su comisión[283]y que la lentitud judicial no sea lo que condicione el enjuiciamiento conjunto, vgr. Auto JV Santander 13.2.2017.

Para los casos no acumulables por las fechas de los hechos y las condenas que puedan dar lugar a estancias continuadas en prisión de más de cuarenta años de duración, algunas sentencias del Tribunal Supremo han propuesto como correctivo la aplicación de beneficios penitenciarios, vgr. la STS 23.1.2000 (12) no pudo apreciar la conexidad entre una condena acumulada de treinta años y otra de dieciocho por ser ésta última, referente a hechos cometidos con posterioridad a la firmeza de la anterior, pero aconsejaba otras vías para acortar la estancia en prisión como el indulto o el adelantamiento de la libertad condicional, algo poco factible en condenas de tan larga duración.

---

282 Cámara Arroyo, S. "Acumulación jurídica de condenas y refundición de penas por enlace. Especial atención a sus efectos en materia de beneficios penitenciarios y libertad condicional" en *Guía práctica* ... cit. (Dtor. J. Léon), pág. 61

283 Guardiola García, J, "Comentario al art. 76" en *Comentarios a la reforma del CP de 2015* (Dtor. J. L. González Cussac), 2ªEd Valencia 2015, pág. 304.

Una propuesta más actual aboga por extender los límites de progresión y permisos de la prisión permanente revisable, ante la evidencia de la existencia de más de 300 personas encarceladas con liquidaciones de más de cuarenta años[284].

El procedimiento para aplicar la acumulación se regula en el art. 988 LECR, siendo también relevante la Circular FGE 1/2014 sobre la acumulación de condenas. Si es un solo procedimiento, en el fallo condenatorio ya se aplican los límites concursales por el Juez o Tribunal; si son varias los procedimientos y sentencias es el Tribunal que dicte la última sentencia de oficio, a instancia del Ministerio Fiscal o del condenado, quien debe dictar un auto en el que acumule todas las anteriores fijando una nueva pena con los límites del art. 76 del CP.

La razón que atribuye la competencia al Tribunal sentenciador es que se trata de un tema de aplicación de penas y no de ejecución, sin embargo, los Jueces de Vigilancia en su reunión de 1982 ya reivindicaban esta competencia por su mayor proximidad con el penado, ya que en la práctica a veces resulta difícil localizar al último Tribunal sentenciador y además puede ser uno de menor rango que los anteriores vgr. un Juez de lo Penal que tenga que acumular condenas anteriores dictadas por la Audiencia Provincial, por ello se entiende que la proximidad del Juez de Vigilancia y tener a su disposición la documentación penitenciaria le puede facilitar esta tarea[285].

En el escrito que se solicita la acumulación dirigido al Tribunal que ha dictado la última sentencia, se ha de hacer constar las causas que se quieren acumular, siendo necesario que el condenado deba ser oído antes de dictarse la resolución de acumulación de condenas formulando sus alegaciones con asistencia letrada, por afectar al acortamiento de la pena, STS 29.10.1996 (7669), STS 21.10.2000 (8281) siguiendo la STC 11/1987 de 30 de enero.

El Tribunal tendrá que solicitar como documentación, según declara el art. 988 LECR, la hoja histórico-penal del Registro Central de penados y rebeldes para comprobar que es el competente por ser

---

284 Ríos Martín, J. C./Rodríguez Sáez, J. A./Pascual Rodríguez, E. *Manual jurídico para evitar el ingreso en la cárcel* Granada 2015, pág. 192.

285 Ruiz Vadillo, E. "Problemas derivados de la aplicación de la regla 2ª del art. 70 del Código Penal". *PJ Número especial III Vigilancia penitenciaria* pág. 63.

el último, el testimonio de todas las sentencias condenatorias de los distintos Juzgados o Tribunales para saber las fechas de los hechos, las fechas de las sentencias y las penas impuestas, y el dictamen del Ministerio Fiscal.

Si el auto es denegatorio se puede recurrir en casación, sea cual sea el órgano judicial que lo hubiere dictado (Juez o Tribunal), aunque hay que tener en cuenta que frecuentemente cuando ya se ha hecho la acumulación, aparecen nuevas condenas con lo cual ha de repetirse, por ello la acumulación ha de estar siempre abierta a que aparezca otra pena acumulable, en ese caso se revisará y se dictará un nuevo auto de acumulación, pero sólo si es favorable al reo (Circular FGE 1/2014).

El Acuerdo del pleno no jurisdiccional del Tribunal Supremo de 27 de junio de 2018 sobre fijación de criterios de acumulación de condenas clarifica las pautas de interpretación del art. 76.2 CP.

3.2. Análisis del art. 78 CP

Como ya se ha indicado, en los supuestos concursales, los requisitos temporales correspondientes a la libertad condicional, tercer grado, y permisos de salida, se calculan sobre el límite efectivo de cumplimiento recogido en el art. 76 CP; esto puede dar lugar a una cierta cláusula de impunidad en los casos en que la suma total de las condenas impuestas resulte sumamente desproporcionada con dichos límites legales[286]. Para evitar esta situación el CP de 1995 incorporó el polémico art. 78, modificando la consideración tradicional del concurso real de delitos como pena nueva, al permitir el cálculo de la libertad condicional y los beneficios penitenciarios sobre la totalidad de la condena impuesta, cuando por las limitaciones legales la pena a cumplir fuera inferior a la mitad de la suma total de las impuestas. La finalidad de tal proceder era endurecer las condiciones penitenciarias de los condenados a largas penas de prisión retrasando la posibilidad de disfrutar de libertad condicional y beneficios penitenciarios.

---

[286] Cervelló Donderis, V "La restricción de los beneficios penitenciarios en el CP de 1995". *Cuadernos Jurídicos* nº42 junio 1996 pág. 32-42.

La STS 8.3.1994 (R. 1864), antes de aprobarse el CP de 1995, no permitió que la AP de Huelva calculara los beneficios penitenciarios sobre la totalidad de la condena impuesta, no sólo por la falta de cobertura legal en ese momento, sino por la consideración de que los límites del entonces art. 70 CP (actualmente art. 76) eran una pena nueva y a ella debían referirse los beneficios como la libertad condicional y redención de penas por el trabajo, de lo contrario, se afirmaba, se chocaría con los fines rehabilitadores de la pena para convertirla en algo "exclusivamente reivindicativo". En parecidos términos se pronunció la Fiscalía General del Estado en Consulta nº 3/1993 de 9 de diciembre que por exigencias de legalidad instaba a aplicar primero el concurso real y posteriormente en ejecución, los beneficios penitenciarios.

En su regulación inicial de 1995 la aprobación de esta figura la decidía el Tribunal sentenciador atendiendo a la peligrosidad criminal del condenado, permitiendo a la vista de su evolución y oído el Ministerio Fiscal, que el Juez de Vigilancia pudiera acordar la vuelta al régimen general, es decir, hacer los cálculos sobre el límite concursal. Posteriormente, la LO 7/2003 de 30 de junio endureció la figura al ampliar su ámbito de aplicación a más figuras penitenciarias y con más supuestos obligatorios y, finalmente, la LO 1/2015 de 30 de marzo lo volvió a reformar, en este caso, para suavizar su aplicación.

En la actualidad se ha simplificado mucho su aplicación contemplando un supuesto general opcional y reversible por el Juez de Vigilancia y otro específico para delitos terrorismo y organizaciones criminales en el que se marcan los tiempos de tercer grado (cuando quede por cumplir una quinta parte) y libertad condicional (cuando quede por cumplir una octava parte)[287], lo que unido a la posibilidad de revocación ha reducido sus problemas constitucionales.

Sorprende que pese a la relevancia que tiene la aplicación del art. 78 CP en el cumplimiento de la pena, sólo se contemplen criterios para su revocación, pero no para su aplicación, que al ser opcional deja al total arbitrio del juzgador. En sus inicios se hacía referencia a

---

[287] En el texto del Proyecto este precepto era mucho más restrictivo ya que al no contemplar estas previsiones en los delitos mencionados se hacían todos los cálculos sobre la totalidad de la condena.

la peligrosidad criminal, lo que era rechazable por la imposibilidad de su determinación en el momento de la sentencia, pero la alternativa de ausencia de criterios conlleva el riesgo de que recaiga exclusivamente sobre la gravedad del delito con la duplicidad de efectos punitivos sobre la ejecución.

Para la revocación se establece el criterio del pronóstico favorable de reinserción social, las circunstancias personales del reo y la evolución del tratamiento reeducador, lo que permite que no se estanque en la gravedad de los delitos cometidos, sino en la evolución de la conducta del penado, como mantiene el Auto JV A Coruña de 17 de febrero de 2021 que descarta los datos del pasado inmodificables, para centrarse en la evolución personal y penitenciaria.

Para ello la revocación debe oírse al Ministerio Fiscal, Instituciones Penitenciarias y demás partes, siendo posible que la víctima recurra el auto de revocación, según dispone el Estatuto de la víctima.

De esta manera en este último supuesto un sujeto condenado a 100 años de prisión con el límite concursal de 40 años podrá obtener:

– permisos: una cuarta parte sobre la totalidad de la condena: 25 años sin excepción

– tercer grado: la mitad de la condena total (50 años) excepción cuatro quintas partes (32 años)

– libertad condicional: tres cuartas partes de la condena total (75 años) excepción siete octavas partes (35 años)

– libertad definitiva: 40 años

Como se puede apreciar la aplicación estricta de este artículo llega a impedir materialmente el disfrute de estas figuras penitenciarias, ya que sus límites superan, en la mayoría de los casos, el tiempo máximo de estancia en la prisión fijado por la ley en cuarenta años para los supuestos concursales. En todo caso hay que tener en cuenta que estas excepciones sólo señalan límites temporales de posibilidad de acceso a estas figuras, pero no la seguridad de su concesión ya que se tendrá que cumplir el resto de requisitos legales.

La excepcionalidad del art. 78 CP ratifica la posición, defendida tradicionalmente por doctrina y jurisprudencia, de que la regla general es que los límites punitivos del concurso fijan una nueva pena sobre la que hay que calcular los beneficios penitenciarios, y solo excepcionalmente se pueden calcular sobre la totalidad de la condena, siempre que haya autorización legal.

Algo diferente intentó hacer la llamada doctrina Parot introducida por la STS 28.2.2006 (R. 70176), cuando con arreglo al Código Penal anterior y, por tanto, sin la necesaria cobertura legal del todavía inexistente art. 78, se permitía calcular la redención de penas por el trabajo del CP de 1973 sobre cada pena individualizada de las contempladas en la acumulación hasta llegar al tope de cumplimiento legal, bajo la consideración de que los límites concursales no crean penas nuevas, sino límites máximos de cumplimiento penitenciario, es decir, de estancia en prisión. Esta sorprendente interpretación no sólo cambiaba una doctrina pacífica y consolidada, sino que realizaba una aplicación de la norma que iba más allá de su tenor literal en perjuicio del reo[288], ignorando todos los pronunciamientos del Tribunal Supremo emitidos hasta este momento que se mostraban críticos con las penas de larga duración por sus efectos desocializadores. Tampoco el Tribunal Constitucional en STC 39/2012 de 29 de marzo estimó que con ello se vulneraran los principios de legalidad, reinserción social, igualdad y retroactividad no favorable ya que se trataba según su parecer de una nueva interpretación jurisprudencial, siendo por tanto finalmente el TEDH el que en sentencia de 10 de julio de 2012, ratificada por la sentencia de la Gran Sala de 21 de octubre de 2013, estimara que dicha interpretación vulneraba los arts. 5 y 7 del Convenio Europeo de Derechos Humanos porque se trataba de una prolongación irregular de la estancia en prisión que vulneraba el principio de legalidad en la ejecución.

---

288 En la doctrina Parot, en alusión al nombre del condenado que recurrió la liquidación efectuada por el centro penitenciario, el interesado solicitaba la acumulación de dos bloques de condenas efectuada por la Audiencia Nacional en uno solo de treinta años, sin embargo el Tribunal Supremo, más allá de lo solicitado, resolvió sobre la extensión de la acumulación de condenas en general entendiendo que los beneficios penitenciarios debían calcularse sobre cada pena y tras ello la suma de todas ellas no podía superar el total del máximo legal de treinta años. Con ello además de una *reformatio in peius* respecto a lo reclamado por el interesado, se extendía retroactivamente la excepción que ha supuesto el art. 78 en el Código Penal de 1995. En este sentido se manifestaron los votos particulares emitidos por los Magistrados del Tribunal Supremo Martín Pallín, Giménez García y Andrés Ibáñez.

3.3. Refundición de condenas

Si el penado está cumpliendo dos o más condenas a la vez, la suma de las mismas se considera una sola condena a efectos de aplicación de la libertad condicional, para ello se enlazan de manera que cada condena inicie su cumplimiento al día siguiente de la extinción de la anterior, enlace que se hace con la refundición prevista en el art. 193.2 RP, siendo posible refundir conjuntamente condenas del anterior y el vigente Código Penal. Esta unidad de cumplimiento se basa en la unidad de ejecución ya que el tratamiento penitenciario es conveniente que opere sobre la totalidad de las condenas y no sobre cada una de las penas individualizadas, STS 29.9.1992 (7393), STS 8.3.1994 (1825).

Este enlace de condenas permite realizar un cálculo conjunto de las tres cuartas partes de la condena a efectos de la tramitación de la libertad condicional, por eso aunque pueda hacerse cuando quepa la posibilidad de tener acceso a ella según los requisitos del art. 90 CP, es decir, estar en tercer grado o esperando progresión y próximas las tres cuartas partes de la condena, la Instrucción DGIP 1/2005 de 21 de febrero, establece que se realice con independencia del grado de clasificación del interno tan pronto como las nuevas condenas vayan produciéndose, de modo que tan sólo si hay juicios pendientes de próxima celebración se aplace la refundición hasta que se cierre la situación penal del interno.

La ventaja de hacer la refundición de condenas siempre, al margen de la clasificación del sujeto, es evitar el licenciamiento precipitado de condenas sin comprobar la existencia de condenas pendientes de cumplimiento, lo que podría perjudicar al reo. Para evitar esto Ríos Martín proponía que si se habían licenciado condenas y una nueva permitía la refundición, se podía solicitar al Tribunal sentenciador la anulación de ese licenciamiento siempre que la prisión fuera ininterrumpida desde que se licenció la primera[289]. Esto mismo es lo que resuelve la STS 685/2020 de 11 de diciembre de casación por unificación de doctrina que en relación a la refundición de condenas establece que en el requisito de cumplimiento de dos o más sentencias

---

289 Ríos Martín, J. C. *Manual* ... cit. pág. 422.

condenatorias se deben excluir las causas preventivas y las condenas no firmes, pero se pueden incluir las condenas ya licenciadas, si la relación de sujeción especial no se había extinguido, lo que ocurre en los casos de licenciamiento indebido pese a haber otra causa pendiente o licenciamiento correcto si el penado continua en prisión preventiva hasta la firmeza de la sentencia por hechos anteriores al ingreso en prisión; para ello aunque establece que la anulación del licenciamiento la realice el órgano sentenciador que lo acordó, no hay inconveniente en que el Juez de Vigilancia lo realice a los solos efectos de ejecución unificada.

El enlace también puede beneficiar para el cálculo de la cuarta parte de cumplimiento a efectos de la obtención de permisos de salida, ya que si el cumplimiento fuera sucesivo, para los permisos de las condenas siguientes no se le contaría la cuarta parte cumplida de la primera condena, sino que debería volver a cumplirla, con lo que se vería perjudicado.

En el expediente ha de constar:

– causas penales con sus condenas.

– suma total de las condenas impuestas con sus abonos de preventiva.

– indultos.

– fecha de inicio y fecha de licenciamiento de cada una de las condenas.

– días pendientes de cumplimiento.

La propuesta de refundición la realiza la Oficina de régimen, y la comunica al Juez de Vigilancia para su aprobación, previo dictamen del Ministerio Fiscal. Frente a su denegación cabe recurso de reforma y de apelación.

Bibliografía: Arias Fuertes, J. "Liquidación de condena" *REP* nº 154 1961. **Bueno Arús, F** "Nota sobre el cumplimiento "íntegro" de las penas y los beneficios penitenciarios". *Actualidad Jurídica Aranzadi,* 725, 2007. **Gil López, A. F.** "El abono de prisión preventiva y la refundición de condenas". *Cuadernos de Derecho Penitenciario* nº 2 febrero 1998 **González Barbudo, R.** "Método para el cálculo de las fechas de salida del penado". *REP* nº 157 1962. **González Barbudo, R./González de Pablo, S.** "Tabla de liquidaciones de condena". *REP* nº 147, 1960. **Lorenzo de la Fuente, J. M.** "Liquidaciones de condena". *REP* nº 161,

1963. **Montero Hernández, T.** "Práctica jurídica penitenciaria: las liquidaciones de condena" *Revista de Derecho Penal*, 10 (2008). **Nieto García, A.** "La liquidación de condena. Determinación de la hoja de cálculo" *Diario La Ley nº* 9257 de 12 de septiembre. **Sanz Morán, A.** "Refundición de condenas e imputación de beneficios penitenciarios". *Revista de Derecho Penal* nº 18, 2006.

Capítulo 19º

ASPECTOS CRIMINOLÓGICOS DE LA PRISIÓN

1. El análisis criminológico de la prisión. 2. Población penitenciaria. 2.1. Evolución de la población penitenciaria. 2.2. Análisis criminológico. **3. Problemática actual de las prisiones.** 3.1. La nocividad de la prisión. 3.2. Tendencias actuales. **4. Medios penitenciarios para reducir los perjuicios de la prisión.** 4.1. Medios extrapenitenciarios. 4.2. Medios intrapenitenciarios. **5. El informe criminológico en el ámbito penitenciario.** 5.1. Datos de interés penitenciario en el informe criminológico. 5.2. Estructura y contenido del informe criminológico en el ámbito penitenciario.

1. EL ANÁLISIS CRIMINOLÓGICO DE LA PRISIÓN

Tras el análisis jurídico de la legislación que regula la ejecución penitenciaria, resulta necesario revisar sus aspectos criminológicos con el fin de analizar los datos empíricos que informan de la realidad de las prisiones españolas, ya que sólo conociendo la situación de las personas privadas de libertad y el contexto situacional en el que se encuentran, se puede completar el estudio de la regulación jurídica con el fin de comprobar sus posibilidades de aplicación y, en su caso, las actuaciones necesarias para evitar su fracaso.

Las aportaciones que pueden ofrecer los datos criminológicos son variadas, pero entre ellas hay algunas que destacan por su importancia, en primer lugar, es sumamente necesaria la información sobre las dificultades reales que obstaculizan la reinserción social como orientación general de las instituciones penitenciarias, teniendo en cuenta que en muchos casos es el propio medio prisional el que entorpece tal cometido; en segundo lugar, el análisis de la población penitenciaria informa sobre las características de los internos, lo que debe servir para reflexionar sobre los factores que han podido conducir al delito y, con ello, facilitar el diseño de programas de tratamiento dirigidos a evitar la reincidencia y, por último, sólo el análisis de la realidad penitenciaria global permite realizar un examen crítico de la prisión en sentido amplio que permita erradicar los factores criminógenos y trabajar por una prisión más humana, más resocializadora y más respetuosa con los derechos de los internos.

Resultados concretos de todo ello son las siguientes aportaciones procedentes de estudios criminológicos: factores criminógenos de la prisión (contagio criminal, prisionización, encarcelamiento prolongado, aislamiento...), crisis de la prisión y propuestas de abolicionismo, victimización terciaria en los ex reclusos y problemas de integración social postepenitenciaria, control social formal desde la institución penitenciaria, organización social y subcultura de la prisión (códigos de conducta, estructuras y organización...), eficacia del tratamiento penitenciario, volumen y movimientos de la población carcelaria...[290]. Muchos de estos datos se recogen en las estadísticas penitenciarias y demás resultados que se recogen en los Informes Generales publicados anualmente por la Secretaría General de Instituciones Penitenciarias, así como en los documentos que recogen los estudios e investigaciones específicas sobre materias tratamentales y de régimen.

2. POBLACIÓN PENITENCIARIA

2.1. Evolución de la población penitenciaria

La población reclusa en las prisiones españolas tuvo un rápido ascenso en los últimos treinta años, situando a España como uno de los países de la Unión Europea con mayor número de personas privadas de libertad[291], 160 presos por cada 100.00 habitantes, cifra que no se correspondía con el número de delitos cometidos, donde España se encuentra dentro de la media europea[292]. En este imparable ascenso, dos cambios legislativos produjeron en 1983 y 1995, respectivamente, sendas reducciones de la población penitenciaria, en el primer caso debido a la limitación de los plazos de la prisión provisional y en el segundo a la aplicación retroactiva más favorable del nuevo Código

---

290 Mapelli Caffarena. B. *Las consecuencias...* pág. 145.

291 Sobre población penitenciaria mundial, www.prisonstudies.org.

292 Benítez Jiménez, M. J. "Población penitenciaria: evolución, volumen y características demográficas" en *La prisión en España: una perspectiva criminológica*. Coord. A. I. Cerezo y E. García Granada 2007, pág. 44 y ss.

Penal[293], lo que confirma que son factores secuenciales los que influyen en la cifra de personas encarceladas como es la prisión preventiva, los delitos castigados con pena de prisión, las formas de sustitución y suspensión de la pena de prisión y los supuestos de excarcelación en sede penitenciaria, como régimen abierto o libertad condicional.

De esta manera, no es el volumen de delincuencia lo que determina el número de presos, sino el abuso de la prisión derivado de la política legislativa que no deja de ampliar el número de conductas delictivas castigadas con esta pena, sin modificar sus vías de sustitución y suspensión, y la rigidez de su cumplimiento debida a una política penitenciaria que no facilita demasiado los distintos tipos de excarcelación (régimen abierto, libertad condicional, o tratamientos extrapenitenciarios...).

En esta misma línea, a partir de 2010, la cifra se ha rebajado en más de 10.000 internos respecto a los años anteriores[294]por diversas razones entre las que destacan una mayor aplicación de alternativas, la reducción de la penalidad de los delitos contra la salud pública, el crecimiento del trabajo en beneficio de la comunidad especialmente en los delitos de violencia de género y delitos contra la seguridad vial, las mayores posibilidades del tercer grado y la reducción del número de internos extranjeros por expulsión o regreso voluntario.

Esta tendencia de reducción de la población penitenciaria se ha consolidado en los últimos años, bajando a 55.663 internos en 2021, en lo que ha influido, además de los cambios legislativos anteriormente indicados, un mayor uso de alternativas penológicas que ocupan el papel de las penas cortas de prisión, especialmente los trabajos en beneficio de la comunidad y las penas suspendidas, pese a la paralización que supuso el estado de alarma decretado en 2020 en los mandamientos judiciales de trabajos en beneficio de la comunidad y penas suspendidas[295].

---

293 Gallego, M./Cabrera, P. J./Ríos, J. C./Segovia, J. L. *Andar 1 Km*... cit pág 24.

294 Según datos oficiales la media de la población reclusa bajó en tan solo cinco años de 76.108 internos en 2010 a 64.563 internos en 2015. http://www.institucionpenitenciaria.es/web/portal/documentos/estadisticas.html

295 Informe General IIPP 2020, págs. 147 y ss.

2.2. *Análisis criminológico*

En el diseño de un perfil de personas encarceladas los criterios más importantes a tener en cuenta son los de edad, sexo, nacionalidad, tipología delictiva, situación procesal, clasificación penitenciaria y programas de tratamiento.

En relación a la edad, la población penitenciaria ha ido envejeciendo, sigue siendo el grupo más numeroso el comprendido entre 41 y 60 años y la media de edad 40 años[296], tanto en hombres como en mujeres, lo que muchas veces confirma largas carreras criminales. Ello es debido al incremento en los últimos años de las franjas de edad entre 30 y 40, entre 40 y 60 y de más de 60 años, lo que evidencia el paulatino incremento general de la edad en las prisiones españolas[297].

En cuanto a la variable de sexo, España tiene una cifra diferente respecto al resto de países europeos ya que mientras en los centros penitenciarios españoles la presencia de la mujer se situaba alrededor de un 8%, en el resto de Europa es de un 4%. Desde 2013 se inicia un descenso progresivo de este porcentaje hasta alcanzar un 7.3% en el Informe General de 2020, en parte motivado por la política de régimen abierto de madres con hijos llevada a cabo por la SGIP. Las razones de esta elevada cifra en comparación a otros países europeos puede deberse a la categoría de delitos cometidos (principalmente delitos contra la salud pública, cuyas penas de prisión son elevadas) y la ausencia de sustitutivos legales específicos[298].

La cifra de extranjeros en prisión es elevada, como lo es en muchos países europeos[299], pero se observa un descenso en los últimos diez años, que reflejan que el máximo histórico del 35,7% de internos extranjeros alcanzado en 2009 ha bajado hasta un 28.8%, según el último Informe General de 2020. Especial interés criminológico presenta la comparación de esta cifra con el número de extranjeros en España o la relevancia que puede tener la extranjería en el control social for-

---

[296] Anuario estadístico del Ministerio de interior 2020. Gobierno de España, pág. 305.

[297] Benítez Jiménez, M. J. *op. cit.* pág. 47.

[298] Cervelló Donderis, V. "Las prisiones de mujeres desde la perspectiva de género". *RGDP* n °5, mayo 2006.

[299] Suiza, Grecia y Bélgica encabezan la lista europea.

mal en relación a la detención o en la concesión de figuras que evitan el encarcelamiento, ya que la falta de arraigo y de lazos familiares muchas veces condiciona la aplicación de la prisión preventiva o la no concesión de permisos de salida o régimen abierto.

En cuanto a la tipología delictiva más frecuente, son con diferencia los delitos contra el patrimonio y los delitos contra la salud pública los más numerosos, ya que ambos suman un poco más del 60% de las personas encarceladas, entre otras razones por las elevadas penas que reciben por el Código Penal, si bien, preocupa especialmente los que le siguen por su especial impacto social, como son los delitos de violencia de género, delitos de homicidio y sus formas y delitos contra la libertad sexual.

La mayoría de presos españoles están clasificados en segundo grado, algo menos de un 80%; un 1.7% lo están en primer grado y un 19.1% en tercer grado. Es destacable el sensible aumento que está teniendo en los últimos años el tercer grado como consecuencia de una mayor flexibilidad en la aplicación y la incidencia de la construcción de nuevos centros de inserción social para resolver el gran problema de infraestructuras adecuadas y el aumento del control telemático por vía del art. 86.4 RP. También se vislumbra un ligero cambio en el porcentaje de internos clasificados en primer grado, tendencialmente estático, que ha conseguido rebajar el 2% instalado desde hace años con una mayor implicación en los programas de tratamiento específicos. No hay que olvidar que el aumento de clasificaciones en tercer grado o la reducción de las de primer grado viene muchas veces facilitado por la aplicación del principio de flexibilidad recogido en el art. 100.2 RP, que ha experimentado también una mayor utilización en los últimos años, siendo también importante las políticas penitenciarias dirigidas a fomentar o no la progresión, en este sentido a finales de 2004 coincidiendo con el final del gobierno del partido popular había un 3.04% en primer grado y un 12.7% en tercer grado y en 2008, al final de la primera legislatura del partido socialista, las cifras pasaron a un 2.1% en primer grado y un 16.5% en tercer grado[300], cifras que posteriormente se han visto sustancialmente mejoradas.

---

300 Gallego Díaz, M./Cabrera Cabrera, P. J./Ríos Martín, J. C./Segovia Bernabé, J. L. *Andar 1 Km*... cit. pág. 29.

En conclusión, hasta el año 2010 la población penitenciaria española subió hasta límites históricos, si bien a partir de esa fecha se viene produciendo un considerable descenso, la presencia de mujeres sigue siendo mucho menor que la de los hombres, sin conseguir acercarse al 4% dominante en otros países y la clasificación en primer grado baja lentamente junto a una mejoría del porcentaje de clasificación en tercer grado.

3. PROBLEMÁTICA ACTUAL DE LAS PRISIONES

3.1. La nocividad de la prisión

Son muchos e importantes los problemas que se derivan de la estancia en prisión, entre ellos los más importantes son la separación familiar y social que produce el aislamiento, la reducida actividad tratamental derivada de la escasez de equipos técnicos y de la limitación de medios materiales, las deficientes condiciones humanas que provoca la masificación o los elevados índices de reincidencia que la prisión no consigue frenar.

El interno a su entrada en prisión pierde su libertad, pero también el contacto con su familia y amigos, su trabajo, su intimidad y especialmente su autonomía ya que a partir de ese momento todo está reglado y para cualquier actividad debe someterse a las normas internas, lo que erosiona su individualidad impidiéndole regirse como persona autónoma, ello puede favorecer la aparición de uno de los efectos más preocupantes de la pena de prisión, especialmente la de larga duración, como es la prisionización o institucionalización. Con dicho término, Clemmer[301]se refería a la repercusión de la subcultura carcelaria en la vida de los internos, para explicar qua al tiempo que se adoptan los usos y costumbres de la prisión, se pierden los que se tenían antes del ingreso: argot carcelario, subordinación, actividades rutinarias y monótonas, nuevos hábitos de indumentaria o alimentación, afectando más o menos a los internos en función de variados factores como su personalidad, su integración en grupos de reclusos,

---

[301] Clemmer, D. *The prison Community, The Christopher Publishing House*, Boston 1941.

la existencia de contactos con el exterior, las características de su módulo de destino, su edad o tipo de delito cometido.

En todo caso, cuanto más larga es la estancia en prisión, al mantenerse menos contactos con el exterior y crearse más vínculos carcelarios, hay muchas más posibilidades de interiorizar estas normas y más obstáculos para volver a la sociedad libre y asumir sus normas de convivencia.

Esta subcultura carcelaria a la que se refería Clemmer supone adoptar un código interno de conducta derivado del encierro y de la excesiva normativización, lo que lleva a la jerarquización por la presión de grupo, al autoritarismo como modelo de convivencia y a la adopción de un sistema de valores que constituyen modelos de conducta para los internos como no inmiscuirse en la vida de los demás, ser leal con el grupo y resistirse a la institución o mantener una posición defensiva ante discusiones o peleas pero combativa ante cualquier provocación[302]. El nivel de cumplimiento de este código tiene una doble utilidad, da prestigio entre los reclusos, y facilita la unión frente a la institución.

En cuanto a los daños sobre la salud en general derivados del propio encierro y aislamiento, destacan especialmente la pérdida de agudeza visual, olfato u oído y los trastornos de tipo psíquico como ansiedad, insomnio, delirios o depresiones.

Es muy importante en la valoración de los efectos nocivos de la prisión tener en cuenta que cualquier medida de preparación para la libertad puede contribuir de forma muy positiva a paliar los efectos negativos de la misma y, a su vez, que la severidad de la prisión genera más prisionización y, con ello, más posibilidades de reincidir.

3.2. Tendencias actuales

La prisión ha sufrido en los últimos años una gran transformación como consecuencia de su adaptación a los cambios en la población penitenciaria, a la permanente crisis que le rodea y a las nuevas tendencias delictivas, lo que entre otras muchas consecuencias ha deri-

---

[302] Neumann, E./Irurzun, V. *La sociedad carcelaria*, 3ª Ed Buenos Aires 1994 pág. 23.

vado en nuevos tipos de vigilancia como los dispositivos de control telemático, en nuevos tipos de gestión como la privatización de los servicios carcelarios y en nuevos tipos de seguridad como el endurecimiento de las condiciones penitenciarias de los internos pertenecientes a organizaciones criminales o recluidos por delitos de terrorismo.

a) Control telemático

La superpoblación penitenciaria que se produjo en las últimas décadas ha obligado a desarrollar nuevas formas prisionales que limitan la estancia en el interior de la prisión con la finalidad de un mejor aprovechamiento de la capacidad de los centros, siendo uno de los medios más utilizados los sistemas de control electrónico[303]. Estos sistemas de control se destinan a sujetos pocos peligrosos y con condiciones para disfrutar de semilibertad, aportando numerosas ventajas como evitar la estancia en prisión, abaratar el coste diario del interno, evitar la masificación y servir de instrumento de cumplimiento en diversas figuras penitenciarias como permisos de salida, régimen abierto y libertad condicional u otras penas o medidas como la localización permanente o la libertad vigilada.

La transformación social de las nuevas tecnologías de la información y comunicación ha permitido que los medios tecnológicos no solo se utilicen como medio de control alternativo a la estancia en prisión, sino también como medio para facilitar el acceso a prestaciones, servicios y ejercicio de derechos tales como las comunicaciones telefónicas mediante videollamada o el acceso a la red para el estudio y la formación.

Como medio de control su mayor inconveniente es la restricción en la privacidad y libertad individual que supone, lo que hace necesario el consentimiento del penado y el sometimiento a unas estrictas garantías legales en su forma de cumplimiento, pero su indudable ventaja es servir de alternativa al encierro tradicional para evitar sus consecuencias más perniciosas. El incremento de su uso durante el

---

303 Gudín, F. *Sistema penitenciario y revolución telemática. ¿El fin de los muros de las prisiones? Un análisis desde la perspectiva de derecho comparado* Madrid 2005

estado de alarma de 2020 consiguió que el 68% de los internos clasificados en tercer grado disfrutaran de esta modalidad de cumplimiento.

b) Privatización de la ejecución penitenciaria

En relación a la crisis permanente sobre la eficacia y utilidad de la prisión, una de las controversias más frecuentes es el cuestionamiento de los elevados gastos que genera la construcción de centros penitenciarios y el mantenimiento diario de los internos. Esta discusión tiene una especial incidencia durante los períodos en los que la defensa de los derechos humanos de las personas recluidas queda ensombrecida por la preponderancia de las normas dirigidas a proteger la seguridad colectiva o la situación económica dirige su mirada a la restricción del gasto público. En ese contexto se crea un caldo de cultivo que favorece la expansión de una tendencia privatizadora, que en su versión máxima se plantea alcanzar la dirección, gestión y organización completa de los propios centros[304], lo que existe en Estados Unidos como una manifestación más de la entrada de la economía de mercado en todos los sectores, incluidos los de ejecución penal, pero que resulta rechazable por afectar a decisiones que afecten a la libertad de los internos. En España ese modelo se sigue en los centros de internamiento de menores con fuertes críticas doctrinales por la dejación estatal que supone en un contexto de desarrollo de derechos fundamentales y por la evidente disminución de garantías que supone, especialmente en la prestación de actividades de tratamiento y en la aplicación del régimen disciplinario[305].

Un segundo plano más reducido, limitaría la participación privada a la colaboración auxiliar en la prestación de determinados servicios como la construcción de centros, talleres de trabajo, servicios sociales, asistencia sanitaria, alimentación o vigilancia. Algunas de estas colaboraciones pueden ser muy positivas por la apertura social que conllevan, siempre que se realicen con las suficientes garantías legales, como ejemplo de ello es necesario reconocer la valiosa labor de

---

304 Sanz Delgado, E. *Las prisiones privadas: la participación privada en la ejecución penitenciaria*. Madrid 2000, pág. 143 aclara que debe restringirse la expresión prisión privada sólo a estos casos.

305 Cervelló Donderis, V, *La medida de internamiento en el Derecho penal del menor.* Valencia 2009 pág. 189.

asociaciones no gubernamentales y de voluntariado que facilitan el acceso a aquellas prestaciones que la Administración Penitenciaria, por si misma, no siempre puede llevar a cabo.

No obstante, en todos estos casos, aunque la mayor ventaja pueda ser el ahorro económico que conlleva, su mayor riesgo es la reducción de la inversión pública que puede provocar, con el correspondiente perjuicio para los derechos de los reclusos.

c) Endurecimiento penitenciario para organizaciones criminales y terrorismo

Finalmente, en relación a las nuevas tendencias delictivas hay que destacar el endurecimiento de las condiciones penitenciarias en casos de terrorismo y organizaciones criminales que ha creado un sistema penitenciario paralelo con menos garantías que el sistema general y con requisitos más complejos para acceder a cualquier figura que suponga algún tipo de excarcelación, lo que conlleva el riesgo de distanciar a este tipo de interno de las medidas de reinserción social y, con ello, reforzar la presión que la organización criminal a la que pertenecen, pueda ejercer sobre ellos. Tanto en España como en Italia, dos de los países europeos que más reformas han incluido en este sentido en los últimos años, el legislador se ha visto obligado a incluir correctivos que faciliten una vía, al menos excepcional, a la resocialización so pena de caer en normas contemplativas con la presión social y mediática de protección a la seguridad general, pero abiertamente inconstitucionales por su frontal oposición al mandato de reinserción social.

En esta línea de endurecimiento penitenciario en estos delitos destaca como excepción los encuentros restaurativos dirigidos a facilitar el reconocimiento del daño producido a las víctimas, iniciados en 2011 en la prisión de Nanclares de Oca con resultados muy positivos[306].

---

306 Pascual Rodríguez, E, (Coord.) *Los ojos del otro*. Cantabria 2013.

4. MEDIOS PENITENCIARIOS PARA REDUCIR LOS PERJUICIOS DE LA PRISIÓN

Con los inconvenientes y perjuicios ya citados a los que lleva el encarcelamiento, en especial, en las penas de prisión de larga duración, resulta necesario explorar la legislación penitenciaria para destacar los medios que el propio sistema penitenciario dispone para reducir los efectos nocivos permitiendo excarcelaciones temporales dirigidas, o bien, a facilitar progresivamente la reinserción social, o bien, a atenuar la prisión por motivos humanitarios.

Se trata de supuestos en los que, al no caber o no ser posible la sustitución ni la suspensión de la ejecución de la pena, es inevitable el ingreso en prisión, pero no lo es la mejora de la situación del sujeto en el recinto carcelario, lo que obliga a tener en cuenta los medios disponibles en la legislación penal y penitenciaria para perseguir un cumplimiento menos nocivo. Esto se debe a que la pena de prisión solo ha de privar de la libertad, pero no de los demás derechos, por ello cualquier limitación de otros derechos ha de ser utilizada en casos excepcionales y por los motivos permitidos por la ley, de manera que, desaparecidas las causas que indicaron su imposición, debe volverse a la situación ordinaria.

El reconocimiento de la dureza de la prisión a veces da lugar a que se desconozcan las posibilidades legales que pueden ser utilizadas con el fin de lograr una ejecución más humana y más abierta a la sociedad, por ello, a continuación, se citan someramente los medios legales más importantes que pueden ser utilizados tanto para evitar la imposición o ejecución de la pena de prisión, como los que pueden emplearse una vez el sujeto ya está cumpliendo su pena para conseguir, en la medida de lo posible, una ejecución menos desocializadora.

4.1. Medios extrapenitenciarios

Se caracterizan por aplicarse antes o al inicio de la ejecución penitenciaria, por tanto, no dependen de la conducta carcelaria del interno, sino de la gravedad del delito y las circunstancias personales del autor, ni su decisión corresponde a órganos penitenciarios ni al Juez de Vigilancia Penitenciaria. Su finalidad es evitar la imposición, cumplimiento o ejecución de una pena de prisión ya impuesta por el órgano jurisdiccional.

a) *modificación de la condena acortando la pena de prisión:*

– indulto: Lo pueden solicitar los penados, sus parientes o cualquier otra persona en su nombre; el Tribunal sentenciador, Tribunal Supremo o Fiscal de cualquiera de ellos y el propio Gobierno. El procedimiento se regula en la ley de 18 de junio de 1870 (reformada en 1988) de la gracia de Indulto. Durante su tramitación se puede suspender la ejecución de la pena, art. 4.4. CP y, sólo si ya está cumpliendo condena, lo puede solicitar el Juez de Vigilancia.

b) *imposición de una pena distinta en lugar de la prisión:*

– suprimida la sustitución de la pena de prisión como figura autónoma, no se puede considerar como algo beneficioso la expulsión del territorio nacional para extranjeros prevista en el art. 89 CP, salvo que se cuente con su consentimiento.

c) *evitar el cumplimiento de una pena de prisión ya impuesta en sentencia:*

– suspensión de la ejecución de la pena de prisión por el Tribunal sentenciador: art. 80 CP, se decide en sentencia o lo antes posible, con nuevas posibilidades para no cumplir desde su inicio la pena de prisión.

4.2. Medios intrapenitenciarios

Se caracterizan por aplicarse sobre una pena de prisión que ya se está cumpliendo, la deciden los órganos penitenciarios o el Juez de Vigilancia Penitenciaria y su concesión depende de la conducta penitenciaria y circunstancias personales del interno. Se dirige a reducir los efectos nocivos de la prisión y facilitar la futura excarcelación.

a) *mejora de las condiciones penitenciarias al permitir contactos con el exterior*

– permisos de salida: art. 154 RP

– clasificación en tercer grado: art. 104 RP

– salidas programadas: art. 114 RP

b) adelantamiento de la excarcelación en una pena de prisión que se está cumpliendo

– libertad condicional: art. 90 CP

– libertad condicional anticipada: art. 90.2 y 3 CP

c) *supuestos especiales*

– extranjeros: art. 89 CP (sustitución pena o libertad condicional por expulsión) art. 197.1 RP (solicitud para cumplir la libertad condicional en su país de origen).

– drogodependientes: art. 80.5 CP (suspensión ejecución) art. 182 RP (cumplimiento de tercer grado en instituciones extrapenitenciarias).

– enfermos terminales: art. 80.4 CP (suspensión ejecución) art. 36.3 CP y art. 104.4 RP (tercer grado), art. 91.1 CP (libertad condicional sin requisito temporal).

– mayores de 70 años: art. 91.1 CP (libertad condicional sin requisito temporal).

– enfermos mentales: art. 60 CP (suspensión ejecución pena por demencia sobrevenida y posible sustitución por medida de seguridad).

5. EL INFORME CRIMINOLÓGICO EN EL ÁMBITO PENITENCIARIO

5.1. Datos de interés penitenciario en el informe criminológico

En sede de ejecución penal puede haber informes criminológicos destinados a asesorar a Jueces y Tribunales sobre la sustitución o suspensión de la pena, e informes que se llevan a cabo cuando el sujeto ya está ingresado en prisión, en este caso se trata del informe criminológico en el ámbito penitenciario[307], cuya finalidad es formular una propuesta razonada, basada en criterios científicos, que sirva de fundamento para la toma de decisiones relacionadas con la modalidad de cumplimiento de una pena, medida cautelar o medida de seguridad privativa de libertad. Los destinatarios de este informe pueden ser órganos jurisdiccionales como el Juez de Vigilancia o el Tribunal sentenciador, o bien, órganos administrativos como la Junta de Tra-

---

[307] Climent, C./Garrido, V./Guardiola, J. *El informe criminológico forense. Teoría y práctica*. Valencia 2012, pág. 28 y 52.

tamiento, la comisión disciplinaria o el Centro Directivo, de hecho, los propios Jueces de Vigilancia en su reunión de 2008 señalaban la importancia de contar con criminólogos en sus Juzgados para la emisión de informes previos a la toma de decisiones. Además, la actual adscripción del cumplimiento de la pena de trabajos en beneficio de la comunidad y del seguimiento de los programas de tratamiento de las penas sustituidas y suspendidas al servicio de gestión de penas y medidas alternativas, les vincula también a los mismos fines del informe criminológico penitenciario.

El art. 25 CE y 1 LOGP establecen como fin prioritario de las Instituciones Penitenciarias la reeducación y reinserción social a través del tratamiento, lo que exige una labor criminológica fundamental para planificar y evaluar el tratamiento que mejor pueda contribuir a facilitar la inserción social cuando el interno sea excarcelado y detectar los inconvenientes a la misma como pueda ser la prognosis de peligrosidad. La LOGP establece que la individualización científica la llevarán a cabo los Equipos Técnicos, en cuya composición al crearse en 1970 había un jurista-criminólogo, entre cuyas funciones recogidas en el art. 281 del RP 1981, vigente todavía, se citan las de realizar una valoración criminológica para la clasificación y programación del tratamiento emitiendo informes propios de la especialidad y realizar una propuesta global de diagnóstico criminológico y de programación de tratamiento tras los informes del resto del Equipo Técnico. El nuevo RP 1996 dejó exclusivamente como jurista a este miembro del Equipo Técnico, lo que explica que la mayoría de sus funciones actuales sean de naturaleza jurídica, aunque subsista alguna de carácter criminológico como ejecutar los programas de tratamiento o evaluar sus objetivos.

Pese a ello, en un recorrido por el cumplimiento de las penas privativas de libertad, hay numerosos factores que aconsejan un informe criminológico como son las siguientes:

a) en la propuesta de clasificación se ha de estudiar la situación penal, procesal y penitenciaria, con especial incidencia en el nivel normal de integración, para descartar el régimen cerrado y en la capacidad de salir al exterior y necesitar menos medidas de vigilancia y control para proponer, en su caso, el régimen abierto.

b) en la propuesta de destino es muy importante valorar el nivel de convivencia que se espera del interno y las posibilidades de tratamiento que pueden realizarse en el destino seleccionado, para elegir aquél en el que se puedan desarrollar mejor las que se adapten a las necesidades del interno.

c) en la propuesta de tratamiento se ha de valorar la interrelación entre el condenado, el delito cometido y las posibilidades de reincidencia. Para ello hay que analizar las circunstancias personales, familiares y sociales que rodearon la comisión del delito y la relación del condenado con la víctima, con el fin de identificar sus motivos, su capacidad de autocontrol, la probabilidad de reiteración o le necesidad de actuaciones concretas sobre el interno o su entorno[308].

d) en la propuesta de concesión de permisos de salida se ha de realizar una predicción de comportamiento en el exterior, para ello hay factores que pueden ser positivos (ausencia de drogas, ausencia de sanciones...) y factores que pueden ser negativos (reyertas, ausencia de trabajo...). En cualquier salida al exterior hay que valorar el pronóstico de reincidencia para determinar si es favorable, desfavorable o dudoso, no de forma automática, sino con un estudio individualizado de las características del sujeto.

e) en la propuesta de revisión de grado o modalidad hay que distinguir los progresos y esfuerzo personal del interno en el tratamiento y en la conducta penitenciaria, y las dificultades derivadas del propio medio penitenciario.

f) en el levantamiento del periodo de seguridad y la supresión del cálculo de figuras penitenciarias sobre la totalidad de la condena hay que realizar un pronóstico individualizado de reinserción social basado en su actitud frente al delito cometido y la víctima y en su evolución en los programas de tratamiento.

g) en la propuesta de sanción disciplinaria hay que valorar su necesidad, repercusión en la conducta del interno y en su programa de reinserción, debiendo proponer su suspensión cuando vaya a ser beneficiosa para estos fines y potenciar las vías de diálogo y mediación.

---

308 Climent Durán, C./Garrido Genovés, V./Guardiola García, J. *op. cit.* pág. 55-56.

h) en la propuesta de libertad condicional se ha de valorar la buena conducta penitenciaria como ausencia de factores negativos y los criterios que indiquen una prognosis favorable de reinserción social atendiendo a trabajo, familia y medios económicos, así como las propuestas de prohibiciones y deberes.

i) en la propuesta de libertad definitiva es importante destacar los apoyos familiares y sociales con los que cuenta el interno en el exterior y, en su caso, las necesidades de naturaleza sanitaria y psiquiátrica y los contenidos de la libertad vigilada que deba cumplir.

j) en cualquier informe que pida el Tribunal sentenciador hay que ajustarse a lo solicitado por el mismo.

5.2. Estructura y contenido del informe criminológico en el ámbito penitenciario

No existe un formato común a todos los informes que debe hacer un criminólogo en el ámbito penitenciario, ya que se trata de materias muy diversas entre sí, sin embargo, es posible establecer un modelo básico de estructura y contenidos que recojan los factores que en todo caso deben aparecer reflejados y que deben ir siempre dirigidos a proponer lo más adecuado, para facilitar la reinserción social y para reducir los riesgos de comportamientos penitenciarios negativos o de reincidencia.

En cuanto a la estructura el informe debe recoger las siguientes partes:

1.-Identificación del sujeto sobre el que se hace el informe.

2.-Identificación de la finalidad del informe: propuesta permiso de salida, de progresión de grado...

3.-Descripción de los datos consultados: expediente personal, entrevista interno, informe médico...

4.-Análisis de la situación global y específica relacionada con la finalidad del informe: destacar de los datos consultados aquellos que tengan relevancia para la propuesta que se va a realizar y su interrelación con los demás.

5.-Propuesta razonada: se trata de hacer una propuesta objetiva derivada de datos concretos que se hayan consultado y basada en la necesidad de defender con argumentos sólidos las propuestas que se formulen.

6.- Fecha y firma: la fecha es muy importante porque señala la identificación en el tiempo de la propuesta formulada, lo que en su caso puede servir para justificar posteriores cambios desarrollados en el sujeto.

Para proceder a la elaboración de dicho informe los contenidos que se deben incluir y las fuentes de dónde se van a extraer son las siguientes:

Identificación personal (nombre, número identificación personal, edad, sexo) y datos sociales, familiares y laborales.

Datos penales extraídos de la sentencia condenatoria: delito cometido, pena impuesta, circunstancias modificativas de la responsabilidad criminal para valorar la capacidad criminal y el potencial delictivo, autoría individual o coautoría, relación con la víctima, existencia o no de condenas anteriores.

Datos penitenciarios extraídos del expediente personal: fecha primer ingreso en prisión, fecha de inicio de la condena, clasificación, permisos disfrutados con fecha de inicio y fin y valoración de los mismos, fecha de propuesta de libertad condicional, cumplimiento o no de prisión preventiva, otros ingresos, sanciones.

Datos procesales extraídos del expediente personal: existencia de otros procedimientos abiertos, cumplimiento de prisión preventiva u otras medidas cautelares, existencia de condenas anteriores.

Datos tratamentales: participación en actividades realizadas dentro de prisión, desempeño de trabajo, relación con los compañeros y funcionarios, desintoxicación, formación educativa o laboral, habilidades sociales, factores de riesgo delictivo.

La finalidad principal del manejo de esta información es realizar una prognosis de comportamiento futuro para justificar la propuesta de concesión o denegación de figuras penitenciarias, proponer actividades de tratamiento adecuadas al interno y aptas para evitar futuras conductas delictivas y actuar sobre los factores criminógenos tanto internos como externos al medio penitenciario.

Bibliografia: **VVAA** *La prisión en España: una perspectiva criminológica*. Coord. A. I. Cerezo/E. García. Granada 2007. **Clemente Díaz, M.** "Los efectos psicológicos y psicosociales del encarcelamiento" en *Psicología Jurídica Penitenciaria* Madrid 1997. **Clemmer, D.** *The prison Community, The Christopher Publishing House*, Boston 1941. **Climent Durán, C./Garrido Genovés, V./Guardiola García, J.** *El informe criminológico forense. Teoría y práctica*. Valencia 2012. **Gallego Díaz, M./ Cabrera Cabrera, P. J./ Ríos Martín, J. C./Segovia Bernabé, J. L.** *Andar 1 Km en línea recta. La cárcel del siglo XXI que vive el preso*. Madrid 2010. **Gudín Rodríguez Magariños, F.** *Cárcel electrónica. Bases para la creación del sistema penitenciario del siglo XXI*. Valencia 2007. **Del Rosal Blasco, B.** "La privatización de las prisiones. Una huida hacia la pena privativa de libertad". *Eguzkilore*, nº extraordinario 12 diciembre 1998. **López Rodríguez, J. A.** "El futuro de las prisiones" *Revista General de Derecho Penal* nº 15, 2011. **Neumann, E./Irurzun, V.** *La sociedad carcelaria*, 3ª Ed Buenos Aires 1994 **Reviriego Picón, F./ Gudín Rodríguez Magariños, F.** "Los sistemas penitenciarios europeos frente al siglo XXI" *Seguridad y ciudadanía*. Revista del Ministerio del Interior, nº 4, 2010. **Sanz Delgado, E.** *Las prisiones privadas: la participación privada en la ejecución penitenciaria*. Madrid 2000. **Wacquant, L.** *Las cárceles de la miseria*. Buenos Aires 2000.

BIBLIOGRAFÍA GENERAL

Albiñana Olmos, J. L. Cervera Salvador, S. *Vida en prisión. Guía práctica del derecho penitenciario*, Fé d'erratas, Madrid, 2014.

Armenta González-Palenzuela, F. J. *Procedimientos penitenciarios.* Comares. Granada, 2009.

Armenta González-Palenzuela/ F. J.-Rodríguez Ramírez, V. *Reglamento penitenciario comentado.* Ed, MAD. 5ª Edición Sevilla, 2006.

Armenta González-Palenzuela/ F. J.-Rodríguez Ramírez, V. *Reglamento penitenciario: Análisis sistemático, comentarios, Jurisprudencia.* Colex. Madrid, 2009. 2ª ed. 2011.

Armenta González-Palenzuela, F. J./Fernández Arévalo, L./Hernández Sánchez, M. F. *Código penitenciario.* Comares. Granada, 2008.

Asociación pro Derechos Humanos, *Informe sobre la situación de las prisiones en España.* Madrid, 1999.

Berdugo Gómez de la Torre, I. (Coord.) *Lecciones y materiales de estudio del Derecho Penal. T. VI Derecho Penitenciario* Iustel, Madrid 2010. 2ª Edición Madrid, 2016.

Bruneti, C. Ziccone, M. *Manuale di Diritto Penitenziario* Piacenza, 2005.

Bueno Arús, F. *Lecciones de Derecho Penitenciario* Ed. Universidad de Alcalá. Madrid 1985.

Canepa, M. Merlo, S. *Manuale di Diritto Penitenziario* Milano 2004.

Castro Antonio, J. L./ José Luis Segovia Bernabé, J. L. (Directores) El Juez de Vigilancia penitenciaria y el tratamiento penitenciario. *Estudios de Derecho Judicial* nº 84, 2005.

Castro Antonio, J. L. (Director) Derecho Penitenciario: incidencia de las nuevas modificaciones. *Cuadernos de Derecho Judicial* XXII, 2006.

Cid Moliné, J. "El sistema penitenciario en España" *Jueces para la democracia* nº 45, 2002.

Circulares e instrucciones de la Dirección General de Instituciones Penitenciarias. Madrid, 2000.

De León Villalba, F. J. (Coord.) *Derecho y prisiones hoy.* Universidad de Castilla la Mancha, Cuenca, 2003

De Vicente Martínez, R. *Derecho Penitenciario: enseñanza y aprendizaje.* Tirant lo Blanch, Valencia, 2015.

Defensor del pueblo. *Informe situación penitenciaria y depósitos municipales de detenidos* 1988-1996. Madrid

Díaz Gómez, A. *Los sistemas especiales de cumplimiento. Determinación y cumplimiento de las penas privativas de libertad de la delincuencia organizada, terrorista y sexual.* Dykinson, Salamanca, 2015

Fernández Aparicio, J. M. *Derecho Penitenciario: comentarios prácticos.* Ed. Sepin, Madrid, 2007.

Fernández Arevalo, L.-Mapelli Caffarena, B. *Práctica forense penitenciaria.* Civitas, Madrid, 1995.

Fernández Arevalo, L./Nistal Burón, J. *Manual de Derecho Penitenciario.* Aranzadi, Navarra, 2011. *Derecho Penitenciario* Navarra, 2016.

Fernández Bermejo, D. *Lecciones de Derecho Penitenciario*, CEF, Madrid, 2019.

Ferrer Gutierrez, A. *Manual práctico sobre ejecución penal y Derecho Penitenciario* Ed. Esfera, Valencia 2011.

Foucault, M. *Vigilar y castigar. Nacimiento de la prisión.* 1ª Ed en castellano Madrid, 1978. 13ª Ed. castellano 1986. Trad. Garzón del Camino.

García Albero, R./Tamarit Sumalla, J. M. *La reforma de la ejecución penal.* Tirant lo Blanch, Valencia, 2004.

García Valdés, C. *Comentarios a la legislación penitenciaria.* Reimpresión Civitas, Madrid, 1995.

García Valdés, C. *Apuntes históricos del Derecho Penitenciario español.* Edisofer, Madrid, 2014

Garrido Guzmán, L. *Manual de Ciencia penitenciaria.* Edersa, Madrid, 1983.

Giménez Salinas, E./Rifa Ros, A. *Introducción al Derecho Penitenciario. Teoría y práctica.* Ed. Librería catalana, Barcelona, 1992.

González Cano, Mª I. *La ejecución de la pena privativa de libertad,* Tirant lo Blanch, Valencia, 1994.

Gracia Martín, L./Boldova Pasamar, M. A./Alastuey Dobón, M. C. *Lecciones de consecuencias jurídicas del delito.* 5ª Ed. Tirant lo Blanch, Valencia, 2015.

Juanatey Dorado, C. *Manual de derecho penitenciario,* Iustel, Madrid, 2011. 3ª Edición Madrid, 2016.

Leganes Gómez, S. *La prisión abierta: nuevo régimen jurídico.* Edisofer, Madrid, 2013.

León Alapont, J. (Dtor.) *Guía práctica de Derecho Penitenciario.* Wolters Kluwer, Madrid, 2022.

Mapelli Caffarena, B. *Principios fundamentales del sistema penitenciario español.* Bosch, Barcelona, 1983.

Mapelli Caffarena, B. *Las consecuencias jurídicas del delito.* 5ª Edición, Civitas, 2011.

Mata y Marín, R. *Fundamentos del sistema penitenciario.* Técnos, Madrid, 2016

Mata y Marín, R. (Dtor.) *Reinserción y prisión.* Bosch, Barcelona, 2021.

Mata y Marín, R. (Dtor.) *La necesaria reforma penitenciaria.* Comares, Granada, 2021.

Mir Puig, C. *Derecho Penitenciario: el cumplimiento de la pena privativa de libertad* Atelier, Madrid 1ª Ed. 2011. 5ª Ed 2022.

Montero Herranz, T. *Legislación penitenciaria comentada y concordada.* Ed. La ley, Madrid, 2012.

Pavarini, M. Guazzaloca, B. *Corso di Diritto Penitenziario* Bolonia 2004.

Paz Rubio, J. M. y otros, *Legislación penitenciaria. Concordancias, comentarios y Jurisprudencia.* Colex, Madrid, 1996.

Racionero Carmona, F. *Derecho Penitenciario y privación de libertad.* Dykinson, Madrid 1999.

Ríos Martín, J. C. *Manual de ejecución penitenciaria. Defenderse en la cárcel.* Ed. Universidad Pontifica de Comillas, Madrid, 2016, 2ª ed. 2018

Ríos Martín, J. C./Rodríguez Sáez, J. A./Pascual Rodríguez, E. *Manual jurídico para evitar el ingreso en la cárcel. Estudio doctrinal y jurisprudencial de las alternativas a la prisión.* Comares, Granada, 2015.

Rivera Beiras, I. *La cárcel en el sistema penal. Un análisis estructural.* Bosch, Barcelona, 1995.

Rivera Beiras, I. (coord.) *La cárcel en España en el fin del milenio (a propósito del vigésimo aniversario de la LOGP)* Bosch, Barcelona 1999.

Rodríguez Alonso, A. *Lecciones de Derecho Penitenciario.* Comares, Granada 3ª Edición 2003.

Rodríguez Alonso, A. y Rodríguez Avilés, J. A. *Lecciones de Derecho Penitenciario*, Comares, Granada 4ª ed. 2011.

Rodríguez Yagüe, C. *La pena de prisión en medio abierto: un recorrido por el régimen abierto, las salidas tratamentales y el principio de flexibilidad.* Ed. Reus, Madrid, 2021.

Stéfani, G./ Levasseur, G./ Jambu-Merlín, R. *Criminologie et Science pénitentiaire* 5ª Ed Paris 1982.

Solar Calvo, P. *El sistema penitenciario español en la encrucijada: una lectura penitenciaria de las últimas reformas penales.* Ed. BOE, Madrid, 2019.

Tamarit Sumalla, J. M.-Sapena Grau, F.-García Albero, R. *Curso de Derecho Penitenciario.* Tirant lo Blanch, Valencia, 2ª ed. 2005.

Tellez Aguilera, A. "Aproximación al Derecho Penitenciario de algunos países europeos". *BIMJ* nº 1818, 1998.

VVAA *Comentarios a la legislación penal. LOGP.* Dtor. M. Cobo del Rosal. Tomo VI vol I y II. Edersa. Madrid, 1986.

VVAA Derecho Penitenciario. *Cuadernos de Derecho Judicial.* CGPJ Madrid, 1995. *Derecho Penitenciario II* CGPJ Madrid, 2003.

VVAA *La reforma penitenciaria* Estudios penales II. Santiago de Compostela, 1978.

Van Zyl Smit, D./Snacken, S. *Principios de Derecho y Política Penitenciaria Europea. Penología y Derechos Humanos.* Tirant lo Blanch, Valencia, 2013.

Van Zyl Smit, D. *Manual de principios básicos y prácticas prometedoras de la aplicación de medidas sustitutivas del encarcelamiento.* Oficina Naciones Unidas contra la droga y el delito, Viena. Naciones Unidas Nueva York, 2010.

Wacquant, L. *Las cárceles de la miseria.* Manantial, Madrid, 2000.

CIRCULARES E INSTRUCCIONES MÁS RELEVANTES

- *Circular 1/2000 de 11 de enero*, Criterios para la emisión de informe médico para la aplicación de los arts. 104.4 y 196.2 RP.
- *Instrucción 1/2005 de 21 de febrero*, Actualización de la Instrucción 19/96 relativa a las oficinas de régimen, cumplimiento de condenas y régimen disciplinario.
- *Instrucción 2/2005 de 15 de marzo*, Modificación de la Instrucción 2/2004 sobre actuación de las Juntas de Tratamiento en las modificaciones introducidas por LO 7/2003 de 30 de junio.
- *Instrucción 4/2005 de 16 de mayo*, Comunicaciones de internos. Modificada por la *Instrucción 5/2020 de 20 de julio.*
- *Instrucción 9/2007 de 21 de mayo*, Clasificación y destino de penados. Modificada por la *Instrucción 3/2017.*
- *Instrucción 17/2007 de 4 de diciembre*, Beneficio penitenciario de indulto particular.
- *Instrucción 7/2010 de 14 de diciembre*, Modificación de la Instrucción 2/2005 en lo relativo al periodo de seguridad (art. 36.2 del Código Penal).
- *Instrucción 3/2011 de 2 de marzo*, Plan de intervención general en materia de drogas en la institución penitenciaria. Modificada por *Instrucción 9/2014 de 14 de julio.*
- *Instrucción 5/2011 de 31 de mayo,* Reforma del Reglamento Penitenciario.
- *Instrucción 9/2011 de 1 de julio*, Procedimiento de gestión administrativa de la pena de trabajos en beneficio de la comunidad.
- *Instrucción 10/2011 de 1 de julio*, Suspensiones y sustituciones de condena de penas privativas de libertad. Especial referencia a la intervención con agresores por violencia de género en medidas alternativas.
- *Instrucción 11/2011 de 7 de julio* Pena de localización permanente en Centro Penitenciario.
- *Instrucción 12/2011 de 29 de julio*, Internos de especial seguimiento y medidas de seguridad.
- *Instrucción 17/2011 de 8 de noviembre,* Protocolo de intervención y normas en régimen cerrado.
- *Instrucción 18/2011 de 10 de noviembre,* Intervención en módulos de respeto.

- *Instrucción 19/2011 de 16 de noviembre,* Cumplimiento de las medidas de seguridad competencia de la Administración Penitenciaria.
- *Instrucción 4/2014 de 30 de enero* Cumplimiento de la pena de trabajos en beneficio de la comunidad en los casos de delitos contra la seguridad del tráfico.
- *Instrucción 8/2014 de 11 de julio* Nuevo programa para la prevención de la radicalización en los establecimientos penitenciarios. Revisada por *Instrucción 2/2015 de 10 de febrero.*
- *Instrucción 4/2015 de 29 de junio* Aspectos de la ejecución afectados por la reforma del Código Penal en la LO 1/2015 de 30 de marzo.
- *Instrucción 9/2015 de 14 de diciembre* Protocolo de actuación en el ámbito penitenciario del sistema de seguimiento por medios telemáticos del cumplimiento de las medidas y penas de alejamiento en materia de violencia de género.
- *Instrucción 10/2015 de 18 de diciembre* Los nuevos programas de intervención de penas y medidas alternativas. Procedimientos y metodología.
- *Instrucción 2/2016 de 25 de octubre* Programa Marco de intervención en radicalización violenta con internos islamistas.
- *Instrucción 6/2018 de 17 de diciembre* Procedimiento para la emisión de informe médico y tramitación de la suspensión de la ejecución de la pena privativa de libertad por enfermedad muy grave con padecimientos incurables.
- *Instrucción 8 /2019 de 23 abril* Actualización de la Instrucción sobre aplicación del art. 86.4 RP.
- *Instrucción 13/2019 de 31 de julio* Acceso al expediente penitenciario.
- *Instrucción 2/2020 de 11 de junio* Procedimiento de actuación para posibilitar la aplicación de lo dispuesto en el art. 60 CP.
- *Instrucción 6/2020 de 17 de diciembre* Protocolo de ingreso directo en régimen abierto
- *Instrucción 2/2021 de 22 de abril* Actualización del protocolo de actuación en materia de seguridad en medio abierto regulado en la Instrucción 3/2020.
- *Instrucción 3/2021 de 17 de mayo* Conducciones de internos entre establecimientos penitenciarios.
- *Instrucción 1/2022* de Indicaciones en relación a la STS 859/2019 sobre permisos de salida modifica la *Instrucción 1/2012 de 2 de abril,* Permisos de salida y salidas programadas.

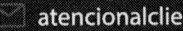

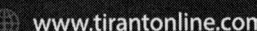